KB090455

TOURISM AND SWARM CULTURE

관광과 스웜문화

박중환 저

(주)백산출판사

이 저서는 2016년 정부(교육부)의 재원으로 한국연구재단의
지원을 받아 수행된 연구임(NRF-2016S1A6A4A01019171)

머리말

우리는 왜 뉴스에 나온 주말 나들이객의 표정이나 국제공항에 늘어서서 해외로 떠나는 관광객들의 모습을 보면서 왠지 모를 소외감을 느끼는 걸까? 또한 우리는 유니폼과도 같은 등산복 차림의 단체 해외관광객들을 볼 땐 멋쩍은 어색함을 느끼는 걸까? 또 우리는 유명 관광지에서 위험을 무릅쓰고 인생샷을 찍거나 레스토랑에서 음식메뉴가 나오자마자 무의식적으로 셀카를 찍어대는 걸까? 이 저서는 단순히 이러한 의문에서 출발하여 학문적 여행(관광)을 시작하였다.

이 저서는 우리들의 평소 모습인 관광현상들을 인간 중심의 행동경제학(Behavioral Economics) 관점과 근거이론(Grounded Theory) 및 ZMET(Zaltman Metaphor Elicitation Technique) 등을 이용한 담론을 중심으로 새로운 이해와 해석을 하고자 시도하였다.

우리는 가끔 일상 속에서 해외관광 경험담을 듣곤 하는데, 늘 이야기하는 사람은 추억거리(스토리)로서 정말 신나게 스토리텔링(스토리는 적지만 텔링은 화려함)을 하지만 듣는 사람은 속으로는 부럽기도 하지만 꽤나 지루함을 느끼는 경우가 참으로 허다한데, 이 저서 역시 학문적 깊이가 없이 꽤나 지루할거라고 생각도 한다. 그럼에도 불구하고 이 저서가 독자들에게 관광현상에 대한 담론(Discourse)에 새로운 영감을 줄 수 있기를 기대하면서 우리 자신들의 관광문화를 좀 더 잘 이해하는 계기가 되기를 또한 바라본다.

A.I., 서비스 로봇시대 등 4차 산업혁명시대에서 요구되는 지식과 학문은 최근의 행동경제학연구 등에서의 새로운 시도와 같이 관광현상에 대한 다양한 해석, 즉 휴리스틱(Heuristic)과 편의(Bias)에 대한 연구를 통해 기존의 이론체계를 뛰어 넘어 새로운 패러다임(Paradigm)이나 담론(Discourse)을 만드는 것이라고 할 수 있다. 더욱이 새로운 담론의 전제는 '세상에 과연 정답이 있는가' 하는 문제이다. 그 대표적인 사례로서 첫째, 우주과학자 세이건(Carl Edward Sagon)에 의하면, 과학에서는 최종적인 정답이란 없을 뿐만 아니라 오직 다양한 정도의 확률만 있을 뿐이며, 과학적 '사실'조차도 잠정적으로 동의를 표하는 게 합리적이라는 것이다. 둘째, 양자물리학의 코펜하겐 해석에 의하면, 양과 음은 동시 존재(상보성 원리)하며, 양자와 전자의 불확정성, 즉 무질서도(Entropy S)를 갖는다는 것이다. 셋째, 무상관(無常觀)의 관점은 오온(색, 수, 상, 행, 식)의 에너지는 제대로 조화를 이루지 못한다는 것이다.

이러한 상황에서 이 저서는 행동경제학 등 관점에서 관광주체, 관광객체, 그리고 관광매체의 스웜(Swarm) 문화에 대한 이해와 이러한 현상을 어떻게 해석하고 응용할 것인가 하는 문제에 초점을 두었다. 특히 관광현상에 대한 새로운 시각과 포스트 모더니즘, 그리고 사회과학적 사고를 바탕으로 관광현상에서의 스웜문화에 대한 새로운 패러다임과 담론을 개발하였다. 관광현상에서의 스웜문화는 일종의 트렌드일 뿐만 아니라 이 시대의 대중문화현상이기도 하다. 예컨대 이러한 스웜문화는 크게 집단지성이나 무리지능의 스마트(Smart) 스웜문화와 그 반대의 그레이(Grey) 스웜문화가 있다.

일반적으로 관광은 일상탈출로서 '벗어남'의 기쁨을 주며, 관광참여를 통해 물리적 · 심리적으로 제3의 공간화(Querencia)를 이룰 수 있을 뿐만 아니라 변화 및 오락 욕구 등을 충족시켜주는 행복에 이르는 최고의 수단이라는 것이다. 또한 관광은 사람과 사람의 '연결(Connected)'을 통한 Social Network의 중요한 수단이기도 하다.

이러한 맥락에서 이 저서는 단 한 번 뿐인 인생(YOLO: You Only Live Once)에서 소확행의 수단인 관광과 그 스웜문화를 행동경제학 등의 관점에서 이해의 폭을 넓히는 계기가 될 것으로 확신한다. 또한 관광기업 관점에서 보면,

코로나19 이후 '가치소비시대'로의 패러다임 전환에 맞춰 새로운 관광서비스 생산·배달 콘셉트로 전환될 수 있을 것으로 판단된다. 그리고 이를 통해 인간의 여행 본성을 연구하는 관광학이 최고의 인문학이자 응용과학으로 자리매김할 수 있는 단초가 될 수 있기를 기대한다. 한편 코로나19로 인한 '트래블 버블(Travel Bubble)'이니 '백신 여권'이라는 말이 필요 없는 그야말로 해외관광이 일상인 소소한 행복 시간이 빨리 오기를 염원해 본다.

관광과 스웜문화라는 새로운 학문적 오아시스를 처음 찾아가는 모험관광의 첫 여행기가 출간되기까지 도움을 준 대한민국 정부(교육부)와 한국연구재단, 그리고 저술출판 심사를 해주신 분들께 매우 감사를 드린다. 또한 관광학계 선·후배님들의 훌륭한 선행연구들 덕분에 다소나마 완성도를 높일 수 있었다는 점에서 마음 깊이 고마움을 전한다. 끝으로 이 저서의 출판을 흔쾌히 허락해 준 백산출판사 진욱상 대표님, 진성원 상무님, 김호철 편집부장님께 큰 감사를 드린다.

저자

차 례

TOURISM & SWARM CULTURE

관광현상과 스웜문화

CHAPTER

01

관광현상과 스웜문화

제1절 관광현상과 스웜문화

관광과 스웜문화

세계관광기구(UNWTO: World Tourism Organization)는 1997년 터키 이스탄불에서 개최된 정기총회에서 다음과 같은 내용의 2020년 관광전망을 발표하였다. 세계관광기구(UNWTO) 보고서(1997)에 의하면, 2020년의 일반적인 관광전망으로서 21세기에는 스마트폰이나 GUCCI 구두, ROLEX 시계가 아닌 '관광지'를 방문하는 것이 가장 귀중한 '패션 액세서리'가 될 것이고, 유명 디자이너 브랜드의 의류가 아닌 우주복을 입게 될 것으로 전망하였다. 또한 휴가 때는 집에서 멀리 떨어진 남들이 가보지 못한 오지나 우주를 탐험하게 될 것이며 그 결과 관광기간이 늘어나 1995년 전체 관광 중 18%였던 장기관광은 2020년에는 24%로 증가하게 될 것이라고 예측하였다.

2020년의 관광시장 전망으로서 국제관광객은 16억 명, 연평균 관광수입은 2조 50억 달러에 이를 것이라고 했는데, 이는 1996년 국제관광객 수(5억 9,500만 명)의 3배, 관광수입(4,250억 달러)의 5배로 당시 세계관광기구(UNWTO)는 앞으로 20년간 국제관광객 수와 관광수입이 연평균 각각 4.3%p, 6.7%p씩 증가할 것으로 전망하였다. 결과적으로 관광은 세계 최대산업으로 부상할 뿐만 아니라, 전대미문의 거대산업으로 성장하게 될 것으로 전망하였다. 1996년 외래 관광객을 가장 많이 유치한 국가는 프랑스, 미국, 스페인, 이탈리아의 순이었으나, 2020년에는 중국이 1억 3,700만 명의 관광객을 유치하여 세계 1위의 관광지로 부상하게 될 것으로 보았다. 미국 1억 240만 명, 프랑스 9,330만 명, 스페인 9,100만 명, 홍콩 5,930만 명의 관광객을 유치하여 중국의 뒤를 따르게 될 것이라고 예측하였다. 아웃바운드 측면에서는 1억 6,350만 명의 독일인이 해외관광을 함으로써 세계 제1위의 관광객 송출국(Tourist Generating Country)이 될 것으로 전망하였다. 일본은 1억 4,150만 명으로 2위를, 미국이 1억 2,330만 명으로 3위를, 중국이 1억 명으로 4위를, 그리고 영국이 9,610만 명으로 5위를 기록하게 될 것이라고 보았다. 특히 관광의 행태 측면에서는 장거리 관광과 장기 관광시장의 크기가 점차 늘어나 1995년의 18%에서 2020년에는 24%가 될 것으로 전망하였다.

한편 세계관광기구(UNWTO)의 최근의 통계에 의하면, 2019년 국제관광객 수는 전년 대비 3.5%p 증가한 14억 6,000만 명으로 나타났다. 그리고 국제관광수입은 전년 대비 2.6%p 증가한 1조 4,780억 달러를 기록하였다(문화체육관광부, 2020). 그러나 세계관광기구(UNWTO) 등 여러 보고서 예측과 달리 2020년 코로나19 팬데믹으로 인해 하늘길이 막히면서 아쉽게도 그 예측은 크게 빗나가게 되었다. 그럼에도 불구하고 향후 관광객의 폭발적인 수요는 거시환경으로서 경제적 환경, 자연적 환경, 정치적 및 법적 환경, 그리고 사회문화적 환경의 변화 및 미시환경요인으로서 개인의 삶의 질(Quality of Life)과 행복(Happiness) 추구에서 비롯될 것으로 예상된다.

한편 동아시아·태평양지역의 경우 중국과 호주 등의 관광잠재력 등을 고려해봤을 때 이 지역의 관광시장은 날로 성장할 것이라는 것이 세계관광기구(UNWTO)의 예측이었다.

20여 년 전 세계관광기구(UNWTO)의 예측이 오늘날 현실이 되고 있었으나 아쉽게도 세상에 예외 없는 규칙이 없듯이 2020년 코로나19 팬데믹으로 인해 하늘길이 막히면서 우리들이 겪어보지 못한 관광현상을 경험하고 있다. 그러나 코로나 백신과 치료제의 보급으로 곧 하늘길이 열린다면, 관광수요의 가장 독특한 특징 중 하나인 리질리언스(Resilience) 소비로 또 다시 해외여행이 일상인 시대로 곧 돌아가리라 확신한다. 또한 코로나19로 인한 '트래블 버블(Travel Bubble)'이니 '백신 여권'이라는 말이 필요 없는 그야말로 해외관광이 일상인 시간이 곧 도래할 것이다.

최근의 한 조사에서도 나타났듯이 '귀하가 100만 원을 써야 한다면?'이라는 질문에서 60% 이상이 관광을 하고 싶다고 하였다는 점에서 단 한 번 뿐인 인생(YOLO)에서 소확행을 실천하고 자신의 존재가치나 경험가치를 극대화하려는 현명한 관광객 시대가 도래한 것이다. 이는 20세기 초반에 나타난 '산업혁명 이후 자본주의의 핵심 가치'인 근로윤리(Work Ethic)에서 21세기의 여가윤리(Leisure Ethic)로 패러다임이 이동함으로써 가능해졌다. 이러한 관광현상은 행동경제학 관점에서의 새로운 관광 스웜문화 담론 개발이 필요함을 시사하고 있다.

일반적으로 스웜(Swarm)이란 사전적인 의미로서 "곤충의 떼 혹은 무리"를 의미한다. 우리들의 일상생활에서의 스웜은 한 가지 질문으로 대답이 될 수 있다. '해외관광을 가보면, 우리나라 사람들이 왜 이렇게 많지?' 결국 오늘날 우리들의 관광(Tourism)의 모습이 스웜 행태라 할 수 있다. 한편 생물학적 관점에서 보면, 먹이를 운반하는 개미 떼라든지 꿀벌 집단의 경우 의사결정 과정에서 리더(Leader)의 특별한 지시가 없음에도 불구하고 개개의 역할분담은 물론 시스템적으로 움직일 뿐만 아니라 매우 스마트하다는 사실이 증명되고 있다. 이러한 생물학적 무리 문화를 밀러(2010)는 저서 『The Smart Swarm』을 통해 스마트 스웜이라 명명하였다. 한편 이 저서에서 언급되는 그레이(Grey) 스웜문화는 연구자가 새롭게 개념화하였으며, '관광현상에서의 다소 부정적인 관광문화'라 정의한다.

이러한 스웜문화를 이해하기 위해선 먼저 우리 인간행동에 대한 이해로서 행동경제학적 접근이 필요하다. 일반적으로 행동경제학은 사람이 실제로 어떻게 행동하는가, 왜 그렇게 하는가, 행동의 결과로 어떤 현상이 발생하는가를 주제로 연구하는 인간심리학적 경제학이라 말할 수 있다. 이때 행동경제학의 입장은 인간이 완전 합리적, 완전 자제적, 완전 이기적임을 부정하지만 그렇다고 완전히 비합리적, 비자제적, 비이기적이라고 보지도 않는다. 특히 행동경제학에서 말하는 '비합리적'이란 개념은, 터무니없거나 또는 정형화되지 않은 행동경향이 아니라 합리성(경제적 인간)의 기준에서 벗어난다는 의미로 사용될 뿐이라는 것(도모노 노리오, 이명희 역, 2007)이다.

즉 관광현상을 올바르게 이해하기 위해서 호이징하(Johan Huizinga)는 1938년에 저술한 『놀이하는 인간』(Homo Ludens)에서 인간의 본성을 '놀이'에서 찾아야 한다고 하였다. 그는 '노동'은 수단과 목적이 분리되어 있는 것이고, '놀이'는 수단과 목적이 결합되어 있는 것으로 보았다.

이러한 흐름 속에서 1970년대에 이르자 개인의 판단이나 의사결정의 공동연구자 문제에 대한 인지심리학자들의 실험과 연구가 활발해졌다. 이후 트버스키와 카너먼(A. Tversky & D. Kahneman)과 같은 인지심리학자들이 활발한 연구 활동을 펼쳐 점차 경제학에 영향을 끼치게 되었다. 특히 행동경제학 연구에서 주목해야 할 것은 이상(Anormaly) 현상의 축적으로 이는 단순한 사실의 축적이 아니라 새로운 이론 창출의 계기가 되어야만 한다는 것이다. 이러한 맥락은 관광현상의 스웜문화 담론의 필요성과 일맥상통한다고 볼 수 있다.

여기서 문화(Culture)란 사전적 의미로 "사람이 본래 가지고 있는 이상을 실현하려는 인간 활동의 과정 또는 성과로 특히 예술·도덕·종교·제도 따위 인간의 내면적, 정신적 활동의 소산"이라고 정의되어 있다. 문화의 사회과학적 개념은 공통된 유형의 행동을 초래하는 규범, 신념, 관습의 총체이며, '공유된 이해(Shared Understanding)'(서은국, 2019)로서 사회로부터 학습되는 것이다. 따라서 문화를 잘 이해하기 위해서는 문화요소(Culture Elements)를 이해할 필요가 있다. 즉 이러한 요소들이 모여 하나의 관광문화를 형성하기 때문이다. 문화요소에는 트라이스(H. M. Trice) 모델이 있다.

표 1-1 트라이스(H. M. Trice)의 문화요소

문화요소	개념
의례(Rite)	• 통상적으로 청중을 위하여 사회적 상호작용을 통해 수행되며, 다양한 문화현상의 형태를 하나의 사건으로 연결시키는 정교하고 극적이며, 계획된 활동들의 집합
의식(Ceremony)	• 한 사건과 연결된 여러 양식의 체계
행사(Ritual)	• 불안을 관리하는 기법, 행위들의 표준화되고 상세한 집합, 그러나 실제적인 중요성을 갖는 의도된 기술적인 결과는 발생시키지 않음

신화(Myth)	• 보통 어떤 것의 기원이나 변환을 설명하는 데 사용되는 것으로 상상적인 사건을 극적으로 기술한 이야기
전설(Legend)	• 역사적 사실을 가공하여 전해오는 이야기
일화(Story)	• 실제적인 사건에 약간의 허구를 강조한 이야기, 스토리텔링
설화(Folktale)	• 완전한 허구적인 이야기
상징(Symbol)	• 의미를 전달하기 위한 수단으로 사용되는 모든 물적 대상, 행위, 사건, 관계 등

자료: 원융희(1999), 78의 내용을 요약함.

관광현상에서 관광객과 지역주민 간의 만남은 각각의 문화의 만남으로서 쌍방 모두에게 문화충격(Cultural Shocks)을 줄 수 있다. 이러한 충격은 긍정적인 면과 부정적인 면이 공존한다. 이때 부정적인 문화충격에는 예를 들어 특정 지역주민의 이국적인 문화에 대한 관광객의 부정적이고 불쾌한 반응이라든지 충격적인 음식문화 등이 있다. 결과적으로 이러한 부정적인 문화충격으로 인해 관광객과 관광지의 지역주민들 간에 직·간접적인 문화갈등(Cultural Conflicts)이 발생하기도 한다. 결과적으로 관광객과 지역주민 간의 만남은 ① 문화 배타주의(Cultural Ethnocentrism), ② 라이프 스타일(Lifestyle)의 차이를 유발하게 된다. 한편 관광객과 지역주민 간의 만남은 관광문화종속(Tourism Cultural Dependence)으로 나타나기도 한다. 이러한 현상은 관광의 경제적 효과 이면에 나타나는 라이프 스타일 또는 문화를 형성하는 규범과 가치의 타락 현상을 말한다. 한 예로서 일부 학자들이 말하는 Whorism(Who+Tourism의 합성어) 현상으로서 지나친 관광객 중시 현상이 좋은 사례이다. 그럼에도 불구하고 보편적으로는 관광을 통한 문화변동은 긍정적인 효과인 문화동화(Cultural Assimilation)로 나타난다. 이는 특정 집단이나 지역의 문화에 대해 내면화되어 있는 정도로 통합된 상태를 말한다. 최근에는 이러한 문화갈등을 최소화하기 위한 새로운 패러다임의 관광상품의 하나로서 공정관광(Fair Tourism)이 등장해 확산되고 있는 상황이다.

한편 문화의 고유성(Authenticity)이란 해당 문화가 지니고 있는 원형을 말한다. 이는 진짜이며, 실제적이고, 그 문화만이 가지는 독특성을 의미한다. 맥캔널(1973)은 "관광의 근본 동기는 고유성을 추구하는 인간의 욕구다"라고 말하였다. 부어스틴(1961)은 베블런(T. Veblen)의 '과시적 레저(Conspicuous Leisure)'를 비판하면서 관광행동에서 관광객들은 실제는 경험하지 못한 채 '가짜사건(Pseudoevents)'만 본다고 주장하였다. 특히 맥캔널(1973)은 고프만(1967)의 관광현상의 전면부-후면부 이론을 바탕으로 '무대화된 고유성(Staged Authenticity)' 이론을 제시하였다. 그 단계는 다음과 같다(전경수, 1994에서 재인용함).

- **1단계** : Goffman의 전면부. 관광객들이 일반적으로 접하게 되는 사회적 공간
- **2단계** : 그 몇몇 특성들에서 후면부처럼 보이도록 치장된 관광용 전면부. 벽에 어망을 걸어놓은 해산물 전문 레스토랑. 플라스틱으로 만든 입체적인 치즈와 볼로냐 소시지를 벽에 달아매어 놓은 수퍼마켓의 식육부계산대. 기능적으로 볼 때, 이 단계는 완전히 전면부이면서 후면부에서의 활동을 상기시켜주는 물건들(심각한 고려 없이 '분위기'라 불리는 기념물들)로 치장됨
- **3단계** : 후면부처럼 보이도록 완전하게 조직된 전면부. 텔레비전 시청자를 위해 달에서의 보행을 모의적으로 보여주는 것 등
- **4단계** : 외부에 개방된 후면부. 잡지에서 유명 인사들의 사생활을 폭로하는 것 등. 특히 관광적인 이 배경들(단계3과 4)을 다른 후면부들과 구별시키는 것은 그 개방성임. 대부분의 경우 비관광적인 후면부에 접근하는 것은 약간 제한됨

- **5단계** : 관광객들에게 이따금씩 구경이 허용되기 때문에 깨끗하게 정돈되거나 약간 변형되는 후면부. Goffman이 예로 든 부엌, 공장, 배 그리고 교향악단의 리허설 등
- **6단계** : Goffman의 후면부. 관광지각에 동기를 부여하는 사회적 공간. 관광배경에서의 경험적 행동은 주로 후면부처럼 보이게끔 치장된 지역들과 관광객들이 안을 들여다볼 수 있게 허용된 후면부들 사이에서의 움직임에 국한됨

덧붙여 코헨(1979)은 고프만(1967)의 관광현상 전면부-후면부 이론과 맥캔널(1973)의 무대화된 고유성 이론을 바탕으로 4가지 분류를 제시하였다. ① 고유성(Authenticity)으로서 이는 실제적으로 고유하며, 관광객도 그렇게 보는 공간, 즉 색다른(Off-beat) 것을 즐기는 아웃백 관광객이 보는 이국적인 장면을 말한다. ② 무대화된 고유성(Staged Authenticity)으로 이는 가짜로 꾸며졌으나 실제인 듯 그럴듯하게 보여 관광객이 진짜로 착각하는 관광공간을 말한다. ③ 믿지 않는 고유성(Denied Authenticity)으로 이는 실제로는 진짜지만 관광객이 진짜 고유한 것으로 믿지 않는 관광공간을 말한다. ④ 가짜 고유성(Contrived Authenticity)으로 실제 가짜로 꾸며진 공간이며, 관광객도 이미 가짜공간인 줄 아는 공간을 말한다. 대표적인 예가 민속촌이나 개발창조형 수상시장과 같은 곳이다.

결국 관광에서의 고유성은 특정 공간과 특정 시간에 관련하여 발생하는 과거 또는 현재의 활동장소, 추억, 지식, 그리고 사회문화적 맥락과 관련된다고 하겠다. 특히 관광현상에서의 무대화된 고유성 문제는 일명 천국의 오류(Paradise Fallacy)[1]로서 대표성 오류(Representativeness Heuristic)의 하

1) 이는 초점의 오류로서 전체를 못 보는 오류를 말하는 것으로 이는 대표성 오류의 하나임.

나라 할 수 있다. 이는 거짓을 진짜로 보는 제 I 종 오류(Type I Error)라고도 할 수 있는데 특히 관광객들은 관광지에서의 주민들의 일상생활 모습을 잘못 이해하는 경우도 많다. 다시 말해 지역주민의 일상생활을 관광객의 입장에서 보면, 슬로라이프(Slow Life)이지만 지역주민의 입장에서 보면, 치열한 삶의 현장이라는 것이다.

결국 세계관광기구(UNWTO) 등 여러 보고서에 의하면, 세계 관광객의 계속적인 증가는 거시환경으로서 경제적 환경, 자연적 환경, 정치적 및 법적 환경, 그리고 사회문화적 환경의 변화 및 미시 환경요인으로서 개인의 삶의 질과 행복 추구에서 비롯된다. 특히 개인 관광객 환경으로서 레저시간의 증대는 21세기 여가사회의 대중화를 촉진하고 있을 뿐만 아니라 MZ세대[2)]를 포함한 가치소비를 추구하는 대중은 관광을 더욱더 촉진할 것으로 본다.

한편 관광객들의 레저시간과 관련하여 우리 개인에게 주어진 시간은 첫째, 비자유재량시간(Non Discretionary Time)으로 개인의 신체 유지를 위한 필수시간이 있다. 둘째, 경제활동 시간인 근로시간(Work Time)이 있다. 셋째, 자유재량시간(Discretionary Time)인 레저시간이 있다. 특히 개인의 비자유재량시간의 단축은 ① 문명의 발달로 시간절약재(Time Saving Product)의 대중화, ② 원스톱 쇼핑(One Stop Shopping), 즉 동시소비(Simultaneous Consumption), ③ 개인의 합리적인 시간안배 등에 기인한다고 할 수 있다. 한편 개인의 근로시간의 단축의 주된 요인은 ① 노동조합의 교섭력(Bargaining Power) 확대, ② 기계화 및 자동화, ③ 생산성 문제에 대한 인식의 전환 등이 있

2) MZ세대는 1980년대 초~2000년대 초 출생한 밀레니얼(Millennials) 세대와 1990년대 중반~2000년대 초반 출생한 Z세대를 통칭하는 말임.

다. 결과적으로 이러한 사회현상, 즉 거시환경의 변화로 레저시간이 확대되어 오늘날 현대사회가 대중여가사회로 진화하게 되었다.

아울러 현대 대중여가사회에서 레저시간에 이룩된 활동으로서 여가활동의 양과 질이 현대인의 삶의 질과 행복을 결정한다고 할 수 있다. 현대인들의 여가 인식 또한 빠르게 변화하여 20세기 초반에 나타난, 자본주의의 핵심 가치인 근로윤리(Work Ethic) 중심에서 21세기에는 여가윤리(Leisure Ethic) 중심으로 여가 콘셉트가 이동하고 있다. 즉 현대인들은 비자유재량시간에 하는 활동이나 근로시간(Work Time)에 하는 근로활동만으로 삶의 질이 좋아진다고 인식하지 않는다는 것이다. 특히 현대인들은 하루 24시간 중 레저시간을 더 중요하게 여기며 이때 이루어지는 여가활동은 무엇보다 재미(Fun)가 있어야 한다고 생각한다. 결국 관광주체(관광객)의 관점에서 보면, 레저시간 내에서 이루어진 관광활동의 재미가 삶의 질을 결정한다고 할 수 있다. 한편 관광매체(관광사업)의 관점에서 보면, 미래의 관광상품이나 서비스는 무엇보다 재미에 초점을 두고 개발되어야 함을 시사한다.

현대인의 일상생활 가운데서 행해지는 여가활동은 여러 가지가 있으나 주류적 활동들을 범주화해 보면, 여가(Leisure), 놀이(Play), 게임(Game), 스포츠(Sports), 레크리에이션(Recreation), 그리고 관광(Tourism) 등이 있다. 일반적으로는 관광을 'TOURISM'으로 사용하는데 이때 Tourism은 집단이나 단체의 의미를 포함한다. 본래 'TOURISM'은 라틴어 'TORNUS'(돌다, 순회하다)에서 유래된 것으로 보고 있으며, 1811년 『The Sporting Magazine』 잡지에서 최초로 사용하였다. 그리고 포괄적 개념으로서 관광(Tourism)에 포함되는 유사개념으로는 이동개념의 여행(Travel), 협의의 관광(Tour), 왕복여행(Trip), 한 지역에서 다른 지역으로 이동하는 장시간의 여행(Journey), 주유형 관광(Sightseeing), 휴가관광(Vacation), 야유회 등 당일 관광(Excursion), 유학 등 수년간의 여행(Odyssey), 항해여행(Voyage), 탐사여행(Exploration), 공무여행(Junket), 장거리 보행여행(Hiking), 장거리 도보여행(Tramp), 성지순례(Pilgrim), 횡단여행(Traverse) 등이 있다.

나아가 관광과 스웜문화를 이해하기 위해선 관광의 역사를 파악하는 것 또한 매우 중요한 의의가 있다. 관광의 역사는 인류의 역사와 함께 시작되었다. 관광현상은 하나의 오픈 시스템(Open System)으로서 역사 속에서 거시환경과 미시환경의 부단한 변화 속에서 상호 영향을 주고받으면서 그 모습이 변화되어 왔다는 것이다. 이러한 변화 속에서 관광객(관광주체)은 생존의 욕구, 생리적 욕구, 안전의 욕구, 사회적 욕구, 존경의 욕구, 자아실현의 욕구, 그리고 변화 및 오락욕구 등 다양하고 감각적인 욕구를 충족하기 위하여 관광을 했다는 문헌사적 기록이 있다. 또한 관광자원(관광객체) 역시 관광객의 욕구변화 및 수요에 따라 개발되었으며, 개발 방향도 소비자 중심으로 변화되었다고 할 수 있다. 이는 관광자원 역시 시장 지향적 경영관점에서 변화가 필요했음을 시사한다. 그리고 관광사업(관광기업) 역시 거시환경과 미시환경의 변화에 창조적으로 적응(Creative Adaptation)을 하면서 그 콘셉트와 패러다임이 변화되어 왔다.

관광현상을 역사적 관점에서 바라보는 연구가 역사적 접근이며, 이러한 접근에는 ① 문헌사적 접근과 ② 문제사적 접근이 있다.

문헌사적으로 고대 그리스 시대 올림픽 게임(Olympic Games)의 관람이나, 그리스와 터키 사이에 있는 에게해(Aegean Sea)의 여러 섬에 보양관광을 갔었다는 기록으로 볼 때, 이는 비록 오늘날의 대중관광(Mass Tourism)과는 질적으로 비교될 수 없지만, 우리 인간은 과거부터 즐거움과 휴양을 얻기 위한 관광을 했음을 알 수 있다.

그러므로 관광의 역사에 대한 고찰은 시장수요에 맞는 관광상품을 개발하고, 예측하기 위함이며, 오늘날의 새로운 관광문화를 이해하는 데 도움이 되는 것이다. 즉 어떠한 관광주체가 어떤 동기와 목적으로 관광을 했는지, 또 그것을 가능하게 한 관광여건은 무엇이었는지 등을 분석하는 것은 관광현상에서의 스윔문화를 이해하는 데 도움이 된다.

관광발전 과정에서의 스윔문화 행태

관광의 역사를 문헌사적 관점과 문제사적 관점에서 여러 학자들의 연구 결과를 종합해서 관광 스윔문화 측면에서 살펴보면, 다음 표와 같다.

표 1-2 관광의 역사와 스윔문화 행태

역사 단계	시기	관광주체	관광동기	관광 스윔문화 행태
Tour 시대	고대~ 1840년	귀족, 성직자, 기사 등 특권계급	종교심, 보양	특권계급 중심의 그레이 스윔으로서 Safari, Spa, 성차별 Pilgrim 등
Tourism 시대	1841년~ 2차 대전	특권계급, 부르주아지	종교심, 보양, 지식욕	그레이 스윔문화로서 특권층 관광 등
Mass Tourism 시대	2차 대전 이후	대중(Mass)	종교심, 보양, 지식욕, 오락	그레이 스윔과 스마트 스윔의 혼재로서 단체관광, Ugly Tour 등
New Tourism (Social Tourism) 시대	현대	대중(Mass)	다목적	스마트 스윔으로의 진화로서 테마관광 등

표에서와 같이 Tour 시대에서 Tourism 시대로 발전하게 된 주요 사건(Event)은 영국의 목사였던 쿡(Thomas Cook)이 1841년에 '금주동맹대회'에 참가하는 회원들을 모아 단체로 열차를 전세 내어 참가했던 사건이다. 이것이 단체에 의한 관광의 시초이며, 쿡(Thomas Cook)은 관광을 처음으로 알선해 준 사람이다. 그는 1845년에는 단체관광 조직, 교통수단이나 숙박시설을 알선하는 여행대리업(Travel Agent)을 만들었는데, 이것이 오늘날 관광산업에서 관광매체로서 중요한 역할을 담당하고 있는 여행사의 시작이다. 이 시대에는 관광객(관광주체)이 대중적으로 관광에 참여할 수 없는 그레이 스웜문화 시대라고 할 수 있다.

개별관광(Tourism) 시대에서 대중관광(Mass Tourism) 시대로의 발전은 제2차 세계대전이 준 선물이라고 할 수 있다. 제2차 세계대전이 준 순기능으로는 첫째, 사회계급(Social Class)의 파괴이다. 이러한 역사적 사건으로 인해 현대사회는 계급(Class)이 파괴되고 사회계층(Social Class)으로 진화하게 되었다. 이러한 측면에서 기존의 특권계급의 그레이 스웜문화와 대중의 스마트 스웜문화가 혼재된 시대라 할 수 있다. 둘째, 제2차 세계대전 중에 발달한 병참관리(Logistics)의 핵심인 철도, 항공기, 트럭, 선박의 발달과 도로, 통신, 전기, 상하수도 등 사회간법자본으로서 인프라(Infra Structure)의 건설은 전후 새로운 발전의 전기가 되었다. 특히 전투기 및 수송기는 민간항공기의 발달로 이어졌으며, 전시의 군함의 축적된 기술은 해상 크루즈(Cruise)의 발달로 이어졌다. 또한 병참물류의 트럭은 관광용 대형버스의 생산으로 이어졌다. 덧붙여 중화학공업의 발달은 새로운 산업으로 진화하였는데, 노동력의 기간산업에의 투입은 경제부흥은 물론 국민의 가처분소득의 증가로 이어졌으며, 기업, 정부, 가계로 이루어져 있는 국민경제 역시 급속도로 확대되었다. 셋째, 전후 사회적 요인으로 도시화와 산업화는 도시로의 인구집중과 그에 따른 취업구조의 변화, 즉 1차 산업에서 2차 산업으로의 노동력 이동으로 여가 및 관광활동 참여 기회가 급속히 늘어났다. 또한 도시 확장 및 고도성장에 따른 부작용으로 공해의 빈발 등이 인간의 자연회귀 욕구를 자극하게 되었다. 문화적 요인으로서 교육기회의 증대로 개인의 가치관이 근로 윤리(Work Ethic)에서 여가 윤리(Leisure Ethic)로 변화하게 되었으며, 매스컴 등의 발달로 정보의 공유가 확대됨으로써 관광욕구가 커지게 되었다. 그 대표적인 사례로서 관광 검색엔진 카약(KAYAK.co.kr)에 따르면, 우리나라 사람들의 관광의사결정과 관광상품예약에는 관광 관련 방송과 영상이 직접적인 영향을 미친다는 것이다. '주로 어떤 상황에서 관광을 예약하는가?'라는 질문에 무려 47%의 응답자가 '관광방송 혹은 영상시청 중'이라고 답변했으며, 31%의 응답자가 '관광광고를 본 직후' 관광상품을 예약한다는 점에서 관광의사결정에 미치는 미디어의 영향력은 아시아 국가 중 일본(49%)에 이어 한국이 매우 큰 것으로 나타났다(donga.com, 2017.11.2.). 그리고 세계화, 개방화, 규제완화 등과 같은 정치적 · 법적 환경이 변화하였다. 넷째, 선진 각국들은 관광의 경제적 효과에 대해 인식을 달리하고 국가 경제력의 회복을 위한 외화획득의 한 수단으로서 국제관광을 중시하게 되었다. 각국이 해외 관광마케팅에 힘을 기울임으로써 결과적으로 세계교역 중 무역외수지(Invisible Export)로서 국제관광 수입은 세계 무역의 큰 비중을 차지하게 되었다.

한편 스마트 스웜문화의 한 행태로서 지속가능관광의 유형에는 생태관광(Ecotourism), 녹색관광(Green Tourism), 문화유산관광(Heritage Tourism; 관광학회, 2009), 그리고 공정관광(Fair Tourism) 등이 있다. 여기서 생태관광은 넓은 의미에서 자연을 대상으로 한 관광으로 산촌관광, 농촌체험관광, 어촌관광,

해양관광 등이 있다. 한편 녹색관광은 생태관광과 유사개념으로서 친환경적인 관광을 말한다. 이는 선진국에서 1960년대 이후 시작되었다. 문화유산관광은 문화관광의 한 형태로서 특정 지역 내의 문화자원뿐만 아니라 자연자원을 기반으로 한 관광을 말한다. 그리고 공정관광(Fair Tourism)은 우리나라 사회전반에 공정사회 구현을 지향하는 추세가 확산됨에 따라 관광분야에서도 착한 관광, 공정여행 등 책임관광이 부각되면서 윤리적 관광소비와 공정한 관광거래를 통해 공정한 분배를 실현하려는 관광이다. 즉 이는 관광객이 지역주민의 삶과 문화를 존중하면서 자연환경을 보전하고, 공정한 거래를 통하여 지속가능관광을 행하는 것(KTO, 2011.10.)을 말한다.

결국 지속가능관광(Sustainable Tourism)은 관광에 대한 새로운 자각과 함께 새롭게 부각되는 관광문화이자 스웜문화라 할 수 있다.

제2절 관광현상에서 스웜문화의 담론화 모델

행동경제학적 접근

일반적으로 행동경제학은 사람들이 실제로 어떻게 행동하는가, 왜 그렇게 하는가, 행동의 결과로 어떤 현상이 발생하는가를 주제로 연구하는 경제학이라 말할 수 있다. 특히 인간행동의 실제, 원인, 경제사회에 미치는 영향, 사람들의 행동을 조절하기 위한 정책에 관해 체계적으로 규명할 것을 목표로 하는 경제학이다. 행동경제학의 관점은 인간의 합리성, 자제심, 이기심을 부정하지만 인간이 완전히 비합리적, 비자제적, 비이기적이라는 것을 의미하지는 않는다. 특히 행동경제학에서 말하는 '비합리성'이란 개념은, 터무니없거나 또는 정형화되지 않은 행동 경향이 아니라 합리성(경제적 인간)의 기준에서 벗어난다는 의미로 사용될 뿐이라는 것이다.

이러한 흐름 속에서 심리학의 일파로 간주되는 의사결정이론도 인지혁명의 영향을 받아왔다. 그것은 행동적 의사결정이론이라 불리는데, 1970년대에 판단이나 의사결정의 문제에 대한 인지심리학자들의 실험과 연구가 활발해지면서부터이다. 그 후 트버스키와 카너먼(A. Tversky & D. Kahneman)과 같은 인지심리학자들이 활발한 연구 활동을 펼쳐 점차 경제학에 영향을 끼치게 되었다.

앞서 논의된 바와 같이 행동경제학은 1970년대 카너먼 등(D. Kahneman & A. Tversky)이 『Science』에 "Judgement under Uncertainty: Heuristics and Bias"(1974)와 이론계량경제학 분야에서 세계 최고 수준의 학술지로 평가되는 『Econometrica』에 "Prospect Theory: Judgement under Uncertainty"(1979)를 게재한 데서 출발한다. 이들의 뒤를 이어 라빈(M. Rabin)과 심리학 전공자로 행동게임 이론의 창시자라 할 수 있는 캐머러(C. Camerer)나 심리학 전공자로 행동경제학 전반을 연구하는 로엔스틴(G. Loewenstein) 등을 들 수 있다(도모노 노리오, 이명희 역, 2007). 행동경제학 연구에서 주목해야 할 것은 이상 현상의 축적으로 이는 단순한 사실의 축적이 아니라 새로운 이론 창출 및 담론화의 계기가 되어야만 한다는 것이다.

연구방법론으로서 근거이론 및 ZMET

근거이론(Grounded Theory) 방법론에 의한 질적 자료 분석은 1970년대부터 본격화되기 시작했다. 이러한 연구방법은 각 연구영역별로 구체적이고 체계적 분석방법들이 발달되어 왔으며, Ethnography, NUD · IST, Hyper RE-SEARCH, MECA 등 컴퓨터를 이용한 자료분석 프로그램도 나와 있다(김동규, 2006에서 재인용함). 하지만 이 같은 프로그램들이 통계적 분석과 달리 방대한 자료 속에서 개념을 추출하고 구조를 밝혀 이론이나 모델을 구축하는 일은 본질적으로 연구자의 인지적 판단에 달려있다. 결국 이 방법론은 특정 개념들 혹은 이론 산출 과정의 핵심 개념과 범주를 도출하여 그것을 이론화시키려는 것이다.

근거이론에서는 연구 참여자 개개인에게서 수집된 자료 분석을 통해 일차적으로 해당 자료에 함축된 의미와 가치, 다른 맥락이나 개념 간 연관성을 검토하게 된다. 다음으로 주체와 관련된 모든 정보에 대한 포화를 거쳐 범주를 명명하고 범주 간 관계분석을 거쳐 최종적 이론화를 시도한다. 특히 관찰과 분석의 과정이 계속적으로 반복되며, 그 결과가 지속적으로 피드백 되면서 연구대상자 경험에 기초한 실질적 가설과 이론이 도출 · 구성되는 절차를 밟게 된다. 이 방법론은 사회과학 연구에 활용되는 여타 질적 연구 방법에 비해 두드러진 특징 몇 가지를 지니고 있다. 스턴(1980)은 근거이론을 다른 질적 연구방법(Qualitative Method)과 구분짓는 대표적인 특성으로 ① 개념적 틀 혹은 이론이 기존 연구결과의 종합이 아니라 실제적 자료에서 개발한다. ② 특정 단위(Unit)에 대한 기술보다는 사회적 현상 안에 존재하는 주요한 과정에 대한 발견에 초점을 맞춘다는 것이다. 한편 모스(1994)는 특히 자료분석에서 근거이론은 일반적으로 연구대상자의 경험을 추상화시켜 개념으로 명명한 후 통합하여 하위 · 상위 · 핵심을 범주화시키고, 다시 이들을 사용하여 담론화를 한다는 점을 강조하였다.

이러한 근거이론은 관광현상에 대한 새로운 개념 개발 및 패러다임 개발, 그리고 특정 주제의 담론화에 매우 효과적이고 유용한 연구방법이라고 할 수 있다.

덧붙여 연구방법론으로서 ZMET(Zaltman Metaphor Elicitation Technique)는 모든 인간의 의사소통 가운데 80% 이상이 비언어적(Non Verbal)이라고 전제한다. 따라서 관광객이 생각하고 전달하는 방법과 연구자들이 관광객의 생각에 접근하는 방법 사이에는 불일치(Imbalance)가 존재한다(Zaltman & Coulter, 1993)는 것이다.

ZMET의 기본 전제는 대부분 인간의 커뮤니케이션은 비언어적이고, 사고는 종종 언어로서 표현된다 하더라도, 일반적으로는 비언어적 이미지로서 발생하며, 은유는 사고의 필수 단위이고, 관광객의 사고 및 감정을 비춰보고 관광객의 행동을 이해하기 위한 주요한 창이자 메커니즘이다. 특히 감각적 이미지는 중요한 은유를 제공하고, 관광객들은 관념적 모델을 가지는데 이것은 그들의 지식과 행동을 표현하며, 숨겨져 있거나 깊은 사고 구조의 측정이 가능하며, 감정과 이성은 관광객들의 마음속에 뒤섞여 있다는 기본전제로부터 출발한다.

오늘날의 관광기업은 끊임없이 시장에서 경쟁 우위를 확보하고 유지하려고 노력하는데, 이때 가장 중요한 것은 관광객의 니즈를 이해하는 것이다. 설문지법과 Focus Group Interview(F. G. I.) 등과 같은 다양한 시장조사 기법들은 관광객 정보를 획득하기 위해 언어를 사용한 의사소통(Verbal Communication)에 의존한다. 또 다른 사례로서 메라비언(Albert Mehrabian)

은 『침묵의 메시지』(Silent Messages)에서 '55 대 38 대 7'의 법칙을 제시하였다. 즉 우리 인간의 커뮤니케이션은 첫째, 자세 · 용모 · 외적 이미지 등의 시각(視覺)적 요소가 55%를 차지한다는 것이다. 둘째, 목소리 · 톤 · 음색 등과 같은 언어의 질적 측면인 청각(聽覺)적 요소가 38%를 차지한다는 것이다. 셋째, 말의 내용을 의미하는 언어(言語)적 요소는 7%를 차지한다는 것이다.

결국 우리들의 커뮤니케이션은 대략 10%의 언어적 요소와 90% 비언어적 요소로 구성됨을 알 수 있다. 따라서 관광객이 생각하고 전달하는 방법과 연구자들이 관광객의 생각에 접근하는 방법 사이에는 불일치(Imbalance)가 존재한다(Zaltman & Coulter, 1993)고 볼 수 있다.

연구방법론의 하나인 ZMET는 대략 20명 정도의 작은 집단을 대상으로 조사가 이루어진다. 연구 참여자는 처음 모집 후 일주일이나 열흘 내에 유도대화(Guided Conversation)로서 수행되는 두 시간 동안의 개인적인 1:1 면접을 하며, 녹음한다. 일단 참가자들의 인터뷰가 완결되면, 조사자는 주요 주제나 구성물들을 확인하고, 자료를 코딩한다.

따라서 ZMET는 소비자들의 행동 휴리스틱을 보다 잘 이해하기 위한 흥미로운 새로운 접근 방법의 하나이다. ZMET는 이론적으로 다양한 문헌(시각적 사회학, 시각적 인류학, 네트워크 분석, 내적 이미지 그리고 인지신경과학)에 기반을 둔 방법론이다(Zaltman & Coulter, 1993). 이것은 사진과 Kelley Repertory기법, 사다리 기법, 그리고 정량적 도구를 포함한 몇 가지 타당하고 신뢰할 수 있는 정성적 분석을 사용한다. 특히 F.G.I.(Focus Group Interview)와 비교해 볼 때 ZMET의 개별 면접은 관광객 태도의 구성개념(Constructs)을 유도하는 데 아주 유용하다고 할 수 있다.

새로운 패러다임 개발을 위한 담론

새로운 패러다임 개발을 위한 담론(Discourse)은 담화 또는 언술, 언설이라고도 한다. 일반적으로 담론은 말로 하는 언어에서는 한 마디의 말보다 큰 일련의 말들을 가리키고, 글로 쓰는 언어에서는 한 문장보다 큰 일련의 문장들을 가리키는 언어학적 용어이다. 오늘날 담론이라는 용어는 말하기나 글쓰기에서 정격(正格) 표현이라고 할 수 있는 전통적 의미와는 그 뜻이 다른 다양한 의미를 지니고 있다. 특히 포스트 모더니즘 학자들에게 담론은 텍스트뿐만 아니라 언어의 의미작용 일반도 가리킨다.

이 시대의 담론은 포스트 구조주의 이론가인 푸코(Michel Foucault)가 사용한 discourse로서 "무엇인가를 주장하는 기호의 집합"이고 인간이 하는 문화적 활동 전반을 분석대상으로 삼으며 사회의 권력구조와 밀접한 관련이 있다. 그는 담론을 특정 대상이나 개념에 대한 지식을 생성시킴으로써 현실에 관한 설명을 산출하는 언표들(Statements)의 응집력 있고 자기지시적인 집합체로 간주하였다.

이러한 언표와 규칙의 집합체인 담론은 역사적으로 존재하며 물리적 조건에 따라 변화한다. 푸코는 이러한 의미에서의 담론은 개인들 간의 교환에 의해 규정되는 것이 아니라 익명성의 층위에 존재한다고 주장하였다. 즉, 담론은 사고하고 인식하는 주체를 표현이라기보다는 '~라고 말해지다'의 층위에 존재한다는 것이다.

따라서 이 저서에서는 관광현상에 대해 행동경제학적 관점에서 스윙문화라는 새로운 담론 주제를 근거이론(Grounded Theory) 및 ZMET(Zaltman Metaphor Elicitation Technique)를 이용해 개발하여 전문가 중심의 심층면접(Depth Interview)와 관광객을 대상으로 F.G.I.(Focus Group Interview) 등을 통해 검증한다. 이를 통해 관광현상을 새롭게 이해하고 담론 주제를 개발하며 담론화 하고자 한다. 특히 제1장의 관광현상에서의 문화요소는 물론 제2장의 관광서비스 생산자의 감정노동과 직업존중감, 제3장의 브랜드 애호도와 제5장의 브랜드 가치와 지각위험, 그리고 제10장의 관광객의 자기과시 행동 개념들에서 새로운 담론을 개발한다는 측면에서 이러한 연구기법들이 더욱 효과적이라고 할 수 있다.

제3절 관광현상에서의 스마트 스웜문화

개미집단과 거대무리의 스마트 스웜

관광행동에서의 스마트 스웜문화의 하나로 집단지성(Collective Intelligence) 내지 무리지능(Swarm Intelligence)이 있다. 여기서 집단지성이란 집단 구성원들이 서로 협력하거나 경쟁하여 쌓은 지적 능력의 결과로 얻어진 지성 또는 그러한 집단적 능력을 말한다.

우리가 집단지성을 이용하는 사례는 일상의 주변에 아주 많다. 즉 우리가 일상생활에서 판단하는 상대의 성격, 혈액형, 라이프스타일, 선호메뉴 등에 대한 판단적 지식과 경험법칙(Rule of Thumb)이 대표적인 사례로 결국 우리가 생각하는 공유가치, 즉 패러다임(Paradigm)이 곧 집단지성이라고 할 수 있다.

스마트 스웜문화와 관련된 대표적인 사례들이 밀러(2010)의 『The Smart

Swarm』(이한음 역, 2010)에 잘 나와 있다.

과연 개미(Ants)는 작고 멍청할까? 결론은 개미는 작은 곤충에 불과하지만 그래도 무리집단으로서는 아주 스마트하다는 것이다. 다음 사례는 생태학적으로 개미집단의 스마트 스웜 사례이다.

뉴멕시코 남서부의 533번 도로에서 조금 벗어난 곳에 수백 개의 붉은 수확개미 무리(군체)가 살고 있다. 고든은 20년 넘게 이 무리들의 생활을 연구해왔다…… 약 1만 마리의 개미로 이루어진 좀 오래된 550번 개미 무리의 일과는 일찍 시작된다. 새벽부터 오전 중반까지 개미집에서 개미들이 저마다 맡은 일을 하기 위해 한 집단씩 나온다. 첫 번째로 나오는 개미 무리는 정찰개미들이다. 그들은 해가 뜨기 직전에 입구 밖으로 머리를 내민다. 그들은 둥근 개미집 둔덕을 돌아다니면서, 잔디 상태가 좋은지 살펴보는 골프장 관리인처럼 매끄러운 자갈투성이 표면을 점검한다. 밤 사이에 어떤 일이 벌어졌다면, 정찰개미들이 맨 처음 알게 된다. 비가 내리는 바람에 먹이를 찾아가는 길이 잔해 더미로 덮였을까? 먹이로 모아놓았던 씨앗들이 바람에 흩어졌을까?…… 정찰개미들은 개미집 입구로부터 점점 멀리까지 정찰 지역을 넓힌다. 그러다가 이웃 무리에서 나온 같은 일을 하는 척후병들과 마주치기도 한다……정찰개미에 이어서 개미집 유지관리를 맡은 일개미 집단이 나온다. 일개미들은 각자 땅속에서 가지고 나온 오물, 씨 껍데기 같은 것들을 들고 있다. 정찰 개미들과는 대조적으로 그들은 자기 일에만 몰두하는 듯하다. 그들은 그저 쓰레기를 버릴 장소를 찾고 있다. 알맞은 장소를 찾자 그들은 짐을 내려놓은 뒤 몸을 돌려 다시 개미집으로 향한다…… 마지막으로 먹이탐색 개미들이 모습을 드러낸다. 다른 일꾼들보다 수가 월등히 많다…… 먹이탐색 개미들은 덤불 밑으로 난 개미 고속도로를 따라 집에서 18미터 떨어진 곳까지 멀리 씨앗을 찾아 나선다. 씨들은 대개 그곳에 자라는 식물에서 나온 것보다는 사막 곳곳에서 바람에 실려 온 것들이므로, 예측 불가능하게 흩어지는 경향이 있다. 그래서 한 개미가 씨 한 알을 찾는 데 20분이 걸릴 수도 있다. 개미는 씨를 찾자마자 들고서 곧장 집으로 가져온다…… 고든에 의하면, 안에서는 다른 부류의 개미 집단들이 저장실에 크기와 모양에 따라 씨들을 차곡차곡 쌓거나, 죽은 개미나 메뚜기 다리 같은 불필요한 것들을 개미집 밖으로 내다버리거나, 알을 돌보거나, 여왕을 시중들면서 바쁘게 일하거나, 그냥 예비역[3]으로 대기하고 있다. 꼭대기에서 바닥까지 550번 개미집은 각 집단이 질서 있게 자신이 맡은 일을 하는 효율성의 모범사례처럼 보인다…… 그 어떤 개미도 자기가 하는 일의 목적이 무엇인지, 왜 일을 끝내야 하는지, 그것이 전체 중 어디에 속하는지 이해하지 못한다…… (「The Smart Swarm」(2010)의 일부임)

고든(Deborah Gordon)에 의하면, 무리(Swarm)로서의 개미는 먹이를 찾는 법, 자원을 할당하는 법, 이웃과의 경쟁에 대처하는 법 등 개체의 능력을 훨씬 초월하는 문제들을 해결할 수 있다고 말한다. 개미 자체는 영리하지 않지만 개미무리는 영리하다는 것이다. 특히 개미무리의 과업 할당 체계에 연구의 주안점을 두고 언제 어떤 일이 필요한지를 어떻게 결정하는가 하는 문제를 연구하였다. 개미의 실제 업무 할당 과정을 이해하기 위해, 고든 등은 몇 년간 먹이 탐색 개미들을 대상으로 일련의 실험을 했다. 즉 먹이를 구하는 데 일꾼을 몇이나 보낼지, 정찰은 몇 마리가 적당할지, 알을 돌보는 일에는 몇 마리를 할당해야 할지 등을 실험했다.

한편 개미만 이런 흥미로운 행동을 보이는 것이 아니다. 꿀벌에서 청어에 이르기까지 많은 동물 집단은 리더(Leader)의 지휘 없이 집단의 문제들을 해결한다는 것이다. 이러한 동물 무리(Swarm)의 행동에 대해 과학자

3) 일본 홋카이도대학 연구팀이 8개 개미집단을 관찰 분석한 결과에 의하면, 모두가 열심히 일하는 개미집단보다 빈둥빈둥 노는 개미를 일정 비율을 가진 집단이 더 오래 존속하는 것으로 연구함(Donga.com., 2016-02-18). 이 점에서 오늘날의 워라밸(Work and Leisure Balance)의 중요성를 다시 한번 확인하는 연구결과라 할 수 있음.

들은 '자기 조직화(Self Organization)'라고 말한다. 자기 조직화는 영리한 무리의 첫 번째 원리다. 비록 자기 조직화의 사례는 우리 주변의 자연에서 흔히 볼 수 있지만, 과학자들이 그것을 집중적으로 연구하기 시작한 것은 수십 년 전부터였다. 맨 처음 이 분야 연구에 뛰어든 쪽은 화학자와 물리학자였다. 자기 조직화라는 말은 원래 모래언덕의 물결무늬나 특정한 화학 반응물질들이 결합될 때 나타나는 현란한 나선무늬처럼 자연계에서 자발적으로 패턴이 생기는 것을 뜻했다. 나중에 생물학자들은 그 용어를 받아들여서 말벌집(노봉방)의 복잡한 구조, 세렝게티 평원의 누(Wildebeest) 떼의 동시에 새끼 낳기, 일부 반딧불이 종의 발광 동조 현상, 벌과 새와 물고기 무리가 본능적으로 서로 행동을 조정하는 방식 등을 설명하는 데 이용했다.

이런 모든 현상들의 공통점은 이러한 현상들이 결코 기본 계획에 따라 위에서 지시하는 것이 아니라는 것이다. 즉 우리가 복잡계에서 보는 패턴, 모양, 행동은 기존의 청사진이나 설계도에서 나오는 것이 아니라, 복잡계의 여러 구성 요소 사이의 상호작용에서 비롯되는, 아래로부터 출현하는 것이다. 우리는 개미무리가 자기 조직화를 한다고 말한다. 그 누구도 책임자가 아니며, 무엇을 해야 하는지 아무도 모르고, 남에게 이러저러한 일을 하라고 말하는 자도 아무도 없기 때문이다. 각 개미는 인슐린에 전달경로나 먹이에 의해 결정되는 카스트(Caste - 일개미, 병정개미, 수개미, 여왕개미 등)에 따라 무엇이든 자신에게 닥치는 대로 환경 변화에 따라 반응하면서 생존한다는 것이다. 이들의 카스트 결정에 대한 주류 학설로는 첫째, 최근의 연구에 따르면, 인슐린 신호 전달 경로가 개미 종에서 여왕이 되느냐 아니면 일개미가 되느냐의 운명을 결정한다는 학설이다. 개미 같은 곤충뿐만 아니라 두더지 등의 포유동물도 진사회적인 사회 구조를 보이며 산다. 진(眞)사회적(Eusocial) 동물이란 같은 종 내에서 역할을 나눠 소수의 엘리트와 다수의 노동자 계급으로 분류된 형태로 살아가는 동물을 말한다. 둘째, 암컷은 알이나 번데기 시절 분화전능(分化全能, Totipotent)한다는 학설이다. 꿀벌의 세계에서 암컷 벌의 카스트는 계급이라고 여길 만한 유전자가 아니라 보모가 주는 먹이와 우위 개체들의 번식 탄압에 의해 결정된다는 것이다.

생태과학자들은 이들 군체가 '국소(Local)' 지식과 페로몬(Pheromone)에 반응하면서 역할을 잘도 수행한다고 한다. 한 개미가 무언가를 할 때, 그것은 다른 개미들에게 영향을 미치며, 그 개미들은 다시 또 다른 개미들에게 영향을 미치면서, 그 영향이 개미 무리 전체로 물결처럼 퍼져나간다는 것이다. 고든에 의하면, 어떤 개미도 자신의 결정을 이해하지 못하지만 각 개미의 결정은 다른 개미의 결정 및 개미 무리 전체의 변화와 연관되어 있다.

이들의 연구결과, 자기 조직화가 작동하는 세 가지 기본 메커니즘을 파악했다. ① 분산 제어(Decentralized Control), ② 분산 문제 해결(Distributed Problem Solving), ③ 다중 상호작용(Multiple Interaction)이 바로 그것이다. 이를 종합하면, 무리의 구성원들이 어떻게 누구의 지시도 받지 않으면서 단순한 경험 법칙을 집단행동이라는 의미 있는 패턴으로 전환시킬 수 있는지가 설명된다(Miller, 이한음 역, 2010).

덧붙여 우리는 매년 겨울이 되면 금강 하굿둑, 고창 동림저수지, 주남저수지 등에서 철새들의 군무 장관을 매스컴을 통해 보곤 한다. 해질녘 일제히 날아오르는 수백만 마리의 겨울 철새들의 모습은 일사불란하게 움직이는 하나의 유기체 같은 느낌을 갖게 한다.

이와 같이 무리를 지어 이동하는 모습은 새, 청어, 메뚜기, 파리, 벌 등

그림 1-1 무리지능(Swarm Intelligence)의 가창오리 떼 이미지

여러 생물뿐만 아니라 심지어 우리 인간에게서도 공통적으로 발견할 수 있다. 즉, 단체관광의 경우 새들의 돌발적 군무와 같이 관광객은 일시적으로 결국 무리지능을 발휘해야 하는 상황과 맞닥뜨릴 때가 있다.

1986년 미국의 컴퓨터공학자인 레이놀즈(Craig Reynolds)는 동물들의 집단행동을 컴퓨터로 재현하는 '바이오드(Biods, Bird-oid Object)'라는 컴퓨터 프로그램을 만들었다. 이 프로그램은 무리짓기를 하는 가상의 컴퓨터 동물을 만든다. 레이놀즈는 여기에 세 가지 간단한 행동 법칙을 입력하면 자연에 존재하는 실제 새 떼와 거의 비슷한 무리를 이룬다는 사실을 확인했다. 레이놀즈가 세운 세 가지 법칙은 [그림 1-2]와 같이 모두 위치와 방향을 결정하는 방법에 대한 것이었다. 첫 번째 법칙은 '분리성의 원칙'으로 각 동물이 이웃과 충돌하거나 한 곳에 지나치게 모여 붐비는 현상을 피하도록 한다. 두 번째 법칙은 '응집성의 원칙'으로 근처에 있는 동물들의 위치를 분석한 뒤 그 평균 위치를 향해 움직이도록 한다. 세 번째 법칙은 '정렬성의 원칙'으로, 이웃한 동물이 향하는 방향의 가장 평균이 되는 방향으로 움직이도록 하는 규칙이다.

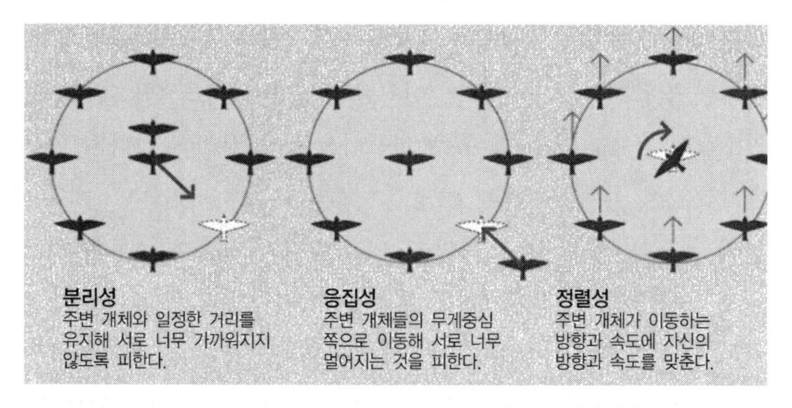

자료: 동아사이언스(2018.10.29.).

그림 1-2 레이놀즈의 3가지 법칙

무리짓기의 세 가지 법칙은 거리에 따라 각각 다르게 작용한다. 먼저 '분리성의 원칙'은, 무리 중 하나의 개체 A가 있다고 가정할 때, A와 가장 가까운 곳에 있는 또 다른 개체 B에게 작용한다. 따라서 A와 B는 서로 밀어내게 된다. 하나의 바이오드가 근처에 있는 이웃과 충돌하거나 한 곳에 너무 복잡하게 모이는 일을 피하기 위해서다. 이는 실제로 비둘기나 철새가 근처에 있는 다른 새와 너무 가깝지 않게 일정한 거리를 유지하는 원리와 같다. 거리가 좀 더 떨어진 중간 영역에서 가장 먼 곳에 있는 개체들 사이에는 근처에 있는 이웃과 서로 가까워지려는 응집력이 작용한다. 즉 '뭉치면 살고 흩어지면 죽는다'의 원칙이다. 마지막으로 '정렬성의 원칙'은 주위에 있는 다른 개체들이 무리 전체가 움직이는 방향으로 움직이는 것이다. 이는 비둘기들이 서로 눈치를 보며 다수의 비둘기가 날아가는 방향으로 함께 날아가는 원리를 표현한 것이다.

특히 무리집단의 새들은 비행 중 몸 뒤쪽을 볼 수 없으므로 위치와 방향을 결정할 때 뒤를 제외한 앞과 좌우, 상하 방향의 정보를 수집해

거리를 유지해야 한다. 특히 각 개체는 상호 협력을 통해 복잡하지만 잘 조직화된 집단행동을 보여준다. 이처럼 복잡계의 대표적인 특징으로서 자기조직화(Self Organization)를 통해 만들어진 동물 무리는 하나의 인공생명체라고도 할 수 있다(김승환, 2011).

한편 최근의 연구들에 의하면, 새의 군무에서 새들이 충돌을 일으키지 않는 이유는 무리와 관계없이 주변 6~7마리의 동료 위치만을 고려해 자신의 위치와 방향을 결정한다는 학설도 있다. 또 다른 연구에 의하면, 새들은 비행을 할 때, 서로 마주쳤을 경우 '오른쪽으로 머리를 튼다(Turn Right)'는 것과 대략 84% 정도는 오른쪽으로 비행한다(우측 통행)는 것이다.

실제로 복잡계 과학에서는 이 현상을 무리지능이라고 하는데 개미나 벌이 보이는 사회적 행태도 넓은 의미의 무리지능이다. 이는 무리의 생존율을 높이는 데 효율적인 생존전략이다. 찌르레기의 군무(Murmuration of Starlings)처럼 천적으로부터 스스로를 보호하기 쉬워지기 때문이다. 혼자 있을 때보다 여럿이 무리를 이룰 때 적에 대한 정보나 환경에 대한 신호를 훨씬 더 많이 얻을 수 있다.

이러한 집단지성이나 무리지능의 메커니즘은 관광행동에서도 잘 나타난다. 만약 우리가 해변에 갔을 때, 사회가 부과한 몇 가지 제약(금연, 음주금지, 폭죽금지 등)이 있을 뿐, 우리는 알아서 자신이 하고 싶은 대로 할 수 있다. 그것이 분산 제어를 기술하는 한 방식이다. 결국 우리는 전망이 좋고, 확 트인 공간에 남들에게 피해를 주지 않을 만큼의 거리에 자리를 잡게 된다. 거리 두기는 해변에서의 암묵적인 경험법칙(Rule of Thumb)으로서 드론으로 촬영을 해보면, 매트들이 일정한 간격을 두고 모자이크처럼 펼쳐진 광경을 목격할 수 있다. 이러한 관광행태는 관광객의 분산 문제 해결(Distributed Problem Solving)과 다중 상호작용(Multiple Interaction) 원리가 작동한 대표적인 사례이다.

무리집단은 종에 관계없이 비슷한 패턴을 보이는 경우가 많다. 물리학자와 컴퓨터공학자들은 이러한 경이로운 자연현상에서 '패턴'에 주목하고 연구하기 시작했는데, 복잡해 보이지만 의외로 간단한 몇 가지 법칙만 이해하면 새가 무리를 짓는 이유를 설명할 수 있다(김승환, 2011). 한편 메뚜기나 벌, 파리와 같은 곤충은 새나 물고기보다 훨씬 많은 수가 무리를 이루기도 한다. 이러한 무리(Swarm)를 새나 물고기의 무리와 구별하기 위해 '거대무리(Super Swarm)'라고 부른다. 거대무리는 무리를 이룰 때 세로토닌 같은 화학물질의 도움을 받는 것으로 알려져 있으며, 현재 과학자들은 화학물질이 무리짓기에 끼치는 영향을 지속적으로 연구하고 있다.

그렇다면 관광행동에서의 스마트 스웜사례는 어떤 것이 있을까?

스마트한 코리안 사례

과연 우리나라 사람들은 매스컴에서 자주 말하는 어글리 코리안(Ugly Korean)인가? 온라인여행사 익스피디아가 23개국 1만 8,229명을 대상으로 설문조사를 진행한 결과(중앙일보, 2018.5.10.)에 의하면, 전 세계인이 꼽은 '기내 꼴불견' 1위는 앞 좌석을 발로 차는 승객(51%, 중복응답 허용)으로 나타났다. 뒤이어 냄새가 심한 승객(43%)이 2위, 말썽부리는 아이를 방치하는 부모(39%)가 3위를 차지했다. '호텔 꼴불견' 1위는 아이의 잘못을 방관하는 무신경한 부모(45%)였으며, 2위는 복도에서 큰 소리를 내는 사람(41%), 3위는 객실에서 소란 피우는 사람(41%)이었다. 그리고 너무 잦은 컴플레인(Complaint)으로 호텔 직원을 괴롭히는 사람도 꼽혔다는 점은 우리가 참고해야 할 사항이다.

우리나라 관광객은 소음에 특히 민감한 것으로 나타났다. '기내 꼴불견'에서 비행기 옆자리에 수다스러운 승객이 앉는 것(88%)과 울거나 시끄러운 아이에 대한 거부감(72%)이 조사 대상국 중 가장 높았으며 낯선 사람과 대화할 확률(25%)은 세계 최저 수준이었다. 또한 난동을 부리는 승객이 나타날 경우에는 바로 승무원에게 알리겠다는 이들이 62%로 가장 많았을 뿐만 아니라 이때 승무원 의존도가 가장 높은 나라는 한국(72%)으로 나타났다는 것이다. '호텔 꼴불견' 순위도 세계 평균과 차이를 보였는데, 객실에서 소란 피우는 사람(50%), 복도에서 큰 소리를 내는 사람(46%)을 가장 싫어하는 것으로 나타났다는 점은 우리가 미래의 스마트 관광스웜문화 창달을 위해 참고해야 할 사항들이다.

한편 우리나라 사람들은 의외로 팁에 관대한 것으로 나타났다. 벨 맨(Bell Man)이 짐을 운반해주거나 각종 서비스를 챙겨주는 룸 메이드(Room Maid)에게 특히 팁을 잘 주는 것으로 조사됐다.

결론적으로 우리나라 사람들은 의외로 규정을 비교적 잘 지키는 것으로 나타났다. 기내 반입 수하물의 무게나 사이즈 규정을 어긴 경험(4%, 세계 평균 8%)이 모두 평균보다 낮았다. 호텔에서 객실 어메니티(Amenity)[4]를 가져가거나(14%, 세계 평균 20%), 호텔에서 투숙 인원을 몰래 초과하는 일(4%, 세계 평균 8%)도 적은 편이라는 점에서 관광현상에서의 스마트 관광스웜사례 중 하나라 할 수 있다. 또한 제3장에서 언급될 계모임을 통한 분산 문제 해결과 다중 상호작용 역시 집단지성의 발현으로서 관광현상에서의 스마트 스웜사례라 할 수 있다.

---

4) 어메니티란 원래 건축분야에서 사용되었던 용어로서 쾌적한 생활환경을 의미하는 것으로 호텔 편의용품을 말함.

제4절 관광현상에서의 그레이 스웜문화

'죽음의 회오리'와 그레이 스웜

스웜문화의 하나로서 앞서 논의된 집단지성을 제대로 발휘하는 데 필요한 전제가 있다. 집단에 참여하는 사람의 배경이 다양해 서로 다른 이유로 각자 결정을 내리되, 다른 이의 눈치를 너무 많이 보면 안 된다는 것이다. 특히 다른 이의 눈치를 많이 보게 되면 목소리 큰 사람의 편향된 의견, 즉 인지 편향(Cognitive Bias)과 확정편향(Confirmation Bias)으로 집단전체의 의견이 몰릴 위험이 있기 때문이다. 이러한 결과는 관광에서의 그레이 스웜(Grey Swarm)문화를 낳게 된다.

관광행동에서의 그레이 스웜을 이해하기 위해서는 먼저 생물학적인 접근이 필요하다. 그 대표적인 사례가 개미 무리의 '죽음의 회오리(Ants Circles)'로서 우리들이 참고해 볼 만하다.

죽음의 회오리, 즉 '죽음의 나선 무도'라 불리는 이 습성은 일종의 페로몬(Phromone)에 의해 서로가 꼬리에 꼬리를 물고 소용돌이 모양으로 크게 원을 그리며 끊임없이 맴도는 것을 의미한다. 이러한 현상은 주로 큰 무리를 지어 이동하는 군대개미에게서 드물게 나타나는데, 이 죽음의 회오리는 한번 시작되면 수많은 개미가 지쳐 쓰러져 죽을 때까지 쉬이 멈추지 않는다. 이러한 현상에 대해 과학자들은 '원형 선회(Circular Mill)'라 명명하였다.

그림 1-3 개미집단 이미지

이 독특한 습성은 1921년 미국의 동식물연구가이자 탐험가인 비베(William Beebe)가 기아나(Guiana) 정글에서 목격한 것을 기록으로 남겨 알려지기 시작했다. 당시 그가 목격한 개미 회오리는 그 둘레가 365미터에 달했으며 무려 이틀간 지속되었다. 이 이해 못할 행동의 비밀은 1944년 미국의 동물학자 슈나이얼라(Theodore Christian Schneirla)의 연구를 통해 밝혀졌다(네이버 지식백과).

슈나이얼라에 따르면, 개미는 자체 판단이 아닌 앞선 개미가 흘려놓은 페로몬(Pheromone)을 따라 이동하는 습성이 있기 때문에 선두 개미가 경로를 잘못 설정할 경우 어느 하나 무리에서 이탈하지 못하고 이 죽음의 회오리를 지속할 수밖에 없는 것이다. 돌고래 집단의 해변 모래톱이나 진흙으로의 돌진과 같은 집단행동도 이와 유사하다.

한편 그레이 스웜문화의 한 사례로서 이와 유사한 것이 있다. 일반적으로 성지순례(Pilgrim)는 종교적 활동과 관련된 관광으로 중세의 Tour 시대에 나타난 대표적인 현상이며 오늘날 New Tourism 시대에도 동일한 관광동기 및 목적으로 행해지는 관광행태이다.

대표적인 성지순례의 한 사례로서 해마다 사우디아라비아로 성지 순례에 나선 사람들은 편한 여행을 기대하지 않는다. 메카에서 5일 동안 벌어지는 의식 행사는 해마다 같은 시기에 수백만 명의 신자들이 버스나 비행기를 타고 또는 걸어서 도착한다. 순례 여정은 덥고 혼잡하고 몸이 지치고 정서적으로도 피곤해지게 만든다. 나이든 사람은 더 그렇다. 하지만 사막의 이 성지 저 성지로 이동하는 군중에 합류하는 사람들은 해마다 늘어난다. 다음은 밀러(2010)의 『The Smart Swarm』(이한음 역, 2010)에 나와 있는 사례 중 하나이다.

2006년 1월 12일 수십만 명의 순례자들이 메카 동쪽으로 약 5km 떨어진 미나라는 먼지 자욱한 텐트촌에 모였다. 자마라트라는 세 기둥에서 돌을 던지는 의식인 성지순례의 마지막 의무 중 하나를 이행하려는 사람들이었다…… 2004년에는 자마라트 다리라고 하는 이 구간에서 250명이 넘는 사람들이 군중에 깔려 사망했다. 몇몇 공무원은 음식과 기념품을 파는 행상인들이 정체를 일으키는 바람에 사고가 일어났다고 말했다. 반면에 개인 소지품을 들고 온 순례자들 때문이라고 본 사람들도 있었다. 순례자들에게 어디로 가라고 말하는 안내판이 없었기 때문이라고 말하는 사람들도 있었고, 너무나 많은 사람이 서로 다른 말을 썼기 때문에 얼마 안 되는 안내판들을 군중이 무시했기 때문이라고 말하는 사람들도 있었다…… 1월 12일 정오 무렵, 50만 명이 넘는 순례자 무리가 다리 앞의 계곡에 밀려들었다. 남자들은 이람이라는 간편한 흰옷을 입었고, 여자들은 전통적인 옷차림을 했다. 이슬람 교칙에 따르면, 돌 던지기 의식은 정오를 가리키는 종소리가 울린 뒤에 시작하도록 되어 있었지만, 일부 순례자들은 군중이 몰릴 것을 우려하여 아침에 미리 다녀갔다. 정오 직후에 사건이 벌어졌다. 동쪽에서 다리로 진입하는 주요 길이 사람들로 미어졌다. 그때 다리 위에서 사람들을 오도 가도 못하게 만드는 어떤 일이 일어났다. 1차 보고는 혼란스러웠다. 이번에도 한 사우디 정부 관리는 순례자들이 가방에 걸려 넘어진 것이 병목 현상을 일으킨 원인이라고 했다.

반면에 경비대가 어떤 이유인지 몰라도 입구를 막았다고 주장한 사람들도 있었다. 이유가 어떻든 간에, 정체 상태는 금방 심각해졌다. 엄청난 수의 군중이 계속 앞으로 밀려들고 있었으니까……

오늘날 성지순례(Pilgrim)는 밴드웨건 효과처럼 종교별로 대중화되고, 활성화되고 있는 실정이다. 그러나 이러한 성지순례에서 미얀마 등 특정 국가의 경우 불교사원 등 순례에서 여성(성차별)이라는 이유로 입장을 못하게 하는 경우도 많다.

그레이 관광 스윔문화 사례

지구촌 곳곳의 어글리 코리안(Ugly Korean) '어글리 코리안'이란 용어는 1989년 해외 관광 자유화 이후 등장한 신조어로서 외국 문화에 익숙지 않아 해외관광을 가서 양말 바람으로 비행기를 누비고 식당에서 몰래 김치를 꺼내 먹는 한국인들을 가리키던 말이었다. 26년이 지난 지금, 우리는 잊었지만 해외에서 '어글리 코리안' 인식은 사라지지 않고 있다.

기본 매너를 지키지 않아 눈살을 찌푸리게 하는 경우도 잦다. 동남아의 한 리조트에서 근무하는 현지인은 "한국인은 저녁 식사 때 티가 난다"고 지적했다. 서양인들의 저녁 식사는 특별한 의미가 있는 문화적인 시간이다. 고급 레스토랑일수록 드레스 코드를 갖춰 입고, 상대방과 모두에게 예의를 갖춰야 한다. 정장까지 입을 필요는 없지만 저녁 식사 때는 드레스 코드에 신경 써야 한다. 하지만 한국 남성들은 버젓이 라운드 티셔츠에 반바지 · 조리 등을 신고 나타나기도 하고, 여성들은 머리를 감은 후 물을 뚝뚝 떨어뜨리며 레스토랑에 등장한다는 것이다.
현지 여행업계 관계자는 "옛날 일이 아니라 최근에도 동남아 · 유럽 할 것 없이 호텔 객실을 함부로 사용해 우리 여행사와 연계된 호텔 측에서 컴플레인(Complaint)을 하는 경우가 많다"면서 "한국인들끼리 객실에 모여 술자리를 만들고 소란을 피우는 일들도 많다"고 말했다.

우리나라 해외관광객은 미국의 한 리서치사가 꼽은 '최악의 관광객' 상위에 가끔 오르기도 한다. 해외에서 나라 망신을 시키는 '어글리 코리안'은 해외관광 시에 그 나라의 상징물에 한국어로 낙서, 질서 의식 부재 등으로 도마에 오르기도 한다.

노컷뉴스(2005.7.5.)에 의하면, "오직 한국 단체 관광객이 아침 식사를 하고 나가면 음식이 동이 난다"는 것으로 어글리 코리안 관광행동 사례 중 하나가 '음식 청소' 사례이다.

자랑질 코리안(Narcissistic Self-presentation Korean) 우리나라 사람들의 해외관광의 가장 큰 특징은 '수박 겉핥기'식의 주유형 관광(Sightseeing)이다. 최대한 많은 유명 관광지에서 '인증샷'이나 '인생샷'을 잔뜩 찍어야 직성이 풀리는 것이다. 외국인들은 한국인의 '8박 9일 유럽 관광상품' 일정에 경악하기도 한다. 우리나라 사람들에게 최근 8박 9일 유럽 관광이 흔한 패키지가 됐는데, 갔다 온 것에 의미를 두고 사진만 찍으면 된다는 인식이 팽배해 있는 것이다. 이러한 패키지 관광상품은 이동 거리가 워낙 길다 보니, 창밖으로 절경이 펼쳐져도 버스 안에서 잠자는 관광객이 태반이며, 쪽잠을 자며 유럽을 돌아다닌 관광객들은 "영국의 빅벤, 파리의 에펠탑 앞에서 사진을 찍었으니 유럽의 모든 것을 본 셈"이라고 흐뭇해한다. 특히 입장료가 아까워 에펠탑을 올라가지 않겠다던 한국인 관광객들은 면세점에서는 쇼핑을 잔뜩 하곤 한다. 파리 인근 베르사유 궁전 안에 들어가지 않고 밖에서 사진만 찍는가 하면, 루브르 박물관에서도 교과서에 나오는 유명 작품만 훑어보는 경우가 다반사인 경우가 많다.

한국 이미지 실추시키는 해외 성매매 추문 중국 공안이 최근 베이징 왕징의 유흥주점에서 한국인 남성 3명을 성매매 현행범으로 체포했다. 이 중 1명은 증거 불충분으로 풀려났지만 나머지 2명은 14일의 행정구류 처벌을 받았다. 이는 국가 이미지에 먹칠을 하는 불상사가 아닐 수 없다. 중국 공안은 한국인 단골 유흥주점을 근래 집중 단속한다고 한다. 외국에서 한국 남성들의 성매매나 퇴폐업소 출입은 아직도 사라지지 않았다. 특히 동남아에서 근무하는 교민이나 주재원들은 "한국에서 오는 손님들이 성매매 주선을 요구해 곤혹스러운 경우가 종종 있다"고 털어놨다.

이러한 현상에 대한 행동경제학적 해석은 제4장에서 좀 더 구체적으로 살펴보기로 한다.

노 쇼(No Show) **선진국의 4배 사례** 최근 언론보도에 의하면, 약 20년 전 정부에서 월드컵을 앞두고 '예약캠페인'을 하였음에도 불구하고 달라진 것 없이 뒷걸음질만 하고 있다. 특히 연말 대목엔 허수예약이 급증하여 30%는 다반사, 70%까지 노 쇼를 내고 있는 실정이다. 특히 우리나라의 '예약부도(No Show)'는 세계 최고 수준이다. 한국소비자원에 의하면 전국 식당 · 병원 · 항공사 등 서비스 사업자를 상대로 실시한 조사에선 예약을 해놓고 아무 통보도 없이 나타나지 않는 예약부도 비율이 평균 15%에 달하는 것으로 나타났다. 이는 4~5%에 불과한 북미 · 유럽보다 서너 배 높은 수준이다. 최근 전국 서비스업(식당 · 미용실 · 병원 · 고속버스 · 소규모 공연장) 사업장 100곳을 대상으로 설문 조사를 한 결과 예약부도율은 평균 15%에 달하는 것으로 나타났다. 특히 레스토랑 예약부도율은 20%였다고 한다. 어떤 레스토랑에서는 각종 기념일이나 공휴일 때 예약부도율이 60~70%에 달하는 경우도 있다고 한다. 항공사 예약 노 쇼(No Show)의 경우도 소비자원의 과거 조사에서는 20%였으나 최근에는 10여 년 전부터 도입된 신용카드를 통한 선(先)결제, 위약금 시스템 도입으로 인해 노 쇼 비율이 4~5%대로 내려간 것으로 나타났다.

이러한 현상은 '일단 남보다 먼저 예약부터 해놓고 보자'는 소비자들의 잘못된 인식과 문화가 빚어낸 일이다. 호텔의 Room Shopping Tourist부터 레스토랑(식당 포함) 고객까지 노 쇼가 선진국의 4배라는 점에서 시간이 많이 걸리는 예약문화를 바꾸는 노력 대신 예약시스템의 변경이 필요한 시점이다.

결론적으로 우리나라 국민들의 해외관광 스웜문화는 관광문화 초기에 나타나는 현상으로서 초기 관광단계에서 나타나는 주유형 관광(Sightseeing)의 경우 알고자 하는 욕구(Needs to Know)가 이해하고자 하는 욕구(Needs to Understand)보다 훨씬 강하기 때문이라고 할 수 있다.

한편 '어글리 코리안'(Ugly Korean)에 대한 해외 특정 국가나 관광지의 지역주민들의 평가는 윌리암스(T. A. Williams) 모델(1979)에서 그 답을 찾을 수 있다. 윌리암스의 특정 관광지의 발전단계별 관광영향 모델에서는 사회적 영향 단계(Social Impact Stage)에 따라 지역주민의 태도, 즉 관광객에 대한 반응이 다르게 나타날 수 있다. 즉 제 I 단계는 지역주민의 환영단계

(Euphoria)이며, 제Ⅱ단계는 무관심단계(Apathy)이며, 제Ⅲ단계는 적대적 단계(Antagonism)로 발전하기 때문이다.

따라서 한국인 관광객의 관광지 행동에 대한 지역주민의 반응과 평가는 관광지 발전단계에 따라 각각 다를 수 있으므로 지나치게 객관화해서 확대해석하는 것은 대표성 오류(Representative Heuristic)를 범할 수 있다는 사실을 간과해서는 안 된다. 물론 일부 사람들은 한국인들이 해외관광에서 '하지 말라는 것만 골라서 한다'는 말들을 하지만 실제 우리나라 해외관광객들은 어글리(Ugly)하지 않을 뿐만 아니라 또한 긍정적 감정의 밀물현상으로서 긍정적 점화효과(Priming Effect) 관점에서의 해석도 필요하다.

그러므로 관광객의 태도와 관광서비스 생산자로서 관광종사원의 행동에 휴리스틱으로 작용하는 감정에 대한 고찰이 필요하다.

관광객 및 관광종사원의 감정과 스웜문화

CHAPTER

02

관광객 및 관광종사원의 감정과 스웜문화

제1절 관광객의 휴리스틱 감정과 스웜문화

관광객의 휴리스틱 감정과 감정의 불확정성

관광객의 휴리스틱 감정은 어떤 모습일까? 여기서 휴리스틱(Heuristic)이란 그리스어로 사전적 의미는 '발견하다, 경험하다'를 뜻한다. 행동경제학적 관점에서 사람들의 의사결정은 경험이나 정보에 의한 발견적 관점에서 이루어진다고 본다. 즉 관광객은 경험적, 발견적, 직관적 판단에 의해 관광서비스를 이용한다고 할 수 있다. 이러한 휴리스틱은 알고리즘(Algorithm)에 대비되는 개념이며, 경제학에서의 합리성(경제적 인간) 개념과도 대비된다. 1905년 아인슈타인(Albert Einstein)은 노벨 물리학상 수상 논문에서 휴리스틱을 "불완전하지만 도움이 되는 방법"이라는 의미로 사용했다. 수학자들 역시 수학적인 문제 해결에도 휴리스틱 방법이 매우 유효하다고 했다.

휴리스틱을 이용하는 방법은 거의 모든 경우에 어느 정도 만족스럽게 또 신속하게 얻을 수 있다는 점이다. 우리 일상에서 가끔은 휴리스틱에 의한 판단이 완전한 해답이 아니므로 터무니없는 실수를 자아내는 원인이 되기도 한다.

불확실한 의사결정을 이론화하기 위해서는 확률이 필요하기 때문에 사람들이 확률을 어떻게 다루는지가 중요하다. 이때 확률은 이를테면 어떤 사람이 선거에 당선될지, 경기가 좋아질지, 시합에서 어느 편이 우승할지를 '전망'할 때 이용된다. 대개 그러한 확률은 어떤 근거를 기초로 객관적인 판단을 내리기도 하지만, 대부분은 직감적으로 판단을 내리게 된다. 직관적인 판단에서 나오는 주관적인 확률은 과연 정확한 것일까?

트버스키와 카너먼(1974)은 일련의 연구를 통해 인간이 확률이나 빈도를 판단할 때 몇 가지 휴리스틱을 이용하지만, 그에 따라 얻어지는 판단은 객관적이며 올바른 평가와 상당한 차이가 있다는 의미로 종종 '바이어스'가 동반되는 것을 확인했다.

결론적으로 우리들의 춤추는 감정은 양자물리학의 코펜하겐 해석에 의하면, 양(+)과 음(−)은 동시에 존재할 뿐만 아니라 양자와 전자의 불확정성, 즉 무질서도(Entropy S)를 갖는다는 것이다.

휴리스틱한 관광객 태도와 스윔문화

우리는 관광이라는 가치소비를 할 때 경험가치(Experience Value)를 중요하게 여긴다. 특히 관광객의 경우 소확행을 경험하기 위해 누구와 갈 것인지, 개별관광을 할 것인지 혹은 단체관광을 할 것인지 등을 결정해야 한다. 우리는 해외관광을 간다면, 어떤 여행사를 이용할 것인지, 관광상품 가격은 얼마짜리로 할 것인지, 교통수단으로서 항공사는 어떤 항공사(Full Service Carrier 내지 Low Cost Carrier)를 이용할 것인지, 또 어떤 등급의 호텔을 이용할 것인지를 추가적으로 고려해야 한다. 그 다음에는 어떤 종류의 객실을 사용할 것인가, 레스토랑에서의 메뉴는 어떤 것으로 할 것인지, 얼마만큼의 비용을 쓸 것인지, 며칠간 숙박할 것인지, 현지에서의 관광활동은 어디까지 참여할 것인지, 또 옵션관광(Option Tour)은 어디까지 할 것인지 등을 결정하여야 한다.

의사결정자로서 관광객의 구매의사결정 행동을 이해하려면 이들의 구매의사결정에 영향을 미치는 제 요인에 대한 체계적인 분석이 필요하다. 이때 관광객의 구매행동이나 관광행동에 영향을 미치는 내부적 · 심리적 요인은 지각, 학습, 성격, 동기, 태도이다. 한편 사회적 영향요인에는 자신의 역할과 가족, 사회계층, 문화와 하위문화, 그리고 준거집단이 있다.

그림 2-1 휴리스틱한 관광객의 의사결정 영향요인

그림에서와 같이 관광객의 의사결정에는 개인의 심리적 요인과 사회적 요인이 복합적으로 작용한다고 할 수 있다. 이 중에서 특히 관광객의 감정을 결정하는 태도(Attitude)의 영향은 매우 크다고 할 수 있다. 이러한 태도는 사람들의 행동에 영향을 미치는 중요한 심리적 요인들 가운데 하나이다. 피시바인(Morris Fishbein)은 태도를 "어떤 주어진 대상에 대하여 일관성 있게 우호적으로 또는 비우호적으로 반응하려는 학습된 선유경향"으로 정의하였다. 즉 관광태도는 특정 관광지나 관광서비스에 대한 관광객의 태도로서 일관성 있는 좋고 나쁨을 말한다.

이러한 태도는 첫째, 일관성이 있다. 사람들은 특정 사물, 또는 특정 행동에 대해 한번 형성한 태도를 지속하려는 경향이 있을 뿐만 아니라 비교적 쉽게 잘 바뀌지 않는다는 것이다. 둘째, 태도는 학습된다. 태도는 자신의 직접 경험이나 사회로부터 획득한 정보, 매스미디어의 노출에 의해 학습된 결과로 형성된다. 이러한 태도는 3가지 요소, 즉 ① 인지적 요소(Cognitive Component), ② 정감적 요소(Affective Component), ③ 행동적 요소(Behavioral Component)로 구성된다. 첫째, 인지적 요소는 대부분 태도 대상(Attitude Objects)에 대한 신념과 지식으로 구성된다. 둘째, 특정 대상에 대한 신념(인지적 요소)들은 사람이 지각하는 대상이 지닌 속성들의 각각에 관한 것이므로 다차원적(Multi Dimension)이지만 태도의 정감적 요소는 일반적으로 각 속성에 대한 감정적 반응들의 종합된 결과이므로 단일차원(One Dimension)이라는 것이다. 이러한 요소는 특정 대상에 대한 사람들의 전반적 평가로서 그 대상이 '좋다', '나쁘다' 등의 평가를 말한다. 셋째, 행동적 요소는 특정 대상물에 대하여 사람들이 반응하려는 경향으로서 일반적으로 그 대상물은 선택하려는 의도(Intention)를 말한다.

한편 이러한 태도모델에는 ① 선형보상모델(Linear Compensatory Composition

Rule)이 있다. 이는 개인의 특정 대상에 대한 중요도×평가점수(Criteria Rating)로 태도가 형성된다고 보는 모델이다. ② 사전편집식모델(Lexicographic Composition Rule)이 있다. 이는 개인의 특정 대상에 대한 중요도를 중심으로 개인의 태도가 형성된다고 보는 모델이다. ③ 속성결합모델(Conjunctive Composition Rule)이 있다. 이는 개인의 특정 대상에 대한 최소 수용기준(Cut Off Points)을 중심으로 개인의 태도가 형성된다고 보는 모델이다. ④ 기타 모델로 비속성결합모델(Disconjunctive Composition Rule)이 있으며, 이는 하나 또는 두 개의 속성기준으로 태도가 형성된다고 보는 모델이다.

일반적으로 관광객들은 불호조(Inept Set)를 여과하기 위해서는 비보상모델을 사용하고, 나머지 브랜드(3개 내외)를 평가하기 위해서는 보상모델을 사용하는 것으로 나타났다.

그림 2-2 관광객 태도모델 중 행동적 요소를 강조한 광고사례

관광객의 다양한 감각욕구

일반적으로 욕구(Needs or/and Wants)란 인간의 심리적인 내적 결핍의 상태를 말하는 것으로 우리는 욕구를 충족시키기 위해 행동한다고 할 수 있다. 따라서 관광객의 관광행동도 관광욕구를 충족시키기 위해 발생하며, 관광욕구는 관광행동을 일으키는 가장 원천적인 심리적 요인이 된다. 관광욕구에 대한 학자들의 견해는 매우 다양하다. 특히 매슬로(Abraham H. Maslow)는 사람의 욕구가 5가지 단계로 이루어져 있다고 주장하였다. 첫째, 생리적 욕구(Physiological Needs) 단계이다. 생리적 욕구는 삶 그 자체를 유지하기 위한 사람의 욕구로 의식주 생활과 관련이 있다. 둘째, 안전욕구(Safety Needs) 단계이다. 일단 생리적 욕구가 어느 정도 충족되면 안전의 욕구가 나타난다고 본다. 이 욕구는 근본적으로 신체적인 위협과 기초적인 생리적 욕구의 박탈로부터 자유로워지려는 욕구이다. 셋째, 소속감과 애정욕구(Belongingness and Love Needs) 단계이다. 이는 귀속욕구(Affiliation Needs) 또는 사회적 욕구라고도 하는데, 일단 생리적 욕구와 안전욕구가 어느 정도 충족되면 소속감이나 애정의 욕구가 지배적으로 나타나게 된다. 넷째, 존경욕구(Esteem Needs) 단계이다. 사람은 어디에 속하려는 욕구가 어느 정도 만족되기 시작하면 존경을 받고자 하는 욕구를 느끼게 된다. 여기에는 자존심과 아울러 다른 사람으로부터 인정을 받는 것이 포함된다. 이 존경의 욕구가 만족되면 자신감, 명예심, 힘(Power) 등이 생긴다. 다섯째, 자아실현욕구(Self Actualization Needs) 단계이다. 일단 존경의 욕구가 어느 정도 충족되기 시작하면 다음에는 자아실현욕구가 가장 강력하게 나타난다. 이는 계속적인 자기 발전을 위해서 자신의 잠재력을 극대화하려는 욕구이며, 자신이 바라는 바대로 되고자 하는 욕구이다.

매슬로 모델의 가정은 첫째, 사람의 욕구는 가장 낮은 계층의 욕구로부터 가장 높은 계층의 욕구에 이르는 계층을 형성하고 있다는 점이다. 둘째, 어떤 욕구가 충족되면, 이 욕구는 더 이상 동기를 유발하지 못한다는 점이다. 셋째, 하위욕구가 충족되면 보다 상위욕구로 발전한다는 것이다. 매슬로 모델은 몇 가지 문제점이 있기는 하지만 기본적인 사람의 욕구를 파악하는 데는 상당한 기여를 하였다고 볼 수 있다.

자료: 박중환(2016), 166.

그림 2-3 관광객의 다양한 감각욕구

사람은 일상생활을 영위함에 있어 기본적인 생리적 욕구를 바탕으로 다양한 욕구들을 갖는다. 관광욕구도 이러한 욕구들 가운데 한 형태로 사람들의 관광행동을 일으키는 원천이 되고 있다. 즉 관광객의 관광과 관련된 감각적 욕구는 기본 욕구와 탐험과 모험 욕구[5], 변화 및 오락 욕구, 성적 욕구(Libido) 등이 있다. 사실 이들 욕구는 계층적으로 존재하는 것이 아니라 복합적으로 불확정적으로 존재한다고 할 수 있다.

이러한 관광객의 다양한 감각욕구는 외부 자극(예, 사회, 기업 등)에 의해 동기화 된다. 이때 관광동기(Motivation)는 관광행동을 유발시키는 개인 내부의 동인(Driving Force) 또는 내적 상태(Inner State)를 말한다.

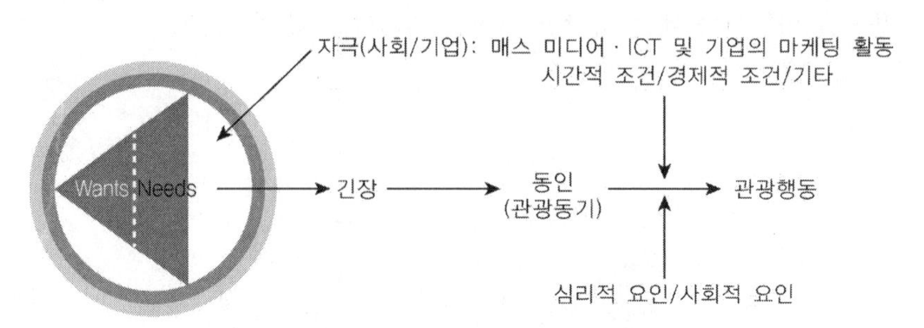

자료: 박중환(2016), 167.

그림 2-4 관광객의 관광욕구와 관광동기 유발과정 모델

여기서 동인과 에너지를 활성화시키는 힘은 외부자극(사회나 기업)으로부터 발생한 긴장상태에 의해 발생되며, 이러한 긴장은 미충족된 욕구와 결합하여 발생한다.

5) Anderson은 이러한 탐험과 모험욕구를 율리시즈 요인(Ulysses Factor)이라고 함.

제2절 관광객의 기대감과 스웜문화

사람들은 왜 관광을 하는가? 우선 보기에는 너무나도 단순한 질문처럼 느껴진다. 사람들은 자신의 시야를 넓히고 세계를 보고 다른 사람들을 이해하고 그들로부터 무엇인가를 얻고자 관광을 한다. 특히 휴식을 취하며 즐거운 시간을 보내고 일상의 권태로움으로부터 벗어나고자 관광을 한다.

사람들이 관광을 하는 이유는 개인과 자신의 문화적 여건에 따라 다를 수 있다. 런드버그(1974)에 따르면, 관광객들이 자신의 관광동기에 대하여 말하는 것은 그로서는 이해할 수도 없고 인식할 수도 없고 헤아릴 수도 없는 보다 깊은 욕구의 한 부분에 불과하다.

우리나라 국민들은 우리 스스로 알다시피 유교문화와 끼리문화, 정(情)의 문화적 특성으로 인해 혈연, 지연, 학연 등의 끈끈한 유대와 보여주기의 체면문화와 끼리문화를 가지고 있다. 이러한 문화적 특성으로 인해 관광행동 역시 보여주기문화, 자랑강박증, 끼리문화 등의 베블런 효과(Veblen Effect) 내지 밴드웨건 효과(Band Wagon Effect)로 나타나기도 한다.

우리가 관광의사결정을 할 때 자신의 지각, 학습, 성격, 동기, 그리고 태도가 관광 참여여부나 관광방법, 관광목적지 선정, 항공사 선정, 여행사의 이용여부, 관광지에서의 활동 및 옵션 선택 등의 결정에 영향을 미친다고 할 수 있다. 따라서 이러한 요인들의 종합적인 이해와 함께 관광동기에 대한 이해가 필요하다.

일반적으로 동기(Motivation)란 행동을 일으키는 추동력(Driving Force)이다. 이것은 학습, 지각, 나아가 집단과 문화의 영향을 받는다. 동기는 개인의 성격과도 밀접한 관련이 있다. 동기는 개인이 그의 주변세계에 적응하는 방식에 영향을 미치며 성격은 주변세계 대한 개인의 일관된 반응이다. 여기서 성격은 개인의 행동 특성과 습관적인 행동으로 설명되며, 이러한 행동은 동기에 의해 크게 영향을 받는다. 행동과학 관점에서의 소비자의 동기연구는 1900년대 테일러(Fredrick Winslow Taylor)의 과학적 관리의 단순동기이론에서 출발하여 1920년대 메이요(Elton Mayo)의 인간관계론으로 발전했다. 나아가 1940년대 매슬로(Abraham H. Maslow)의 욕구계층이론으로 발전으로 이어져, 결국 1950년대 이후 행동과학으로 발전을 거듭하였다.

특히 관광동기는 관광행동을 지배하는 궁극적인 추동력으로 인식되고 있다. 동기의 목적은 자기 자신을 보호하고 만족시키며 고양하는 것이다. 심리학자들은 동기를 긴장상태를 감소시키는 적극적인 추동력으로 정의하기도 한다. 관광의 역사 초기에는 생물학적 욕구를 충족시키기 위해 관광이 이루어졌다. 즉, 사람들은 음식과 물을 찾아서 이동했다.

사회적 동기는 사회적 환경에 의해 만들어진 후천적 욕구에 의해서 나온다. 이러한 동기는 일반적으로 학습된 것이며, 학습은 출생 후부터 시작된다. 관광학 분야의 1세대 학자인 매킨토쉬(1990)는 인간의 기본적 관광동기를 다음의 4가지로 분류하였다.

첫째로 신체적 동기(Physical Motivators)는 신체 휴식, 스포츠 참여, 해변에서의 레크리에이션, 오락, 그리고 건강 등의 욕구임

둘째로 문화적 동기(Cultural Motivators)는 타국의 음악, 미술, 민속, 춤, 조각 그리고 종교에 대한 지식을 쌓고자 하는 욕구임

셋째로 대인관계 동기(Interpersonal Motivators)는 새로운 사람을 만나고 친구와 친척을 방문하여 일상생활과 가정과 이웃에서 벗어나고 싶은 마음이나 새로운 우정을 쌓고자 하는 욕구임

넷째로 지위 및 명예 동기(Status and Prestige Motivators)에는 인지, 관심, 이해와 평판의 욕구임

특히 매킨토쉬(Robert W. McIntosh)는 관광동기에 단 한 가지의 동기만이 관여되어 있는 것으로 예측해서는 안 된다고 강조한다. 관광은 복잡하고 상징적인 라이프스타일로서 관광객은 관광을 통하여 많은 욕구를 한꺼번에 충족시키려는 경향성이 있다는 것이다. 왜냐하면 대부분의 현대인들은 가성비 좋은 소확행[6] 관광을 추구하기 때문이다.

우리는 관광을 통해 ① '이성적 보상(Rational Rewards)', ② '감성적 보상(Sensory Rewards)', ③ '사회적 보상(Social Rewards)', 그리고 ④ '자아만족적 보상(Ego Satisfying Rewards)' 등 4가지 유형의 보상을 기대한다(Maloney, 1961). 현대인들은 이러한 보상을 각기 다른 방식으로 얻으려고 한다. 즉 관광을 통한 직접적인 결과나, 관광 도중 혹은 우연한 관광경험 등이 그것이다.

특히 관광은 다양성 욕구를 충족시켜주는 행복에 이르는 비법으로서 예외인 것 같다. 많은 사람들에게 관광은 일상생활에서의 탈출을 제공함으로써 변화 및 오락욕구를 충족시켜 줄 뿐만 아니라 탐험 및 모험욕구를 충족시켜 준다는 것이다. 집을 떠나 여행을 할 때는 저차 욕구가 충

6) 소확행(小確幸)이란 작지만 확실한 행복을 말한다. 덴마크의 '휘게(hygge)'나 스웨덴의 '라곰(lagom)', 프랑스의 '오캄(aucalme)'과 동의어임.

족되지 않았더라도 일시적으로는 저차 욕구보다는 지적 욕구(Intellectual Needs)가 중요해지기도 한다. 사실 어떤 때는 미지의 세계를 여행하며 탐험하고자 하는 욕구가 생겨나 안전, 사랑 그리고 존경의 욕구만큼 기본적이고 강력한 경우도 있다. 특히 우리는 '알고자 하는 욕구(Needs to Know)'와 '이해하고자 하는 욕구(Needs to Understand)'라는 두 가지의 기본적인 지적 욕구가 있다. 5가지 욕구와 더불어 주변의 감각욕구의 충족은 매우 중요한 경험가치라 할 수 있다.

이러한 측면에서 관광행동의 감각욕구들(Sensory Needs)은 인간에게 미충족된 애정욕구나 존경욕구, 그리고 자아실현욕구 등 다양한 욕구를 충족시킬 수 있는 촉매가 된다. 우리들은 특정 목적지로 관광을 함으로써 명성, 인정, 자존감, 지위뿐만 아니라 독립심, 지배, 자신감, 그리고 무엇이든 될 수 있다는 느낌을 얻을 수 있다는 것이다. 또한 관광은 주요한 준거집단 내에서의 위치, 일명 新카스트(Caste) 계급을 확보케 해주는 수단이 되기도 한다. 즉 해외여행에 대한 경험과 여행정보 등을 자랑함으로써 이러한 新카스트는 강화된다. 또한 관광은 미성취된 지적 욕구를 만족시켜 주는 데 기여할 수 있을 뿐만 아니라 책이나 잡지가 할 수 없는 방법으로 우리 주변세계의 지식을 수집함으로써, 알고자 하는 욕구를 충족시키는 참 좋은 방법인 것이다.

관광현상에서 지적 욕구의 추구에 기초하여 주유형 관광객(Sightseers)과 휴가 관광객(Vacationers) 간에 중요한 차이가 존재하는 것을 선행연구들을 통해 알 수 있다. 여기서 주유형 관광객은 관광에 참가하는 동안 여러 곳을 방문하고 관광하는 특징이 있다. 반면 휴가 관광객은 어느 한 곳에만 가서 바캉스를 즐기다 다시 집으로 돌아오는 관광행태적 특징이 있다. 이 두 가지 관광의 차이는 주유형 관광객은 '알고자 하는 욕구'가 매우 강하게 작용하는 데 비해 휴가 관광객은 '이해하고자 하는 욕구'가 상대적으로 크게 작용한다는 것이다. 따라서 관광기업에서는 목표시장(Target Market)에 대한 시장 특성분석을 통해 관광객이 선호하는 관광목적지나 리조트를 파악하고 어떤 차별적인 서비스가 제공되는지를 잘 알고 있어야 한다. 한편 해외여행 경험이 많지 않은 사람은 어느 한 지역에서 여유 있게 휴가여행을 즐길 가능성이 적으며, 해외여행에 참여할 경우 가능한 많은 나라를 접할 수 있는 패키지여행에 매력을 느낄 가능성이 더 많다. 이는 목표시장전략 개발과 포지셔닝전략 개발에 유용한 여행상품 콘셉트가 될 수 있다.

우리가 여행하는 이유를 설명하고자 할 경우 변화 및 오락욕구, 탐험 및 모험욕구, 그리고 성적 욕구(Libido) 등의 감각욕구도 고려해야 한다.

다시 말해 우리는 일상탈출을 통해 변화 및 오락욕구를 충족하며, 자신과 우리가 살고 있는 주변세상을 탐험하고자 한다. 어떤 사람에게는 이러한 욕구가 등산(Trekking), 오지 트레킹, 짚라인(Zipline), 행글라이딩, 스카이다이빙, 스쿠버다이빙, 열기구 타기, 요팅(Yachting) 등의 형태로 나타난다. 대부분의 사람들에게는 이러한 욕구가 여행을 통하여 표현되는데, 즉 새로운 관광지의 발견, 색다른 사람과의 만남, 외국문화의 탐험이 그것이다.

탐험의 유사개념으로서 모험(Adventure)이라는 개념도 있다. Webster사전에서는 모험을 "신나기도 하지만 때로는 위험한 일"이라고 정의하고 있다. 앤더슨(1970)은 이러한 탐험과 모험요구를 율리시즈 요인(Ulysses Factor)이라고 부른다. 율리시즈 요인은 자신이 특이하게 보이고 또한 어느 정도의 위험을 수반하는 일을 하도록 유도하는 동기요인이다. 그러한 행동은 매우 맹목적인 것처럼 보이기도 한다. 현대인들에게 탐험욕구는 신체적인 욕구뿐만이 아니라 지적 욕구이기도 하다. 다시 말해 모험관광(Adventure Tourism)이 우리 내부의 경쟁적 본능(Competitive Instinct)을 소구할 때나 특히 오지 트레킹을 할 때 더욱 그러하다는 것이다.

우리는 율리시즈 요인(Ulysses Factor)을 조금씩 갖고 있다. 그러나 대부분은 모든 위험을 수용하기보다는 단지 가장 적절한 정도의 위험과 불확실성만을 추구하는 경우가 많다. 이러한 대다수 사람들을 대상으로 하는 관광상품은 대체로 보편적인 패키지 관광상품이 잘 소구(Appeal)될 수 있으며, 특히 관광경험이 부족한 관광객들에게는 지각위험(Perceived Risk)을 최소화하고 스트레스 지수가 낮은 관광상품이 잘 소구될 수 있다.

관광행동에서 율리시즈 요인은 모험(Adventure)에 대한 선호가 관광객에 따라 다르지만 모험을 추구하고자 하는 강력한 힘의 원천이기도 하다. 이러한 관점에서 관광기업은 관광상품 구성에서 피크 엔드 룰(Peak-End Rule)을 잘 활용함으로써 관광서비스 만족도를 극대화할 수 있다. 피크 엔드 룰에 의하면, 경험을 기억하는 성향은 경험의 길이가 아니라 경험의 순간에 의해 결정된다. 즉 사람들은 경험의 순간은 과장하고, 경험의 길이는 무시한다는 특징이 있다는 의미로 경험에서 특히 중요한 것은 길이가 아니라 '피크(Peak)와 마지막 순간(End)'이라는 것이다. 그러므로 관광서비스나 패키지 관광상품 개발에서는 피크와 마지막 순간을 잘 설계해야 한다.

단체관광에서의 패션 코드

단체관광에서 관광의 기대감을 높이면서, 끼리끼리 무리짓기를 통해 동성사회성 판타지를 높이고, 또 가심비 좋은 즐거운 관광을 위해서는 남들 눈에 띄는 개성만점의 패션이 필요하다. 왜냐하면 관광은 연중에 가끔 오는 좋은 찬스로 그야말로 일상탈출이기 때문이다. 이때 필요한 패션 코드가 힙스터(Hipster) 패션 코드이다. 여기서 관광객 개인이 준비해야 할 준비물은 바로 '용기'이다.

아래는 최근의 힙스터(Hipster) 패션 코드 사례(chosun.com, 2019.3.7.)로 한국 할머니의 패션과 명품의 놀라운 평행이론으로 힙한 요즘 패션이 실용적이고 과감한 한국 할매 감성과 닮아 글로벌 트렌드로 자리매김하고 있다는 것이다.

특히 시골 할머니 하면 떠오르는 총천연색 꽃무늬 일 바지(몸뻬 바지)와 넉넉한 원피스, 뽀글뽀글한 파마 머리와 샛노란 금붙이 장식, 다채로운 꽃문양이 발렌시아가, 구찌, 사카이 등이 쏟아낸 큼직하고 선명한 꽃무늬 옷 문양이 '꽃무늬 평행이론'으로 적용되고 있다. 조선일보(2019.3.7.)에

자료: news.chosun.com(2019.3.7.).

그림 2-5 '꽃무늬 평행이론' 이미지

의하면, 유럽을 기반으로 한 명품업체들은 벼룩시장에서 발견한 빈티지 꽃무늬라고 설명하지만, 아무리 봐도 한국 할머니의 패션과 겹쳐 보인다는 것이다.

결국 글로컬(Glocal) 시대를 맞아 아마존의 '영주 호미'나 일본인 관광객이 선호하는 '요술버선', 그리고 한국 할매들의 꽃무늬 힙스터(Hipster) 패션의 놀랍고 핫(Hot)한 평행이론 시대가 도래한 것이다.

이러한 맥락에서 우리 관광객도 한 번쯤 '용기'를 내봄직하다. 즉 자기 인생의 갑(甲)이 되어 보는 것이다. 다시 말해 세상이 나를 어떻게 보느냐보다 내 눈에 보이는 세상에 더 가치를 두는 것이다(서은국, 2019).

오랜만에 찾아온 소확행(小確幸)의 해외여행이 되고 싶다면, 동료관광객과의 비교 프레임을 버리고, 오히려 경험 프레임, 즉 경험가치 추구를 하라는 것이다.

제3절 관광경험에서 관광객 태도의 불확정성과 스웜문화

관광에 참여하는 관광객의 만족 역시 태도변수로서 감정표현의 다양성과 감정 부조화라는 모호성을 가지고 있다. 일반적으로 관광행동에서 만족한 관광객일지라도 부정적 구전(Word of Mouth)과 같은 불평 행동을 할 수 있으며, 반대로 불만족한 관광객일지라도 불만해소를 위한 대응행동을 모색하면서도 계속 이용을 할 수 있음을 나타내고 있다.

이러한 만족 혹은 불만족 개념은 관광상품의 이질성이나 복합성 등의 다양한 특성과 관광객 태도의 모호성과 불확정성에서 발생한다고 할 수 있다. 또한 관광객의 지각품질, 만족 등 태도변수의 인과관계에는 모호성이 존재한다. 관광객 태도변수의 인과관계 방향은 크게 두 가지의 방향에서 연구가 이루어지고 있다(박중환, 1999). 첫 번째는 서비스품질이 고객만족에 영향을 미치며, 또한 고객만족이 구매의도에 영향을 미친다는 구조 관계(예, 지각 서비스품질 → 고객만족 → 구매의도)이다. 이러한 구조 관계에서 고객만족과 구매의도 간의 관계연구와 관련된 연구자로는 베어든 등(1983), 라바버라 등(1983), 올리버 등(1989)이 있으며, 이들 관계에 서비스품질 변수를 추가한 대표적인 연구자로는 우드사이드 등(1989), 테일러 등(1994)이 있다. 우드사이드 등은 변수 간의 구조 관계 연구를 통해 고객만족이 서비스품질 평가와 구매의도 간에 매개변수 역할을 한다고 밝혔다. 한편 테일러 등은 구매의도에 대한 영향요인으로 만족과 서비스품질, 그리고 이들 변수 간의 상호작용 변수를 제시하였다.

두 번째는 고객만족이 서비스품질에 영향을 미치며, 그리고 서비스품질이 구매의도에 영향을 미친다는 구조 관계(예, 고객만족 → 지각 서비스품질 → 구매의도)이다. 이러한 인과모형의 대표적인 연구자로는 비트너(1990)와 볼튼 등(1991a)이 있다. 비트너의 연구에서는 고객만족이 지각된 서비스품질에 영향을 미치고 서비스품질뿐만 아니라 고객만족 역시 구매의도에 영향을 미치는 것으로 밝혀졌다. 그리고 볼튼 등(1991a)도 자신들이 개발한 다단계모형에서 고객만족이 서비스품질에 영향을 미치며, 이러한 서비스품질은 행동의도(재구매의도)에 영향을 미친다고 주장하였다.

결국 이는 변수들 간의 개념구조를 어떻게 설정하느냐 하는 문제와 어떠한 태도변수를 도입하는가 하는 문제로서 인과관계의 모호성이 존재하는 이유는 개인의 태도변수로서 감정표현의 다양성과 춤추는 감정의 불확정성의 결과라고 할 수 있다.

제4절 관광서비스 생산자의 휴리스틱 감정과 스웜문화

개인의 감정(Emotion)에 대한 초기의 연구는 사회심리학자들에 의해 이루어졌다. 1970년대에 들어와서는 감정의 사회학적 측면에 주목하여 감정을 단순히 본능적인 것으로 보지 않고 합리적 이성의 측면과 결합하여 감정을 이해하기 시작하였다.

사회심리학적 연구로는 다윈(Charles Robert Darwin)의 진화론을 바탕으로 한 감정연구를 들 수 있는데, 연구자들은 하등동물이나 인간의 감정표현을 생존욕구의 적응과정이라 보았다. 이들은 어느 문화에서나 공통적인 본능에 대한 감정에 초점을 두고 있다고 보았지만 어느 문화에서나 다 같은 감정을 보여주는 것은 아니며 어떠한 감정들은 사회의 규범이나 관습과 밀접한 관계가 있다는 비판을 받았다.

생리학자나 신경학자들은 자율신경기관이나 뇌신경체계가 감정을 결정하는 데 필요한 선행조건이라는 것을 강조하였다. 이들은 어떠한 자극이 있게 되면 심장, 소화기관 등의 신경체계나 혈압, 호르몬의 변화, 혹은 뇌에 있어서의 내분비선의 활성화로 그에 따른 감정을 경험하게 된다고 한다. 이러한 관점 역시 사회관계, 문화, 규범 등이 감정에 미치는 영향요인을 고려하지 못했다고 비판을 받았다.

학습이론에 근거한 감정의 연구는 인간의 강화나 모방을 통해 새로운 것을 배우게 된다고 강조한다. 감정도 보상이나 처벌과 같은 외부의 강화요인에 의해 학습된 결과라고 본다.

인지이론가들은 지각, 기억, 판단, 문제해결, 의사결정과 같은 인간의 사고과정 혹은 인지구조를 인간 행동의 결정요인으로 보는 견해이다. 이들은 감정을 외부환경에 대한 인간의 인지적 평가나 비교의 결과라고 보고, 이를 설명할 때 인간이 지각하고 해석하는 정신적인 능력을 강조한다.

감정은 혹실드(1979; 1983)의 연구 이전까지는 실질적으로 노동의 요소로 인식되지 않고 단순히 인간의 본능적인 측면이나 사회·문화적인 구성물이라는 관점으로만 인식되었다. 또한 감정은 노동의 한 요소로 평가되지 않고 종사원의 부수적인 반응으로 규정되어 왔었다.

관광서비스의 특성상 모방효과가 큰 관광산업에서 경쟁이 심해지면 관광기업들은 고객들에게 제공되는 서비스의 차별화에 대한 스트레스 강도가 매우 심해진다. 혹실드(1983)에 의하면, 조직은 지속적으로 서비스 종사원들이 다른 사람들에게 자신을 표현하는 방식을 지시하고 통제하고자 한다. 결과적으로 조직에 의해 정해지고 요구되는 감정표현이 종사원들이 수행하는 직무의 중요한 구성요소가 된다는 것이다. 끊임없이 대면 접촉을 하여야 하는 서비스 직무의 경우 감정관리 혹은 표현은 업무성과의 결정적인 요소가 되기 때문에 관광서비스 생산자들은 곧 육체노동자이자 정신노동자라 할 수 있다.

혹실드(1979; 1983)의 감정 연구에서부터 감정노동에 대한 연구뿐만 아니라 감정에 대한 실증적인 논의가 시작되었다고 볼 수 있다. 첫째, 감정노동에는 네 가지 차원이 있는데, 이 중 감정표현의 빈도는 가장 많이 주목받아 왔던 요소로서 감정노동의 중요한 지표이다.

감정노동의 두 번째 차원은 직무에서 감정표현 규범에 요구되는 주의 정도이다. 이것이 높을수록 해당 직무는 종사원들에게 더 많은 심리적 에너지와 신체적 노력을 요구하게 된다. 여기서 '감정표현 규범에 요구되는 주의 정도'는 감정표현의 지속기간(Duration of Emotional Display)과 감정표현의 강도(Intensity of Emotional Display)라는 두 가지 하위 개념으로 구성되어 있다. 선행연구로서 라파엘리(1989)는 편의점 종사원들에 대한 연구를 통해 고객들과의 단기간의 상호작용은 단지 형식적인 인사나 가벼운 미소 등 이미 정형화된 상호작용만을 수반한다는 것을 밝혀냈다. 이러한 결과는 단기간 동안의 감정표현에 요구되는 노력의 정도가 아주 적음을 의미한다. 반대로, 비교적 지속적인 감정표현은 더 많은 정신적, 신체적 노력을 요구한다. 따라서 비교적 긴 지속기간 동안의 감정표현은 더 심한 감정노동을 유발하게 된다. 특히 역할 스트레스와 정신적 고갈에 대한 연구들은 이러한 주장을 지지하고 있으며, 또한 고객과의 장시간의 상호작용은 높은 수준의 정신적 고갈과 관련이 있음이 보고된 바 있다.

나아가 감정표현의 지속기간은 조직 내에서 요구되는 감정을 표현하는 데 드는 노력에 영향을 미치는데, 첫째, 고객에 대한 감정표현이 길면 길어질수록 감정표현은 점점 덜 정형화되어 간다. 둘째, 고객에 대한 가용정보가 많으면 많을수록 고객과의 상호작용은 더 길어진다. 혹실드에 의하면, 서비스 종사원들은 두 가지 유형으로 감정노동을 수행한다. 첫 번째 유형은 언어적, 비언어적 수단들을 통하여 실제와 다른 감정을 위장하여 표현하고, 실제 감정표현을 의도적으로 자제하는 '표면행위(Surface Acting)'이고, 두 번째 유형은 자신이 보이고 싶은 감정을 실제로 표현하려고 노력하는 '내면행위(Deep Acting)'이다. 아쉬포스 등(1993)은 감정노동의 수행방법 중 감정표현 규범을 실제로 경험하기 위하여 노력하는 내면행위의 경우가 더욱 많은 노력을 필요로 하며, 감정노동의 강도가 높다고 보았다.

감정노동의 세 번째 주요 차원은 직무에서 요구하는 감정표현의 다양성이다. 감정표현의 다양성이 커지면 커질수록 직무 담당자들의 감정노동의 강도는 커지게 된다는 것이다. 결과적으로 그들은 자신들이 수행하는 감정노동에서 심리적 에너지를 더 많이 소비하게 된다는 의미이다.

많은 관광서비스 생산자의 역동적인 서비스 본질을 고려해 볼 때, 같은 업종의 관광서비스 제공자라 해도 상황에 따라 다른 감정표현 규범을 요구하게 된다. 따라서 감정표현에 수반되는 감정노동의 양은 감정표현의 다양성에 의해 유의한 영향을 받는다는 것이다. 시간이 지남에 따른 감정표현 변화의 다양성 또한 조직에서 요구되는 감정을 표현하는데 필요한 계획과 조정에 영향을 미치게 된다.

네 번째 주요 차원인 감정 부조화는 감정노동을 수행하는 관광종사원의 실제 감정과 조직의 감정표현 규범에 따르는 관광종사원의 감정이 상충될 때 나타난다. 대부분의 선행연구에서는 감정 부조화를 감정노동의 결과변수로 취급하기도 한다. 그러나 모리스 등(1996)의 연구에서는 감정 부조화를 감정노동의 차원으로 포함하기도 한다. 감정표현의 규제가 강화되고, 그에 따라 감정노동의 강도가 증가되는 것은 관광종사원의 내면 감정과 조직의 감정표현 규범에 의한 감정 사이의 갈등이 일어나는 상황에 의한 것이다. 관광종사원의 실제 감정과 표현규범에 따른 감정 사이의 갈등이 클수록 관광종사원은 더 많은 통제 및 기술이 필요하며 주의 깊은 태도를 취해야 한다는 것이다.

그렇다면 관광서비스 생산자의 감정은 어떻게 이루어져 있을까? 다음의 그림은 모리스 등(1996; 최정순, 2003)의 '감정노동의 네 가지 차원'을 나타낸 것이다.

혹실드(1983)는 감정노동의 부정적인 결과로 약물 남용, 알코올 중독, 결근 등으로 이어진다고 밝혔다. 애쉬포스 등(1993)은 궁극적으로 이러한 부조화는 낮은 자존심, 우울감, 냉소감, 직무로부터의 소외감 등과 같은 부적응 현상을 일으키게 한다고 보았다.

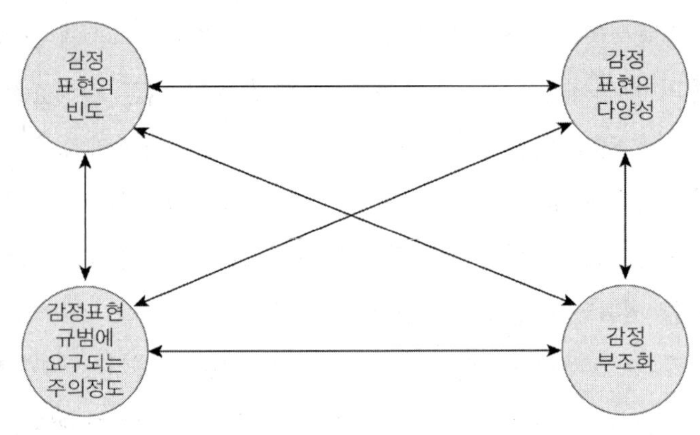

자료 : Morris and Feldman(1996).

그림 2-6 감정노동의 네 가지 차원의 관계

감정노동의 부정적 측면을 더욱 정확히 밝히기 위해서 에릭슨 등(1997)은 서비스 제공자들이 고객과 접촉하지 않는 직종에 종사하는 사람들에 비해 업무 수행 중에 그들 자신의 진실한 감정을 속임으로써 자신의 무가치함을 더 많이 경험한다는 것을 밝혔다.

라펠리 등(1987)은 감정 표현의 진실성의 정도가 고객에 의해 인식된다면 표현규범을 따르는 것은 업무의 효율성을 촉진하는 것이라고 보았다. 서비스 인카운터(Encounter) 시의 역동적이고 긴박한 특성 아래, 감정노동은 고객과의 상호작용을 규제하는 중요한 수단을 제공하는데, 화이트(1973)는 레스토랑 종사원이 얼굴 표정, 자세, 어조 등의 표현 수단을 통해서 고객과 원활하게 상호작용하는 방법에 대해 논의했다. 즉 서비스 생산의 상황에서 '자신의 감정이 어떻다'는 것을 느끼기에 앞서 먼저 행동을 취함으로써 서비스 생산자로 하여금 객관성과 감정적 균형을 유지하게 한다는 것이다. 결국 감정노동은 서비스 생산자로 하여금 자아 효능감(Self Efficacy), 즉 업무 사항을 성공적으로 이행할 수 있다는 신념과 그와 더불어 업무 효율성을 증가시킬 수 있다고 한다. 폴스(1991)는 감정에 대한 자기 통제의 위험성을 인식하지만 그가 연구한 여성종사원들은 성공적으로 자신의 감정을 통제함으로써 감정 부조화나 자기소외를 일으키지 않았다고 한다. 폴스의 연구에서 관광종사원들의 지배적인 반응은 자기 자신과 직무 역할 사이의 적절한 거리를 유지시킴으로써 자신을 보호한다는 것이다. 같은 맥락에서 레이드너(1993)의 패스트푸드점 등의 종사원의 연구에서 관광서비스 생산자로서 종사원들은 자기 자신을 표현하고, 자신들의 정체성을 보호하기 위해 여러 종류의 전략을 이용한다고 했다.

관광서비스 생산자의 산업별 감정노동 비교

해외관광의 대중화와 개인의 삶의 질 추구와 소확행 수단으로서 해외관광과 맞물린 항공 수요의 폭발적 증가로 국내항공사 및 외국항공사 승무원 채용이 급속히 증가하고 있다. 최근 여대생들은 항공사 승무원에 대한 관심이 매우 뜨겁고, 이를 취업 로망으로 생각한다. '하늘의 꽃' 항공사 객실 승무원을 꿈꾸는 지망생이 꾸준히 늘고 있고, 대한항공과 아시아나항공사의 경우 매년 2~3차례의 국제선 객실 승무원 선발에서도 매 시험 때마다 100대 1의 경쟁률을 훌쩍 넘기는 경우가 많다. 예컨대 대한항공은 한 번에 대략 100명 정도 모집하는데, 지원자가 무려 130대 1의 경쟁률을 보이기도 한다. 아시아나항공도 한 번 모집할 때 80~100명 선발하는데, 통상 100대 1의 경쟁률은 기본이다. 대한항공과 아시아나항공 등 국적항공사 외에도 외국항공사(외항사)도 수천 명의 지원자가 몰리고 있는 실정이다. 이러한 인기도는 멋진 유니폼과 민간외교관으로서 세계 곳곳을 다니며 일과 여행을 동시에 누릴 수 있는 것도 큰 장점으로 작용한다(노컷뉴스, 2014.9.11.)고 볼 수 있다. 즉 이는 사회과학적 관점에서 볼 때, 직업존중감이 매우 크다는 점을 함축하고 있다. 이러한 직업존중감은 개인이 자신의 직업에 대하여 갖는 태도(Attitude), 감성(Feeling), 감정(Emotions)을 포함하고 있다. 결국 이러한 직업존중감은 본인의 일에 대한 존경(Respect)과 긍지(Dignity)는 개인의 자아존중감에 영향을 주며, 개인의 자아존중감의 정도는 개인이 관련된 직업의 존경과 긍지의 수위에도 영향을 주게 된다(Miller, 1999).

그림 2-7 감정노동 풍자 이미지

그럼에도 불구하고 동전의 양면이 있듯이 이처럼 어렵게 승무원이 되어도 이런저런 개인적인 사유로 1년에 수백 명씩 그만두는 경우가 많다는 것은 아이러니컬하다(노컷뉴스, 2014.9.11.)는 측면에서 나름 고충과 애로가 많다는 것을 함축하고 있다. 다시 말해 이는 항공사 승무원들의 경우 직업존중감(Job Esteem)뿐만 아니라 감정노동(Emotional Labor) 역시 매우 크다는 점을 시사하고 있다.

그 대표적인 사례로 2013년 4월 한국직업능력개발원에서는 감정노동이 많은 30개 직업을 조사하여 발표하였다(donga.com, 2013.4.30.).

표에 의하면, 항공사 승무원의 경우 감정노동 지수가 30개 직업 중 1위로서 4.70(5점 만점)으로 나타났다. 또한 음식서비스 관리자, 패스트푸드점원,

표 2-1 감정노동을 많이 하는 30개 직업

순위	직업	점수 (5점 만점)	순위	직업	점수 (5점 만점)
1	항공사 객실 승무원	4.70	16	물리 및 작업 치료사	4.20
2	홍보 도우미 및 판촉원	4.60	17	비서	4.19
3	통신서비스 및 이동통신기 판매원	4.50	18	스포츠 및 레크레이션강사	4.18
4	장례상담원 및 장례지도사	4.49	19	치과의사	4.16
5	아나운서 및 리포터	4.46	19	사회복지사	4.16
6	음식서비스 관련 관리자	4.44	21	여행 및 관광통역안내원	4.15
7	검표원	4.43	21	경찰관	4.15
8	마술사	4.39	23	결혼상담원 및 웨딩플래너	4.13
9	패스트푸드점원	4.39	23	유치원 교사	4.13
10	고객상담원(콜센터상담원)	4.38	23	연예인 및 스포츠 매니저	4.13
11	미용사	4.35	26	경호원	4.12
12	텔레마케터	4.35	26	보험 영업원	4.12
13	출납창구 사무원	4.34	26	보육교사	4.12
13	응급구조사	4.34	29	약사 및 한약사	4.11
15	간호사(조산사 포함)	4.33	30	여행상품 개발자	4.10

자료: 한국직업능력개발원(2013.04.)

관광통역사, 여행상품 개발자 등도 마찬가지이다. 이러한 점에서 관광서비스 생산자로서 관광종사원들의 경우 감정노동을 타 직업에 비해 상대적으로 많이 하고 있음을 알 수 있다.

혹실드(1983)에 의하면, 감정노동은 주로 고객들과 직접 얼굴을 보고 대면(vis a vis) 서비스를 하는 경우와 고객과 주변 사람의 감정 상태를 만들어내야 하는 경우에 발생한다. 과연 이 세상에 감정노동이 없는 직업이 존재할까? 예컨대 부모나 자식, 기업의 대표나 수많은 근로자들까지 우리 모두가 감정노동에 시달린다고 할 수 있다. 특히 관광서비스는 '활동과 경험'으로서 관광서비스 생산자의 감정노동은 주로 이러한 활동과 경험 과정에서의 서비스 인카운터에서 발생한다. 따라서 관광객과 직접 대면하고 있는 관광종사원들의 감정노동은 관광객의 만족에 직접적으로 관여하고 있는 측면에서 고객에 대한 언어적 및 비언어적 감정표현이 서비스 생산(Production) 및 배달(Delivery)의 성공과 실패를 결정하는 중요한 요인이기 때문에 발생한다. 이때 감정노동은 표면행위(Surface Acting) 또는 내면행위(Deep Acting)로 나타난다. 관광서비스 생산자의 표면행위는 얼굴 표정, 제스처, 목소리 톤과 같은 언어적 또는 비언어적 표현 등으로 이루어진다. 한편 관광서비스 생산자의 내면행위는 자신이 표현하기를 원하는 감정을 실제로 느끼거나 경험하는 것을 말한다. 이러한 표면행위와 내면행위는 혹실드(1979)에 의하면, 고객에 대한 노력의 효과로 나타나는 결과의 개념이 아니라, 적절한 감정을 표현하기 위한 행동 또는 노력 그 자체로 의미 있는 것이다. 이에 대해 김민주(1998)는 언어적, 비언어적 수단들을 통하여 실제와 다른 감정을 위장하여 표현하고 실제 감정표현을 의도적으로 자제하는 표면행위와 자신이 보이고 싶어 하는 감정을 실제로 경험하려고 노력하는 내면행위로의 대응은 감정노동에 따른 정서적 부조화를 야기할 수 있다고 보았다. 즉 이러한 관광서비스 생산자의 춤추는 감정은 불확정성을 갖고 있다는 것이다.

표 2-2 관광서비스 생산자의 산업별 감정노동 비교

	전체 (n=211)	항공사 (n=32)	호텔 (n=41)	여행사 (n=44)	외식업 (n=30)	컨벤션업 (n=29)	기타 관광 사업 (n=35)
표면행위 (미소코스프레*)	3.77	4.94	3.80	3.60	3.62	2.99	3.64
내면행위 (친절코스프레)	4.94	5.82	5.16	4.70	4.67	4.36	4.91

*코스프레(Cospre)(Custume Play)란 게임이나 만화 속의 등장인물로 분장하여 즐기는 일을 의미함.
자료: 박중환(2019), 109.

표에서와 같이 관광산업 종사원의 감정노동의 경우 전체적으로는 내면행위(친절코스프레) 감정노동(평균 4.94점)이 표면행위(미소코스프레) 감정노동(평균 3.77점)보다 큰 것으로 나타났다. 업종별 감정노동을 비교해 보면, 항공사 승무원의 경우 내면행위로서 친절코스프레가 5.82점(7점 척도)으로 가장 큰 것으로 나타났으며, 또한 표면행위로서 미소코스프레 역시 4.94점(7점 척도)으로 타 업종에 비해 상대적으로 큰 것으로 나타났다. 그 다음으로 호텔, 기타 관광관련 사업, 여행사 순으로 서비스 생산자들의 감정노동이 큰 것으로 나타났다.

모호한 태도로서 항공사 승무원의 감정노동과 직업존중감

이러한 감정노동과 대비되는 개념으로서 직업존중감이 있다. 이러한 직업존중감은 직무 태도(Job Attitudes)의 개념이다.

Miller(1999)는 직업존중감을 구성하고 있는 요소로 직업 관여도(Job

Involvement), 직업 만족도, 직업관련 존중감, 자아존중감, 직업에 대한 윤리의 개념이라고 정의하고 있다.

이들 개념에 대한 최근의 연구(박중환, 2014)로서 감정노동과 직업존중감 간의 상쇄효과를 분석하기 위해 AHP(Analytic Hierarchy Process) 분석[7]을 하였는데, 그 결과는 표와 같다.

표 2-3 AHP를 이용한 감정노동과 직업존중감 간의 비교

A	A가 절대 중요				A가 매우 중요				서로 같음			B가 매우 중요				B가 절대 중요		B
	9	8	7	6	5	4	3	2	1	2	3	4	5	6	7	8	9	
전반적 직업존중감							○		(3.75)									전반적 감정노동
사회평판·경제적요인							○		(3.66)									내면행위 감정노동
사회평판·경제적요인							○		(3.61)									표면행위 감정노동
조직요인							○		(3.25)									내면행위 감정노동
조직요인							○		(3.21)									표면행위 감정노동
직무만족요인								○	(2.87)									내면행위 감정노동
직무만족요인								○	(2.96)									표면행위 감정노동

참조: ( ) 값은 AHP 상대적 중요도(GEOMEAN) 전체(n=93) 평균값임.

7) AHP(Analytic Hierarchy Process) 분석은 다수 대안에 대한 다면적 평가기준을 통한 의사결정지원 방법의 하나로 각 요인들의 상대적 중요도를 각각 쌍대 비교(Pairwise Comparison)하는 기법임.

표에서와 같이 AHP를 통해 상대가치 프레임(상대적 중요도) 쌍대 비교에서는 전반적으로 직업존중감이 감정노동보다 상대적으로 훨씬 큰 것(GEOMEAN=+3.75)으로 나타났다. 이같이 AHP분석 결과와 달리 직업존중감과 감정노동 간의 단순한 절대 프레임(절대치 평균값) 비교에서는 직업존중감의 평균값이 4.38(7점 척도)로 나타났으며, 감정노동의 경우 평균값이 4.45(7점 척도)로 나타남으로써 감정노동의 값이 조금 더 큰 것으로 나타났다. 이러한 연구 결과의 새로운 이슈는 직업존중감(순경계 개념)이나 감정노동(역경계 개념)을 단순히 독립적으로 분리시켜 다중공선성(Multicollinearity)이 없는 독립된 개념으로 조사하면, 당연히 불만을 표출하는 감정노동 지수가 상대적으로 클 수 있다는 점이다. 이러한 현상은 행동경제학적 관점으로 트버스키 등(1995), 카너먼 등(1991)의 이론, 즉 "인간이 쾌락을 얻는 구조 중 가장 중요하고 큰 특징은 플러스적인 자극보다도 마이너스적인 자극에 훨씬 민감하다는 것이다……"(박중환, 2009에서 재인용함)는 점에 비춰볼 때 부정적 자극을 더 크게 느낄 수 있다는 점이다. 다시 말해 이러한 현상은 부정적 감정의 밀물현상(Flow Theory)의 결과라 할 수 있다. 이러한 맥락에서 순경계(Positive) 개념과 역경계(Negative) 개념을 연구할 때는 AHP를 통한 상쇄효과 분석이 매우 의미가 있다고 할 수 있다는 것이다. 추가적으로 AHP 연구결과, 항공사 여승무원들의 경우 나이가 들수록, 그리고 근무연수가 길수록 직업존중감이 떨어지는 것으로 나타났으며, 이들의 감정노동은 상대적으로 커지는 것으로 나타났다. 따라서 항공사에서는 항공기 탑승객과 직접 대면하고 있는 승무원들은 그 항공사를 대표할 뿐만 아니라 승무원의 고객에 대한 언어적 및 비언어적 감정표현은 서비스 생산 및 배달의 성공과 실패를 결정하는 중요한 요인이라는 점을 인식하고, 직업존중감이 고양될 수 있도록 정신적 인센티브와 물질적 인센티브 프로그램, 특히 경제적 요인을 강화함으로써 직업존중감을 키우는 데 관심을 더 많이 가져야 할 것이다. 또한 항공사는 조직 및 직무요인으로 교육 및 훈련프로그램, 그리고 동료와의 관계를 강화하기 위한 다양한 프로그램을 도입해야 할 것이다.

관광상품 선택에서의 합리성과 스웜문화

CHAPTER

03

관광상품 선택에서의 합리성과 스웜문화

제1절 관광객의 제한적인 합리성

인간은 과연 합리적인가? 특히 관광객은 정말 합리적인 의사결정자인가? 우리가 인생을 살아가면서 체득한 경험법칙(Rule of Thumb)에 의하면, 아무리 봐도 그다지 합리적이지도 비합리적이지도 않다는 결론에 도달하게 될 것이다. 그럼에도 불구하고 가끔 우리가 경제학 개념인 경제적 인간과 전혀 다른 결정을 내리는 일이 있다고 해서 '인간은 합리적이지 않다'고 쉽게 결론을 내리는 것은 분명히 잘못된 것이다. 즉 우리는 때로는 합리적이고, 때로는 비합리적이기 때문이다. 결론적으로 사람은 완전히 합리적이진 않지만 어느 정도는 합리적이라는 의미로 '제한된 합리성'이라는 말을 사용하는 게 가장 적절하다(도모노 노리오, 이명희 역, 2007)는 것이다.

예를 들어, 침울하고, 고뇌하는 뭉크(Edvard Munch)[8]의 '절규' 그림을 상상해 보자. 우리는 눈, 코, 입 어느 것 하나 명확하게 그려져 있지 않지만 이 주인공이 기뻐하거나 웃고 있는 표정이 아닌 침울하고 공포에 사로잡혀 있는 표정을 짓고 있다는 것을 바로 알 수 있다. 또한 목소리만 들어도, 혹은 발자국 소리만 들어도 누군지 알 수 있는 사람도 있다. 따라서 우리는 얼굴을 보거나 목소리만으로도 그 사람의 기분을 어느 정도는 추측할 수 있기 때문에 특히 단체관광뿐만 아니라 일상생활에서 반드시 스페인의 예수회 신부였던 그라시안(Baltasar Gracian)의 생활의 지혜를 빌려야 한다. 즉 "생각을 조심하라. 왜냐하면 그것은 말이 되기 때문이다. 말을 조심하라. 왜냐하면 그것은 행동이 되기 때문이다……"처럼 생각과 말을 조심해서 맑고 밝은 행동으로 분위기를 살려야 한다는 것을 시사한다. 즉 관광행동에서는 무조건 즐겁게, 어제를 잊고, 그리고 현재를 즐겨라(카르페 디엠)는 의미이다. 이처럼 명시적이지 않은 정보를 읽어낼 수 있는 것은 인간의 뛰어난 능력 때문이다. 우리는 이런 인지능력과 상상력 덕분에 카유아(1961) 모델에서 제시하고 있는 아동기의 자극 게임으로서 '역할 놀이'나 '인형 놀이'가 가

그림 3-1 뭉크(Edvard Munch)의 '절규' 이미지

8) 뭉크(Edvard Munch)는 노르웨이 화가, 판화가로서 불안감에 사로잡힌 그림을 세밀한 계획하에 작업해 냄. 특히 '절규'는 실존의 고통을 형상화한 대표적인 작품임.

능하다고 할 수 있다.

이따금 우리는 인간이 가지고 있는 이런 뛰어난 점을 간과하고 단순히 인간은 비합리적이라고 판단해버리는 잘못된 엉터리 결론에 도달하곤 한다.

팁과 호구조사?

해외관광 경험 중의 한 사례로서 우리는 즐거운 소확행 관광행동에서도 제한적인 합리성의 의사결정이 요구되는 경우로 관광가이드에게 팁(Tip)을 얼마나 거둬서 줄 것인가와 언제 줄 것인가에 대해 많은 고민을 하게 된다. 특히 단체관광의 구성이 이질적일수록 더욱 이러한 딜레마에 빠지는 경우가 많다. 그럼에도 불구하고 우리나라 사람들은 의외로 팁에 관대한 것으로 나타났다. 온라인여행사 익스피디아가 23개국 1만 8,229명을 대상으로 실시한 설문조사에 의하면, 우리나라 관광객들은 짐을 운반해주는 벨 맨이나 각종 서비스를 챙겨주는 룸 메이드에게 특히 팁을 잘 주는 것으로 확인됐다. 전 세계 평균은 55%였는데, 특히 한국(72%)은 미국(81%)과 캐나다(72%)에 이어 팁에 관대한 관광객 3위를 차지했다는 것이다. 미국과 캐나다는 호텔 룸 서비스(Room Service)를 받을 때, 한국인은 하우스키핑(Housekeeping)의 룸 메이드에게 팁을 가장 많이 주는 것으로 나타났다.

그럼 우리는 팁을 언제 주는 것이 팁발이 좋을까? 행동경제학 관점의 최종 제안게임에서와 같이 관광 가이드 역시 감정이 춤추는 제한적인 합리성을 가지고 있다는 점에서 관광객과 가이드 간의 팁의 최종 제안은 합리적 감정 거래와 서비스가 시작되는 초기(Early)가 훨씬 합리적이고 가심비(價心費)가 크다고 할 수 있다. 이러한 응용전략은 란체스터 법칙(Lanchester's Laws)[9], 즉 전쟁에서의 승리를 위해서는 초기 전력투입이 매우 중요하다는 점에서 봐도 매우 효율적이라고 할 수 있다. 왜냐하면 우리는 관광이 집을 떠난 제2의 현실이라는 측면에서 가이드와의 관계를 좀 더 빨리 정착시킬 수 있을 뿐만 아니라 서로 눈치보기 스트레스를 최소화할 수 있기 때문이다.

우리나라 사람들은 단체관광행동에서 종종 자기 자신의 신분상태, 예컨대 어디 사는지?, 자녀가 어느 대학 다니는지?, 직업은 무엇인지?, 그리고 해외여행 경험 정도? 등등 일명 호구조사에 참여하게 된다. 이러한 현상은 긍정적 측면에서 보면, 관계를 맺기 위한 과정이기도 하지만 이때 우리는 늘 어디까지 공유할 것인가 하는 문제에 부딪히게 된다. 특히 우리나라 사람들은 타 국민에 비해 관계형성 욕구가 훨씬 크다는 점에서 더욱 그러하다. 우리들의 경험법칙에 의하면, '지나침은 모자람만 못하다(過猶不及)'는 속담처럼 관계맺기나 관계형성이 너무 지나쳐 관계중독으로 이어지지 않도록 멈춤이 필요하다. 즉 우리는 골디락스 관계[10](≒不可近 不可遠)를 가지는 것이 매우 중요하다. 이때 우리에게 필요한 지혜는 에포케(Epoche)(멈춤)이다. 결국 이것은 기대가 크지 않으면, 실망도 크지 않다는 것으로 나 자신을 위한 멈춤임을 꼭 명심해야 한다. 또한 우리들의 무리짓기는 춤추는 감정 때문에 동물들의 무리짓기보다 훨씬 복잡하다는 사실을 알아야 한다.

---

9) 란체스터 법칙(Lanchester's Laws)은 군사전략의 하나로서 공격자와 방어자 서로 간의 상대적인 힘을 계산하는 수학적인 미분방정식임.
10) 골디락스 존(Goldilocks Zone)과 같은 관계를 말함.

그럼에도 불구하고 우리는 왜 수다와 호구조사를 할까? 학자들에 따르면, 그 첫 번째 이유는 궁금증 때문이다. 두 번째는 새로 알게 된 지식을 다른 사람과 나누고자 하는 욕구가 있기 때문으로 사실은 남들보다 오히려 잘난 체하려는 것이다. 이를 두고 서양에서는 궁금증이 고양이를 죽였어!(Curiosity killed the cat!)라는 속담이 있는데, 이는 너무 궁금해하지 말라는 이야기를 돌려서 하는 말이다(김범준, 2015). 반대로 우리 관광객들의 궁금증은 종종 좋은 질문을 만들어 내고, 좋은 질문은 좋은 이야깃거리를 만들어 내기 때문에 관광행동에서의 수다는 관광일정 내내 분위기 메이커 역할을 가끔 하기도 한다. 그러나 우리들은 지나침은 모자람만 못하다는 속담을 한시도 잊지 말아야 한다.

한편 우리들은 새들의 돌발적 군무와 같이 패키지 투어에 참여하는 내내 이 관광상품이 가격 대비 고급품질인지 아님 저급품질인지에 대한 고민과 논쟁에 빠지기도 한다. 그 정답은 관광객의 인식과 고유성 문제에서도 찾을 수 있다.

여기서 고유성(Authenticity)이란 부어스틴(1964)에 의하면, 관광행동에서 "관광객들은 실제는 경험하지 못한 채 가짜사건(Pseudoevents)만 본다"는 것이다. 특히 무대화된 고유성 문제는 일명 천국의 오류(Paradise Fallacy)로서 대표성 오류라 할 수 있다. 이러한 관점에서 패키지 투어 동반자 간에는 서로 적당한 정보공유를 해야지만 관광하는 동안 서먹한 분위기를 없앨 수 있다. 그러나 지나친 정보공유는 관광객 간의 유대는 강화될지는 몰라도 자신의 신비감을 없앨 수도 있다는 점을 간과해서는 안 된다. 그러므로 관광객 개개인은 무대화된 장면(가짜)을 적절히 믹스(Mix)함으로써 무대화된 고유성인 천국의 오류를 최대한 활용할 수 있다. 즉 이는 신비주의 마케팅 내지 귀족마케팅 콘셉트인 것이다. 또한 날짜별 다양한 관광상품 가격, 즉 수익관리(Yield Management) 모델 가격(예약 일자별로 차이나는 가격)에 대한 정보 공유문제에 부딪히기도 한다. 즉 상대적으로 싼 가격에 관광에 참여한 경우와 상대적으로 비싼 가격에 참여한 경우에 따라 단체관광객 간에 미묘한 심리적 갈등이 발생하기도 한다.

제2절 관광서비스에 대한 휴리스틱과 스윔문화

행동경제학 관점에서 휴리스틱(Heuristic) 판단이나 의사결정은 문제를 해결하거나 불확실한 상황에서 명확한 알고리즘이 없을 경우에 사용하는 편의적·발견적인 방법이다. 이러한 휴리스틱을 이용하는 방법은 우리 일상의 경험법칙에 의존함으로써 어느 정도 만족스럽고, 경우에 따라서는 완전한 답을 재빨리 큰 노력 없이 얻을 수 있다는 점에서 사이먼(1957)의 '만족화' 개념과 유사한 개념이다. 그러나 휴리스틱 판단이나 의사결정이 가끔은 터무니없는 실수를 자아내는 원인이 되기도 한다. 따라서 불확실한 의사결정을 이론화하기 위해서는 확률, 즉 기저율(Base Rate)이 필요하기 때문에 사람들이 확률을 어떻게 다루는지가 중요하다.

여기서 확률(Provability)은 이를테면 어떤 사람이 선거에 당선될지, 경기가 좋아질지, 시합에서 어느 편이 우승할지 따위를 '전망'할 때 이용된다. 대개 그러한 확률은 어떤 근거를 기초로 객관적인 판단을 내리기도 하지만, 대부분은 직감적으로 판단을 내리게 된다. 직감적인 판단에서 나오는 주관적인 확률은 과연 정확한 것일까?

카너먼 등(1983)은 일련의 연구를 통해 인간이 확률이나 빈도를 판단할 때 몇 가지 경험법칙의 휴리스틱을 이용하지만, 그에 따라 얻어지는 판단이나 의사결정은 객관적이거나 올바른 평가와 상당한 거리가 있다는 의미로 종종 '바이어스'가 동반한다는 것을 확인했다.

다양한 휴리스틱

휴리스틱의 가장 큰 특징은 '이용 가능성 휴리스틱(Availability Heuristic)'이다. 이용 가능성 휴리스틱이란 어떤 사상(Events)이 출현하는 빈도나 확률을 판단할 때, 그 사상이 발생했다고 쉽게 알 수 있는 사례를 생각해 내고 그것을 기초로 판단이나 의사결정을 하는 것을 뜻한다.

이때 중요한 역할을 담당하는 것이 기억, 특히 자기 경험이다. 저장된 기억으로부터 바로 사용할 수 있는 사례가 떠오르고, 그 사례에 따라 판단하는 것이 이용 가능성 휴리스틱이다.

기억한 내용이 다양한 원인의 영향을 받아 변하거나, 일부밖에 기억하지 못하는 일을 일상에서 자주 경험한다. 이때 머리에 쉽게 떠오르는 기억이 반드시 그 대상의 빈도나 확률을 올바르게 나타내지 못할 경우 바이어스가 생기게 된다.

특히 항공여행에서의 항공기 사고(예, 교통사고 중 확률이 가장 낮음)나 관광지에서의 추락사고 등에 대해서 관광객들은 빈도나 확률을 올바르게 인식하지 못하는 경우가 허다하다. 즉 이용 가능성을 발생시키는 요인 중 하나로서 어떤 사건(항공기 사고, 테러, 관광지 사고 등)이 실제로 쉽게 뉴스 등을 통해 이미지화되어 떠오를 때가 있다.

나아가 이용 가능성 휴리스틱은 사람들이 사회적인 정보를 전달하는 방식이나, 학습하는 방식에 영향을 줄 가능성이 있다. 입수하기 쉬운 정보는 사람들에게 전달되기 쉽고, 이에 따라 어떤 생각이나 판단이 사회에 넓게 확산될 수 있다. 특히 SNS의 확산에 따라 그 속도가 빨라지고 있다는 측면에서 여행상품이나 특정 관광지에 대한 보다 정확한 IMC(Integrated Marketing Communication) 전략 개발이 필요함을 시사하고 있다.

한편 사람들이 자주 사용하는 또 다른 휴리스틱으로 '대표성 휴리스틱(Representative Heuristic)'을 들 수 있다. 이것은 어떤 집합에 속하는 사상이 그 집합의 특성을 그대로 나타낸다는 뜻에서 그 집합을 대표한다고 간주해 빈도와 확률을 판단하는 방법이다. 이것은 어떤 사상이 그것이 속한 집단과 유사하다고 생각하는 것, 즉 일종의 프레임(Frame)을 말한다. 이 집합이 가지는 특성과 실제 사상이 가지는 특성의 관련성이 많지 않을 때에는 다양한 바이어스(Bias)가 발생한다는 것이다.

이러한 대표성 오류에는 첫째, '도박사의 오류(Gambler's Fallacy)' 개념이 있다. 트버스키 등(1992)이 '휴리스틱과 바이어스' 연구 프로그램을 실시한 계기는 수리심리학자나 통계학자와 같은 전문가들조차 때로는 소수표본의 법칙(Law of Small Numbers)이 불러온 착각에 빠져버린다는 사실, 즉 도박사의 오류가 존재한다는 것이다.

예를 들어 학교 선생님들은 대체로 한 반에서 성적이 좋은 학생부터 나쁜 학생까지 일정하게 정규분포 돼 있다고 생각하는 경향이 있다는 것이다. 이것은 소수표본의 법칙에 따라 바이어스가 생긴 대표적인 사례이기 때문이다. 마찬가지로 동전을 20번 던지는 동안 5번 연속 앞면이 나오면, 다음은 뒷면이 나올 확률이 높다고 판단해 버리는 것도 똑같은 오류다. 이 사례를 도박사의 오류라고 한다.

결국 단기적으로는 소수표본의 법칙에서는 오르락내리락해도 대표본의 법칙에 따라 장기적으로 평균치로 수렴한다는 것이다. 이런 현상을 '평균으로의 회귀(Regression to the Mean)'라고 한다(도모노 노리오, 이명희 역, 2007).

이런 점에서 '평균으로의 회귀'는 관광기업에서 관광종사원의 실적이나 업무 성과를 평가할 때나 종사원에게 동기를 부여할 때 어떻게 해야 하는지 시사하는 바가 매우 크다. 특히 관광서비스의 특성상 이러한 평균으로의 회귀 개념은 관광서비스의 경우 전체 품질의 고도화가 중요하다는 것을 의미한다. 만약 전체 관광서비스 중 하나의 서비스 실패가 있을 경우에도 전체 관광서비스 품질에 막대한 영향을 미칠 수 있기 때문이다. 따라서 관광기업은 서비스 표준화는 물론 관광종사원의 교육훈련과 동기부여를 통한 서비스 품질 평균 고도화가 필요하다.

둘째, 이러한 대표성 오류에서 파생된 바이어스가 앞에서 검토한 확률 판단에서 기저율(Base Rate)을 과소평가하는 현상이다(도모노 노리오, 이명희 역, 2007). 심각한 병에 감염되었는지 여부를 조사할 때 양성반응이 나오더라도 그 병이 매우 희귀한 병이고 조사의 신뢰성이 100%가 아닌 한 감염되지 않을 가능성은 예상보다 훨씬 높다고 할 수 있다. 즉 병에 걸릴 확률은 그 병의 발생률에 의존하기 때문에 기저율은 무시할 수 없다. 그런데도 사람들은 감염 조사에서 양성반응이 나오면 바로 그 병에 걸렸음을 '낙인'을 찍어버린다. 또 다른 예로서 대한민국 국민들이 가장 좋아하는 의상 색은 검정으로 알려져 있는데, 검은색 양복을 입고 갑자기 나타나면, 장례식장이나 취업 면접을 보고 왔구나! 생각하게 된다. 특히 외국인들이 약간의 거부감을 갖고 있는 검은색 계열의 옷은 상징적인 의미가 '죽음'을 연상하기 때문일 것이다.

특히 우리들은 외모 등으로 사람을 평가하는 일반화 오류(Fallacy of Generalization)를 자주 범한다. 즉 우리들은 유니폼 효과의 반대 개념처럼 세상을 평가하는 경향성이 있다. 그러나 현실세계에서 그 판단이 옳다고 할 수는 없다.

예컨대 항공기 사고의 경우도 마찬가지이다. 항공기 사고의 경우 대개 전원이 사망하는 확률이 높은데, 과연 자동차 사고 위험보다 크다고 할 수 있는가 하는 문제와 같다. 즉 기저율(Base Rate)로 보면, 사실 자동차 사고의 위험이 확률적으로 훨씬 크다는 것이다.

대표성 휴리스틱과 여행사 브랜드 애호도

카너먼 등(Kahneman & Tversky) 등이 행동경제학의 학문적 기초를 만든 이래 휴리스틱과 바이어스 분야에서 많은 연구들이 축적되어 왔다. 그렇지만 이런 연구들은 휴리스틱의 유용성보다는 휴리스틱이 일으키는 바이어스에 역점을 둔 것처럼 보인다. 휴리스틱과 바이어스처럼 두 단어가 거의 언제나 함께 사용된다는 점에서 알 수 있듯이 휴리스틱에 따라 판단을 내리면 착오를 일으키는 것처럼 여겨진다.

이에 대해 휴리스틱에 토대를 둔 판단이나 결정의 장점을 강조하는 사람들이 있다. 이들을 독일 막스플랑크연구소의 기거랜처(1999)를 중심으로 한 연구 그룹이다. 이들은 휴리스틱을 기초로 한 판단이나 결정이 많은 인지 자원을 동원해서 오랜 시간 어려운 계산을 한 후에 얻게 되는 최적해(最適解)에 버금가는 훌륭한 답을 끌어낸다고 주장한다.

그들은 훌륭한 답을 이끌어내는 휴리스틱을 '간결한 휴리스틱'이라 부른다. 그 대표적인 예가 '인지 휴리스틱(Recognition Heuristic)'이라고 하며, 이는 일종의 집단지성의 하나라고 할 수 있다.

기거랜츠는 미국인 학생과 독일인 학생들을 대상으로 '샌디에이고와 샌안토니오 중 어느 쪽 인구가 많다고 생각하는가?'라는 질문을 했다. 이 두 도시는 모두 미국에 있다. 미국인 학생은 두 도시에 대해 어느 정도 지식이 있을 거라 생각되는데도 그들의 정답률은 62%였다. 독일인 학생 중 샌디에이고를 들어본 적이 있는 사람은 78%였지만, 샌안토니오에 대해서는 4%뿐이었다고 한다. 그러나 샌디에이고라는 도시를 들어본 적이 있는 학생들의 정답률은 100%였다. 정보가 적은 독일인 학생 쪽이 정보가 많은 미국인 학생보다 정답률이 높았다는 것이다. 즉 인지론에서 독일인 학생이 사용한 것이 '인지 휴리스틱'이다. 한쪽 도시의 이름은 들은 적이 있지만 다른 쪽 도시에 대해서는 전혀 모를 때, 알고 있는 도시의 인구가 많을 거라고 판단한 것이 좋은 예이다. 이 예처럼 인지 휴리스틱에 따라 대상 2개 중 1개는 들은 적이 있지만 다른 쪽은 들은 적이 없을 때, 인지한 대상이 기준으로 비춰질 확률이 높다. 즉 예컨대 인구가 많다고 판단할 수 있다(도모노 노리오, 이명희 역, 2007)는 것이다.

대개 관광객의 경우 특정 관광상품을 평가할 때, 여행사 브랜드의 인지도와 평가 간에는 정비례 관계가 발생한다.

우리나라의 경우 대형 여행사인 하나투어와 모두투어 여행사로 구매 쏠림 현상이 더욱 가속화되고 있다는 점에서 '인지 휴리스틱(Recognition Heuristic)'이 작용한다고 할 수 있다. 이러한 대형 여행사로의 쏠림은 상품 구색(Assortment)과 가격 우위, 그리고 여행사 신뢰성(Reliability) 문제에 기인하며, 이러한 여행사 신뢰성 문제는 결국 여행사 브랜드 가치

그림 3-2 우리나라 여행사 브랜드 이미지

와 연결이 된다. 또한 여행사가 판매하는 관광상품은 본질적으로 무형성, 비분리성, 이질성, 소멸성의 특성(Parasuraman, Zeithaml, & Berry, 1985)이 있기 때문이다. 특히 해외관광상품은 구매 시점에서 실체를 볼 수 있거나 만질 수 있는 유형적 단서(Tangible Cue)가 없는 특성과 그 상품이 어떤 것인가를 상상하기 어려운 주관적 의미의 특성(박중환, 2009)이 있기 때문에 해외관광상품 구매 시 여행사의 브랜드 가치는 구매의사결정에서 매우 중요한 역할을 한다고 볼 수 있다. 이때 브랜드 가치 개념은 1980년대 말에 마케팅 분야에서 주요한 이슈로 등장한 이래 아아커(1991)는 브랜드 가치 구성요소와 형성과정을 모델화(김연선, 2004에서 재인용함)하여 제시한 바 있으며, 또한 특정 상품이나 서비스에 부가되는 브랜드명 및 상징과 관련된 브랜드 가치(Brand Equity)로 정의하였다.

이와 관련하여 여행사의 브랜드 가치와 선택속성이 여행사 애호도(Loyalty)에 어느 정도 영향을 미치는가를 연구한 결과(박중환, 2010)는 표와 같다.

〈표 3-1〉에서와 같이 회귀모형은 F값 28.477(p=.000) 및 Durbin Watson 검정 결과, 값이 1.733으로서 잔차에 대한 상관관계가 없는 것으로 나타나 모형이 적합한 것으로 판명되었다. 한편 데이터 행렬에 대한 다중 공선성 여부를 검정해 본 결과, 고유치(1.000), 상태지수(1.000), 분산비율(1.000)에서 문제가 없는 것으로 나타났다. 그리고 모형의 설명력인 R^2이 0.411로 나타나 41.1%의 설명력을 보이고 있다. 또한 회귀식에 투입된 독립변수들의 회귀계수에 대한 t-test 결과, 여행사 브랜드 가치로서 브랜드 인지도 요인, 관광상품품질 요인 및 여행사 선택 속성으로서 여행사 이용편리성 요인, 여행사 선택성 요인 모두가 유의수준 0.05 이하에서 통계적으로 유의할 뿐만 아니라 정(+)의 영향을 미치는 것으로 나타났다. 특히 여행사의 이용편리성이 여행사 애호도에 상대적으로 가장 영향을 많

이 미치는 것으로 나타났다.

표 3-1 여행사 브랜드 가치 및 선택속성이 여행사 애호도에 미치는 영향

독립변수	비표준화 계수		표준화 계수	t	유의확률
	B	표준오차	베타		
(상수)	5.309E-17	.060		.000	1.000
여행사 이용편리성	.400	.060	.400	6.650	.000***
브랜드 인지도	.282	.060	.282	4.694	.000***
관광상품품질	.356	.060	.356	5.920	.000***
여행사 선택속성	.213	.060	.213	3.541	.000***
R^2=.411 수정된 R^2=.397 F=28.477 p=.000					

*** p<.01.
자료: 박중환 등(2010), 160.

한편 우리나라 여행산업의 경우 전국적으로 영세 여행사가 우후죽순으로 난립하고 있는 현실에서 일부 대규모 여행사로의 구매 쏠림 현상에도 불구하고 영세 여행사가 생존하는 또 다른 이유 중 하나는 앞서 논의된 바와 같이 켄달 등(1989)의 연구에서 밝힌 바처럼 '단골' 개념의 단골여행사 선택속성 문제라고 할 수 있다. 따라서 우리나라 여행사의 경영전략에서는 CRM(Customer Relationship Management)이 꼭 필요하다는 것이다. 아울러 특정 기업이나 브랜드 애호도를 제고시키기 위한 경영혁신 운동이 관광산업에도 확산되면서 고객지향적 경영의 패러다임이 양적 관점에서 질적 관점으로 바뀌고 있다는 측면에서 관광산업의 발전을 기대해 볼 수 있다.

대표성 오류와 관광서비스의 유니폼 효과

우리는 과연 이러한 간결한 휴리스틱의 하나인 대표성 오류를 어떻게 극복할 것인가? 대표성 휴리스틱이 사용될 때 속성 바꿔치기라는 프로세스가 발생하는 전형적인 예로서 '린다 문제(Linda Problem)'를 들 수 있다. 카너먼 등(1983)의 연구에서 가공의 인물(린다)에 관한 기술을 읽고 질문에 답하도록 했다.

> 질문? "린다는 솔직하고 총명한 독신 여성으로 서른한 살이다. 대학에서 철학을 전공했다. 학창 시절에 차별이나 사회정의 문제에 열심히 참여했고 반핵 운동에도 참가했다(중략)."

질문 후 8가지 직업(예를 들면, 초등학교 교사, 보험 판매 여성, 은행 창구 직원 등)에 대해 설명한 후 실험 참가자들에게 린다가 어느 분야에 가장 잘 맞을지 순위를 매기도록 했다. 실험 참가자 집단은 두 그룹으로 나뉘어 있다. 한 그룹은 예시한 직업을 가진 사람들의 전형적인 모습과 어느 정도 닮았는지를 토대로 순위를 매기도록 하고, 또 한 그룹은 린다가 각각의 직업을 가질 경우를 예상하여(확률에 기초하여) 순위대로 적도록 했다. 그 결과 이 판정에서 유사성에 대해 판정한 그룹 중 85%는 린다가 단순한 '은행 창구 직원'이기보다는 '창구 직원이며 페미니스트'라는 인물과 유사성이 높다고 판단했으며, 확률에 기초를 두고 판정한 그룹 중 89%도 똑같은 판단을 했다는 것이다. 이 바이어스는 속성 바꿔치기라는 프로세스에 의해 나타났다. 이처럼 목표 속성과 휴리스틱 속성은 서로 다르기 때문에 전자를 후자로 바꿔치기 함으로써 종종 바이어스가 발생하게 된다(도모노 노리오, 이명희 역, 2007).

이는 몇 년 전 KBS에서 방영한 특집프로그램 〈인간의 두 얼굴〉에서 보여 준 일종의 직관적 판단오류로서 대표성 오류(Representative Heuristic)라고 할 수 있다.

사람들은 상대를 외모로 평가하는 경향성이 크다. 따라서 학자들은 '개인의 외모의 가치는 얼마나 될 것인가?' 하는 연구문제를 가지고 연구를 많이 해왔다. 일본의 한 연구(표본: 30~40대 500명)조사 결과에 의하면, 외모에 따라 평균연봉이 대략 1,200만 원 차이가 나며, 이는 남녀 간에 똑같은 차이가 나타난다고 밝혔다. 덧붙여 호주 대학의 한 연구 결과에서는 잘생긴 남성의 수입이 평균 이하보다 22%p 높은 것으로 나타났으며, 그 연봉의 차이는 연간 약 3,500만 원인 것으로 밝혔다. 그러나 여성의 경우는 연관성이 없음을 밝혔다. 나아가 미국의 연구들에 의하면 옷을 잘 입는 사람이 소득이 높다는 연구결과도 있다. 즉 사람들은 행동경제학 관점에서 보면, 직관적 판단오류로서 대표성 휴리스틱(Representative Heuristic), 즉 고정관념(Stereotyping)이나 프레임(Frame)으로 주변 사람들을 판단하고 있다는 것이다. 즉 이러한 현상은 다시 말해 사회적 착각의 일종으로 혈액형에 따른 성격, 점, 타로에서 맞췄다고 생각하는 포러 효과(Forer Effect)라고도 할 수 있다.

따라서 관광산업의 서비스 생산에서도 이러한 직관적 판단오류를 활용할 필요가 있다. 예를 들어, 항공사 승무원이나 호텔의 유니폼 서비스(Uniformed Service)의 트렌드화가 대표적인 사례라 할 수 있다. 특히 관광가이드의 경우 정장차림의 옷을 입음으로써 관광안내에서의 전문성을 표현하는 극적인 유형적 증거(Physical Evidence)나 유형적 단서(Tangible Cue)가 될 수 있다.

그림 3-3 유니폼 이미지

특히 로컬 가이드(Local Guide)의 경우 관광지 기념 배지(Souvenir Badge) 착용을 통해 관광객들의 궁금증을 유발하고 주목을 받을 수 있으며, 이러한 궁금증(?)을 자극하여 자기 자신의 스토리텔링이 시작될 수 있다는 점이다. 결과적으로 이러한 유형적 증거(Tangible Cue)로서 유니폼 서비스는 관광종사원에게 협상력(Bargaining Power)을 올려주는 좋은 수단이 된다고 할 수 있다.

제3절 관광상품 구매에서의 선택문제와 스웜문화

현대인들의 80%가 겪는 선택피로(Option Fatigue)와 결정장애(Indecisiveness) 문제를 어떻게 극복할 것인가? 우리는 어떤 결정을 내릴 때 무엇을 고려하고 무엇을 무시해야 할지를, 우리들을 둘러싼 환경이나 조건 같은 모든 사항을 검토하여 결정할 수는 없다. 우리를 둘러싼 환경에는 무한한 정보가 있고 우리들의 인지 능력은 한정되어 있기 때문이다. 따라서 우리는 프레임(Frame) 문제로 인해 잘못된 의사결정을 종종 한다. 특히 우리가 자유롭게 선택할 수 있는 선택 대안이 많으면 많을수록 좋고, 우리의 만족도가 커질 거라는 전제가 암묵적으로 존재한다.

과연 그럴까? 관광객의 구매행동이나 관광행동에 영향을 미치는 심리적 요인은 지각, 학습, 성격, 동기, 태도이다. 한편 사회적 영향요인에는 자신의 역할과 가족, 사회계층, 문화와 하위문화, 그리고 준거집단 등이 있다.

우리 인간은 시각, 청각, 촉각, 미각, 후각 등의 감각을 가지고 있다. 이러한 오감에의 자극은 감각을 초래하며, 주변세계에 대한 이러한 감각의 해석을 지각(Perception)이라고 한다. 개인에게 있어서 현상이란 단순히 개인의 욕구, 가치관, 경험 등에 근거를 둔 것으로 어떤 객관적 현실이 아니라 주변세계에 대한 자신의 지각을 기초로 하여 행동하고 외부의 자극에 반응을 보이는 것이다. 따라서 지각은 입력된 정보를 처리하는 일련의 과정으로서 "여러 감각기관을 통해 두뇌로 유입된 자극을 개인의 주관적 기준으로 해석하고 이해하는 과정"(Mayo & Jarvis, 1981)이다. 관광행동에서 특정 관광객이 어떤 관광지나 서비스를 지각하는 데 여러 가지 요인이 영향을 미친다. 첫째, 관광행동에 있어서 자극요인(Stimulus Factors)에는 크기, 색상, 소리, 감촉, 모양, 주위환경 등과 같은 자극 그 자체의 특성 등이 있다. 둘째, 개인적 요인(Personal Factors)에는 감각작용(시력, 청력), 지능, 성격, 과거경험, 가치관, 동기, 분위기, 개인적 중요도나 관여도(Involvement) 등과 같은 개인 자신의 변수 등이 있다.

한편 관광객의 지각은 부분적으로 물리적 자극 그 자체의 특성에 의하여 영향을 받는다. 따라서 개인이 어떤 대상을 볼 때, 그것은 조직화된 전체로서의 형태를 지각하는 것이다. 독일의 게쉬탈트 심리학(Gestalt Psychology)에서는 이러한 행태를 설명하는 데 도움이 되는 4가지 법칙, ① 유사성의 법칙(Law of Similarity), ② 근접성의 법칙(Law of Proximity), ③ 대칭성의 법칙(Law of Symmetry), ④ 배경성의 법칙(Law of Context)을 학문적으로 발전시켰다.

첫째, 유사성의 법칙으로 이는 관광객이 대상을 지각할 때 다른 조건이 동일하다면 유사한 대상을 함께 같은 것에 속한다고 지각하는 경향성이다. 이러한 유사성의 법칙을 잘 활용하고 있는 사례가 대규모 체인호텔이나 대규모 여행사라 할 수 있다. 둘째, 근접성의 법칙으로 이는 관광객이 대상을 다른 조건이 동일하다면 서로 근접해 있는 대상을 같은 것으로 지각하는 경향이 있다. 관광산업에서의 활용사례로는 호텔의 브랜드 네이밍(Brand Naming)으로서 'Lakeside' 호텔, 'Beach' 호텔이 대표적인 사례이다. 셋째, 대칭성의 법칙으로 이는 관광객이 대상을 지각할 때 대상을 전체의 일부분으로서의 완결되고 균형적인 형상을 만들어 지각하는 경향성을 말한다. 대부분의 사람들은 균형에 대한 욕망을 가지며, 필요하다면 의미 있고, 완전한 전체성, 즉 완결성을 얻기 위하여 누락된 요소를 보충하기까지 한다. 관광산업에서의 사례로는 Teaser Campaign이 있다. 다시 말해 궁금증(?)을 유발하는 광고를 함으로써 관광객에게 주목을 받을 수 있다. 넷째, 배경성의 법칙으로 이는 관광객이 대상을 지각할 때 대상이 속해 있는 환경 또는 맥락을 중심으로 지각하는 경향성을 말한다. 관광산업에서의 대표적인 사례로는 착시와 착각을 유도하는 커뮤니케이션으로서 TV프로그램 중 '추천 맛집'이나 '맛집 블로그' 사례와 'Park' 호텔, 'Island' 호텔, 'Lake' 호텔, 그리고 '특정 지명'의 호텔 브랜드네이밍이 좋은 사례이다.

한편 심리학자들은 사람의 모든 행동이 개인의 학습과 관련이 있다는 견해를 갖고 있다. 시간이 지남에 따라 사람의 행동은 변화하며, 이러한 변화는 학습(Learning) 과정의 결과이다.

관광객은 여행일정 동안 심리적으로 변화하며, 새로운 환경에 적응할 수밖에 없다. 이 과정에서 적응(Adaptation)이란 학습된 것이기 때문에 학습이 핵심적인 역할을 하게 된다. 관광객은 새로운 목표를 달성하기 위하여 새로운 방법을 배우고 적응하여야 한다. 이러한 적응은 결국 사회화로 연결된다. 자신과 주변 환경의 변화에 적응하는 학습과정은 관광행동에 중요한 영향을 미칠 수 있다. 결과적으로 학습은 심리적 과정의 하나로서 사람의 행동에 영향을 미치는 중요한 심리적 요인인 성격, 동기, 태도 등에 커다란 영향을 미친다. 결국 학습이란 주변세계를 이해하여 체계화하는 과정으로서 이에 대한 이론에는 행동학파이론, 인지학파이론이 있다. 첫째, 행동학파이론에는 고전적 조건화이론(Classical Conditioning), 도구적 조건화이론(Instrumental Conditioning)이 있다. 여기서 고전적 조건화 학습이론의 대표적인 모델로는 파블로프(Ivan P. Pavlov) 모델이 있다. 한편 도구적 조건화 학습이론 모델로는 스키너(Burrhus F. Skinner) 모델이 있다. 둘째, 인지학파모델에는 코흘러(Ivo Kohler) 모델이 있다.

한편 이러한 학습의 원천에는 ① 학습원으로서 경험, ② 학습원으로서 정보가 있다. 특히 정보 원천에는 ① 상업적 원천(기업의 광고 등), ② 중립적 원천(언론매체의 기사 등), ③ 개인적 원천(가족, 친지, 친구 등의 구전)이 있다.

사람의 성격(Personality)은 '살아있는(生)' '마음(心)'의 '틀(格)'을 말한다. 따라서 성격은 외부의 환경적 자극에 대해 비교적 일관적이고 지속적인 반응을 가져오는 개인의 심리적 특성으로 개인마다 다르다고 할 수 있으나 학자들의 견해를 종합해 보면, 대체로 유형적인 특성이 있다. 이러한 성격이 어떠하냐에 따라 사람의 행동이 달라진다. 개인의 성격을 규명하기 위한 많은 연구들이 등장하였는데 몇 가지 이론을 요약해서 살펴보도록 한다. 첫째, 심리적 분석이론으로서 프로이트(Sigmund Freud)의 심리분석에 의하면, 사람의 성격시스템은 '원초자아'(Id), '자아'(Ego), '초자아'(Super Ego)로 구성되며, 이 중 성적 · 공격적 본능으로 구성된 원초자아와 도덕 · 양심으로 구성된 초자아는 끊임없는 갈등상태에 있다는 것이다. 이때 자아(에고)는 이러한 갈등상태의 조정역할을 담당한다. 이러한 원초자아와 초자아의 갈등, 즉 양자 간의 상대적인 힘의 세력과 자아의 조정역할 정도가 개인의 성격 차이와 행동을 유발하게 된다는 이론이다. 둘째, 사회심리이론으로서 이는 개인의 성격 형성에 있어 사회적 관계가 중심이 된다는 이론이다. 셋째, 특성이론으로서 이는 개인의 성격이 독특한 특질로 구성되고 그 구조가 개인의 행위를 결정한다고 하는 이론이다. 특질(Traits)이란 한 개인의 행위를 시간과 상황에 걸쳐 일관성이 있으면서 또 개인별로 독특성을 갖게 하는 결정적 소질이다. 그리고 이들의 총체가 개인의 성격이 된다. 우리 인간의 특질에는 지배-복종, 보수-진보, 자신감-소심함 등의 차원이 포함된다. 넷째, 자아개념이론으로서 개인은 누구나 자기 자신에 대한 자아 이미지(Self Image) 또는 자아 개념(Self Concept)을 지니게 되는데 이러한 자아 개념이 개인의 성격에 있어 핵심적 부분이 된다는 이론이다. 이것은 개인이 사회적 환경과 여러 준거집단(Reference Group)과의 상호작용을 기초로 개발된다. 개인에게 자신의 가치평가와 관련된 가장 중요한 판단은 자신에 대한 남들의 평가를 어떻게 지각하는가에 기초한다. 사람의 행동 중 많은 것은 '자아 방어적'이며, '자아 고양적'인데, 즉 사람들은 자아 이미지를 보호하고자 한다.

한편 관광객들이 지닌 다양한 성격에 따라 관광행동도 달라지게 된다. 플록(1972)은 관광객의 성격유형을 ① 정태형(Psychocentrics), ② 준정태형(Near Psychocentrics), ③ 중간형(Mid Centrics), ④ 준활동형(Near Allocentrics), ⑤ 활동형(Allocentrics)의 5가지 유형으로 구분하여 선호관광지를 연구하기도 하였다.

나아가 인간의 태도는 사람들의 행동에 영향을 미치는 중요한 심리적 요인들 가운데 하나로서 감정과 연결된다. 결국 태도는 어떤 주어진 대상에 대하여 일관성 있게 우호적으로 또는 비우호적으로 반응하려는 학습된 선유경향이다. 즉 관광태도는 관광지나 관광상품에 대한 태도로서 일관성 있는 좋고 나쁨을 말한다. 이러한 태도는 일관성이 있을 뿐만 아니라 특정 사물이나 행동에 대해 한번 형성한 태도를 지속하려는 경향이 있으며, 비교적 쉽게 잘 바뀌지 않는다. 또한 태도는 학습되는데, 자신의 직접 경험이나 사회로부터 획득한 정보, 매스 미디어로부터의 노출에 의해 학습한 결과로 형성된다. 이러한 태도는 3가지 요소로서 첫째, 인지적 요소는 대부분 태도 대상에 대한 신념과 지식으로 구성된다. 둘째, 태도의 정감적 요소는 일반적으로 각 속성에 대한 감정적 반응들의 종합된 결과이므로 단일차원이다. 이는 특정 대상에 대한 사람들의 전반적 평가로서 그 대상을 '좋다', '싫다' 등으로 평가한다. 셋째, 행동적 요소는 특정 대상물에 대하여 사람들이 반응하려는 경향으로서 일반적으로 그 대상물을 선택하려는 구매의도를 말하는 것으로 관광상품에 대한 구매의도가 여기에 속한다.

준거집단(Reference Group)은 특정 개인의 신념, 태도 및 행동을 형성하는 데 있어 그 개인의 준거점으로서 작용하는 집단을 말한다. 이러한 준거집단은 관광객에게 영향을 미치는 특성이 있다. 첫째, 준거집단은 패션, 식생활습관 등 규범을 갖고 있다는 점이다. 둘째, 준거집단은 개인에게 부과된 기능(생물학적 역할, 반생물학적 역할, 제도적 역할, 일시적 역할, 배역역할)으로서 역할이 있다. 셋째, 준거집단은 지위를 갖는다는 점이다. 넷째, 준거집단에 속함으로써 학습을 통해 사회화 된다는 점이다. 다섯째, 준거집단은 전문성, 준거력(동질성), 보상력 등의 파워(Power)를 갖는다는 점이다. 한편 이러한 준거집단의 유형에는 ① 회원집단, ② 열망집단이 있다.

사회계층(Social Class)은 직업, 교육, 소득 등의 사회적 척도에 따른 개인이나 가족의 위치를 말한다. 이러한 사회계층의 측정 변수(Warner's Index of Status Characteristics)에는 ① 직업, ② 소득원, ③ 주택의 형태, ④ 주거지역 변수가 있다.

이러한 사회계층의 영향 사례로 자아 지각(Self Perception)의 경우 상위계층으로 갈수록 자아개념이 명확한 것으로 나타났다. 부모-자녀 관계의 경우 하위계층으로 갈수록 가족유대가 더 좋은 것으로 나타났으며, 부부관계의 경우 상위계층으로 갈수록 부부 역할의 구분이 덜한 것으로 나타났다. 관광기업의 촉진활동에 대한 반응(잡지광고매체, 매체청취 특성)으로서 상위계층으로 갈수록 뉴스와 다큐멘터리를 선호하는 것으로 나타났으며, 하위계층으로 갈수록 연속극을 선호하는 것으로 나타났다.

문화(Culture)**와 하위문화**(Sub Culture)는 공통된 유형의 행동을 초래하는 규범, 신념, 관습의 총체로 사회로부터 학습된다. 한편 하위문화에는 ① 연령별 하위문화, ② 지역별 하위문화, ③ 국적별 하위문화, ④ 인종별 하위문화, ⑤ 종교별 하위문화 등이 있다. 이러한 문화와 하위문화를 비교·연구하는 것을 비교문화연구(Cross Cultural Analysis)라 한다.

덧붙여 관광객의 행동에 영향을 미치는 라이프 스타일(Life Style)이란 개인이 어떻게 시간을 보내는가(Activity), 자신의 일상생활에서 무엇이 중요하다고 생각하는가(Interest), 자신과 주변세계에 대하여 어떠한 생각을 가지고 있는가(Opinion)로서 확인되는 생활양식을 말한다. 이러한 라이프 스타일은 라이프 사이클(Life Cycle)상 형성된 고유한 개인적 특징의 작용이므로 라이프 스타일은 사회적 요인으로서 문화, 사회계층, 준거집단, 가족에 의해 영향을 받으며, 개인의 심리적 요인인 지각, 학습, 성격, 동기, 태도의 영향을 받는다.

표 3-2 라이프 스타일 속성

A.I.O. 요소	정의	라이프 스타일 행태
활동(Activities)	매체의 시청, 쇼핑, 새로운 제품이나 서비스에 대한 이웃과의 대화 등과 같은 구체적 행동	취미활동, 오락, 스포츠, 쇼핑, 계모임, 종교활동 등
관심(Interests)	어떠한 사물, 사건 또는 화제에 대하여 특별한 주의를 가지고 흥분하는 정도	가족, 유행, 음식, 매체, 성취, 여가 등
의견(Opinion)	자극적인 상황에 대한 반응으로서 개인의 언어적, 문학적 정도	자아개념, 사회문제, 정치, 경제, 특정 제품, 뉴스 등

이러한 라이프 스타일에 대한 연구로는 소비자행동의 라이프 스타일 개념을 최초로 도입한 라즈펠트(1935) 이후 플라머(1972)에 의해 라이프 스타

일 측정모델(AIO 모델)이 개발되었으며, 이후 레이놀즈 등(1974)에 의해 AIO 모델을 체계화하였다.

이러한 라이프 스타일의 유형은 학자들에 따라 다르게 분류되지만 관광현상과 관련된 대표적인 사례로 웰스(1974)의 라이프 스타일 유형 연구에서 ① 정태형 관광객(Peace & Quiet Travelers)의 경우 미국인의 2/3가 여기에 해당되며, 정태형 관광객들은 "조용한 호숫가의 통나무집은 여름 보내기 좋은 곳"이라고 여기며, 자녀지향형이며, 청교도주의의 특징을 가지고 있는 것으로 나타났다. ② 해외관광객(Overseas Travelers)의 경우 평소 의견선도자(Opinion Leader)로서 활동적이고 적극적이며, 새로운 경험과 패션에도 관심이 많으며, 사회활동을 많이 하며, 자기 확신(Self Confident)을 갖고 있는 것으로 나타났다. ③ 역사관광객(Historian Travelers)의 경우 전통지향적인 특징이 있는 것으로 나타났다. ④ R.V. 관광객(Recreational Vehicle Travelers)의 경우 야외활동 및 우아한 생활(가든 파티, 외식 등)을 선호하며, 여가윤리(Leisure Ethic)가 강할 뿐만 아니라 신체적으로 활동적이며, 체력이 좋은 편인 것으로 나타났다. ⑤ 후불형관광객(Travel Now/Pay Later Travelers)의 경우 주로 젊은 층인 것으로 나타났다.

나아가 태도변수의 하나로서 애호도(Loyalty)가 있다. 이는 소비자 태도변수로서 관광상품 구매의사결정에서 매우 중요한 역할을 한다. 이때 애호도는 일명 충성도라고도 하며, 일관된 선호 성향을 말한다(박중환, 2010). 1980년대 이후 서비스산업의 확대와 서비스품질의 중요성 부각 등으로 인하여 서비스 애호도와 관련된 연구들이 최근에 많이 이루어지고 있다(박진영, 2008). 1950년대 이후 애호도의 개념은 행동적 애호도(Brown, 1952)에 초점을 두었다.

최근에는 이러한 애호도를 그렘러 등(1998)을 비롯한 여러 국내외 학자들은 확장된 개념으로서 ① 행동적 애호도, ② 정감적 애호도, ③ 인지적 애호도, ④ 재구매의도 4가지의 구성요소로 보고 있다.

여기서 해외여행상품 구매의사결정에 있어서 관심을 가져야 할 여행사 애호도는 특정 여행상품에 대한 애호도라기보다는 특정 여행사(점포)나 브랜드에 대한 애호도임을 알아야 한다.

- **핵심적 애호 고객**(hard core loyals): 항상 하나의 상표만을 구매하는 고객으로서 A, A, A, A, A의 구매행태와 같이 상표 A에 대해 끊임없이 애호도를 가짐
- **유연한 애호 고객**(soft core loyals): 2개 또는 3개의 상표에 충성하는 고객으로서 A, A, B, B, A, B의 구매행태와 같이 A와 B 사이에 분열된 애호도를 가짐
- **이동적 애호 고객**(shifting loyals): 하나의 상표를 선호하다가 다른 상표를 선호하는 고객으로서 A, A, A, B, B, B의 구매행태와 같이 상표 A에서 B로 애호도를 바꿈
- **비애호 고객**(switchers): 어떤 상표에도 애호도를 보이지 않는 고객

따라서 관광객의 태도변수로서 애호도 연구는 크게 세 가지 관점이 있다. 첫째, 태도적 접근방법으로서 특정 브랜드에 대한 호의적 태도 관점, 둘째, 행동적 관점으로서 반복적 구매행동 관점, 셋째, 태도와 행동의 복합적 접근방법이 있다(박중환, 2010).

특히 이러한 애호도가 중요한 것은 고객의 애호도가 결국 특정 회사나 브랜드에 대한 단골고객으로 이어지기 때문이다. 이러한 단골고객은

관광사업 관점에서 보면, 수익창출 효과가 상대적으로 비애호도 고객보다 훨씬 크다.

선택피로 문제와 구독경제

'선택피로(Option Fatigue)' 때문에 피곤하십니까? 이러한 질문은 헬스조선(2016년 3월)에 실린 기사로서 이는 관광 행동경제학적 분석에서도 시사하는 바가 매우 크다고 할 수 있다.

지난 1월 하순, 페이스북의 창업자이자 CEO인 마크 저커버그가 자신의 페이스북 계정에 올린 한 장의 사진과 글이 화제였습니다. '육아휴직을 마친 후 복귀 첫날. 뭘 입어야 할까요?'라는 글과 함께 올린 옷장 사진 속에는 똑같은 색깔(회색)과 모양의 티셔츠와 후드 10여 벌이 나란히 걸려 있다고 합니다. 그에 의하면, "공동체에 가장 잘 기여할 수 있는 방법을 제외하고는 최소의 의사 결정만 하고 싶기 때문"입니다. 한마디로 '선택피로'를 줄이고 싶다는 것입니다.
JTBC 뉴스 경제 이슈를 살펴보는 일요플러스 시간 내용 중 내일 출근할 땐 뭘 입나…아침엔 또 무슨 반찬을 하나…… 혹시, 고민 중이신가요? 요즘은 심지어 취미까지 고민할 필요 없이 알아서 꼬박꼬박 문 앞에 가져다주는 세상이 됐습니다. 고르는 즐거움이 괴로움으로 바뀐 시대의 또 다른 풍경입니다. 오늘 일요플러스는 우리 생활 곳곳에 파고든 정기 배송 서비스를 취재했습니다. 모두가 잠든 고요한 새벽, 현관에 걸려 있던 와이셔츠가 하나, 둘 새 옷으로 바뀝니다. 셔츠를 몇 벌 이상 구입하면 일주일에 한 번씩 옷을 세탁하고 다려서 6개월 동안 배달해 주는 서비스입니다. 이렇게 밤사이 수거한 셔츠는 세탁과 다림질을 거쳐 말끔한 옷으로, 주인에게 다시 배달됩니다……

만약 당신이 기다란 레스토랑 메뉴판을 보고 어떤 것을 고를지 결정하기 힘든 상황이 있었다면 당신은 심리학자들이 과부하(Overload)라 부르는 경험을 한 것이다. 거의 20년 전 캘리포니아에서 이뤄진 실험은 이 효과를 설명한다. 연구진은 식료품점에 테이블을 두고 고객들에게 '잼' 샘플을 제공하는 연구를 기획했다. 평상시에는 6개만 제공되던 잼 샘플이 그 실험에서는 24개가 제공됐다. 실험 결과 많은 쇼핑객들이 잼이 놓여진 테이블 앞에 멈추고 잼 샘플을 맛보는 횟수가 많았다. 하지만 잼을 구입하는 쇼핑객의 숫자는 많지 않았다. 단지 6개의 잼 샘플을 테이블에 놓았을 때는 쇼핑객들이 테이블 앞에 멈춰 서서 잼을 살피는 횟수는 현저하게 떨어졌지만 잼을 구매하는 횟수는 24개의 잼을 놓았을 때보다 10배나 많은 것으로 나타났다.

점심 선택과 잼은 사소한 문제로 보일 수 있다. 하지만 신경경제학자 겸 행동경제학자인 캐머러(Colin F. Camerer)는 "선택 과부하는 때때로 심각한 결과를 낳을 수 있다"고 이야기 한다. 결국 캐머러와 동료 연구진들은 뇌의 두 영역이 12개의 선택권이 있을 때 가장 많이 활성화됐으며, 24개의 선택 항목이 있을 때 가장 덜 활발해지는 것을 발견했다. 덧붙여 그는 "12개는 인간의 의사결정을 위한 '매직넘버'가 아니다"라며 "단지 실험 설계를 위한 산물일 뿐"이라고 지적했다. 그는 아마도 선택에 있어서 이상적인 옵션지의 개수는 8~15개 사이에 있으며 이는 보상과 선택 평가의 어려움, 개인의 특성 등에 따라 달라진다고 덧붙였다. 물론 가장 가까운 식료품점을 방문하면 많은 상품들이 수십 가지가 놓여있음을 확인할 수 있다. 통로에는 수많은 브랜드와 크기, 향, 질감, 특성을 갖고 있는 치약이 놓여져 있고 조미료 통로에는 선택을 기다리고 있는 수십 개의 겨자가 있다. 캐머러는 "사람은 선택의 여지가 많아 선택할 때 스트

레스를 받는다"면서도 "반면에 선택지가 많을 때 자유를 느끼며 스스로 자신의 삶을 통제하고 있다고 생각한다"고 말했다. 그는 "필수적으로 우리의 눈은 '위'보다 크다. 우리가 얼마나 많은 선택지를 원하는지 생각할 때 결정을 내림으로써 발생하는 좌절감을 정신적으로 표현하지 못할 수 있다"고 덧붙였다. 그러나 이 이론에 의문을 던진 심리학자 아이엔가와 레퍼(2000)는 6가지 고급 초콜릿과 30가지 고급 초콜릿으로 같은 실험을 했다. 이번에는 실험 참가자가 초콜릿 1개를 골라 자유롭게 시식하고 맛에 대해 10점 만점을 기준으로 평가하도록 했다. 6가지 초콜릿 중에서 선택한 사람들이 내린 평가의 평균치는 6.25점이었는데, 30가지 초콜릿 가운데 선택한 사람들이 내린 평가의 평균치는 5.50점이었다.

그림 3-4 선택피로 사례 이미지

아이엔가는 이런 실험 결과를 정리하며, 선택자 입장에서는 개인이 파악 가능한 범의 내에서 선택이 이루어져야 하며, 선택 대안이 너무 많으면 오히려 잘못된 선택을 하지는 않을까 하는 일종의 의심 또는 실패할지 모른다는 감정에 빠질 수도 있다고 지적하였다. 슈워츠(Barry Schwartz)는 이와 같은 현상을 '선택의 패러독스(Paradox of Choice)'라 부른다.

현대인에게는 선택 대안이 많을수록 자유롭게 선택할 수 있는 가능성이 넓어지고 만족도가 더 높아진다는 믿음이 있다. 그러나 우리들에게 선택 대안이 많은 것이 행복도를 높이기는커녕 오히려 저하시키는 경우가 허다하다.

슈워츠 등(Barry Schwartz & Justin Ward)은 무엇보다 최고를 추구하는 성향을 지닌 '최적형 인간'과 사이먼(1957)의 이론을 바탕으로 아이디어를 얻은 '적당히' 만족하는 '만족형 인간'이 있다고 설정하고, 최적화 인간과 만족화 인간의 판정법을 고안하였다. 이러한 슈워츠와 워드 모델은 관광객에게도 적용할 수 있다. 예컨대 우리 주변에는 관광상품 내지 옵션 선택과 관광활동에서 적당한 선에서 만족하는 만족형 관광객과 최고만을 추구하는 어쩌면 만족을 모르는 최적형 관광객이 존재한다. 특히 최적형 관광객의 경우 늘 전리품(Trophy)을 원하기 때문에 관광 가이드는 특히 신경을 써야 한다. 그러나 만족형 관광객은 그와 반대이다.

요즘 직장인들이 가장 많이 느끼는 선택피로(Option Fatigue)나 결정장애(Indecisiveness) 문제는 과연 뭘까? 'Friday'가 취업포털 인크루트에 의뢰해 2017년에 5일간 직장인 남녀 324명을 대상으로 설문한 결과(조선닷컴, 2017.11.24.)에 따르면, '평소 본인이 결정장애를 겪는다고 생각해본 적 있느냐'는 질문에 80.6%가 '있다'고 답했다. '결정장애를 가장 절감하는 때는 언제냐'는 질문에 ① 외식 메뉴 고를 때(23.3%), ② 옷, 신발 등 쇼핑할 때(19.4%), ③ 진로 선택(11.4%), ④ 약속 장소 정할 때(11.1%), ⑤ 중요한 날 아침에 옷을 고를 때(7.1%)와 같이 소소한 일상생활에서 선택피로나 결정장애를 겪는 것으로 나타났다. 결정장애의 이유에 대해서는 '잘못 선택할까 봐 불안해서'(39.8%), '선택과 옵션이 너무 많아서'(24.8%)란 답이 1, 2위를 차지했다. '결정장애가 생길 때 도움을 청하는 곳은 어디냐'는 질문엔 '가족, 친구, 회사 동료 등 가까운 지인'(43.9%)이 가장 많았다. 그다음은 '따로 도움 받지 않는다'(27.9%), '포털사이트, 소셜 미디어 등 온라인'(23.9%) 순이었다. 기타 '신앙', '자연현상', '주사위' 등의 답변도 있었다.

이러한 현상은 결국 사람들의 선택피로 문제와 연결된다. 즉, 이는 관광패키지상품 구매와 선택관광(Option Tour) 프로그램에서도 나타날 수 있다.

따라서 우리는 열심히 관광하는 중에 선택관광(Option Tour) 결정에 노출되곤 하는데, 이때는 집단지성을 활용하라는 것이다. 가끔 우리는 관광상품 선택이나 선택관광(Option Tour) 선택에서 친구 등의 지인의 어설픈 조언으로 인해 선택피로는 물론 춥추는 감정이 상하기도 하는 경우가 많다. 이때는 무엇보다 '기본'과 '균형'에 충실하면서 브레인스토밍을 통해 집단지성을 개발하여야 한다. 또한 현명한 관광객이라면, '가격이 곧 품질(Price Equals Quality)'이라는 인식과 함께 오히려 옵션투어(Option Tour)가 없는 No 옵션 패키지를 선택함으로써 관광 일정 내내 선택피로를 최소화할 수도 있다.

이러한 선택피로는 결국 '소유경제'에서 '구독경제(Subscription Economy)'로의 전환현상을 일으키고 있다. 여기서 말하는 구독경제란 소비자가 기업에 회원으로 가입 및 구독을 하면 정기적으로 원하는 상품을 배송 받거나 필요한 서비스를 언제든지 이용할 수 있는 신개념의 경제모델을 말한다(예금보험공사 블로그).

다시 말해 과거 전통적인 소유경제에서는 소비자들은 물건 값을 지불하고, 그 물건을 소유했는데, 최근 들어 '쓴 만큼'만 값을 지불하는 공유경제의 시대가 도래한 것이다. 이러한 새로운 형태의 소비 개념이 바로 구독경제이다. 결국 이러한 소비 개념은 어떤 것을 소유하느냐가 아니라 그때그때 필요한 것을 얼마나 효율적으로 찾아 쓰느냐 하는 문제이다.

특히 이러한 구독경제의 모델에는 ① 정기배송 모델(예, 생필품이나 식품 등), ② 무제한 이용 모델(예, 호텔 멤버십이나 멤버십 카페 등), ③ 장기 렌털 모델(자동차 신모델 바꿔타기 프로그램, Socar, 렌털서비스, 콘도 회원제 등)이 있다.

이러한 구독경제의 효과로는 소비자 관점에서는 ① 재미와 신상품을 쓸 수 있는 기회가 많아진다는 점이다, ② 시간과 가격 측면에서 즉시

소비를 통한 편리함과 합리적인 구매를 할 수 있다는 점이다. 한편 기업 입장에서는 구독경제를 통해 ① 고정 고객을 유치하여 시장 수요의 안정성을 확보할 수 있다는 점, 멤버십 고객을 통한 매출의 안정성을 확보하여 고착화 효과(Lock-in Effect)를 극대화할 수 있다는 점이다.

이러한 맥락에서 관광기업, 즉 호텔이나 외식기업 등은 서비스의 구독경제화 프로그램에 대한 관심을 가져야 한다. 최근의 한 언론에서는 프랑스의 미쉐린 3스타 레스토랑의 유명 세프(Chef)가 코로나19로 인해 고객이 줄어든 탓에 일회용기에 요리를 포장해서 본인이 직접 음식을 배달하고, 고객은 매우 만족해하는 장면을 보도하였다. 이러한 장면은 미래의 레스토랑 등 관광산업에서의 구독경제의 한 모습을 보는 것 같기도 하였다.

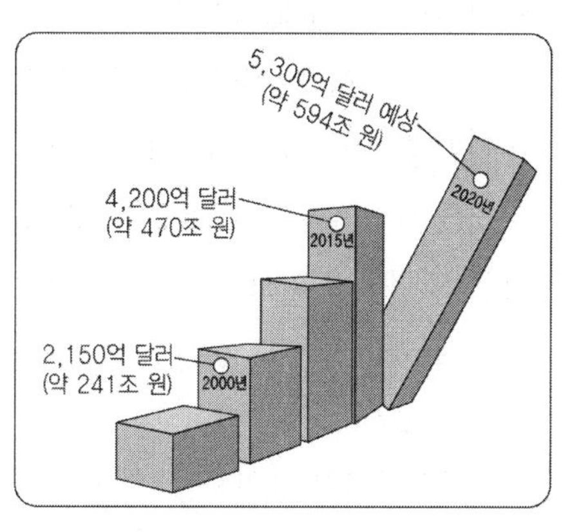

그림 3-5 구독경제의 시장 규모

선택지지 편향과 관광상품에 대한 구매 후 의심

관광객은 관광상품 구매 후 과연 후회는 하지 않을까? 이용 가능성 휴리스틱이 일으키는 바이어스 가운데 하나가 '사후 확신 편향(Hindsight Bias)'이다. 이는 첫째, 긍정적 개념으로서 일종의 관광객이 구매의사결정에 대해 스스로 합리화하는 선택지지 편향(Choice-supportive Bias)으로 나타날 수도 있다. 이는 일종의 기준점(Anchoring) 효과로 생각할 수도 있다. 둘째,

부정적 개념으로서 우리는 일이 벌어진 뒤에 '내 그렇게 할 줄 알았어', '그렇게 될 거라고 처음부터 알고 있었어'와 같은 부정적인 개념으로 나타날 수도 있다. 또 하나의 사례로서 미국 인류학자 베네딕트(Ruth Fulton Benedict)가 쓴 저서 『국화와 칼』에서 제2차 세계대전 당시 일본의 지도자들이 호도했던 "이미 예상했던 대로 상황이 돌아가기 때문에 조금도 걱정할 필요가 없다"고 한 사례와 유사한 사례이다. 이렇게 결과를 알고 나서 마치 사전에 그것을 예견하고 있었던 것처럼 생각하는 사후 확신 편향의 하나이다. 이러한 사후 확신 편향은 우리가 평소 많이 듣고 있는 인지편향(Cognitive Bias)이나 확정편향(Confirmation Bias)과 유사 개념이다. 결국 이러한 사후 확신 편향은 결과적으로 냉소주의를 낳게 하고, 나아가 인간관계를 악화시킬 수도 있다. 이는 자기 스스로에게는 위로가 되는 개념임에는 틀림이 없으나 이는 양자물리학에서 말하는 양자의 불확정성 개념을 잘 모르고 하는 말이다. 즉 우리 인간은 어떤 사건이 발생한 후에는 그 일이 사실처럼 인상에 남게 되고, 거기서 사전에 예측한 가치를 과대평가하는 것이다. 또는 좋아 보이는 물건을 싸게 살 수 있어서 기분이 좋았는데 실제로는 조잡한 상품이었을 때, 싼 게 비지떡 내지 이솝우화의 신포도라고 생각하는 것도 사후 확신 편향의 대표적인 예이다.

관광상품의 경우 관광객의 의사결정에서 나타나는 불확실성은 구매의 사결정이 이루어진 후에도 나타날 수 있는데, 이를 구매 후 부조화(Post Purchase Dissonance)라 한다. 구매 후 부조화의 하나로서 구매 후 의심(Post Purchase Doubt)은 해외관광을 떠나기 전 혹은 돌아올 때 모두 발생할 수 있다(Mayo & Jarvis, 1981). 특히 해외관광상품의 경우 일반 제품뿐만 아니라 국내관광과 달리 구매경험이 많지 않고, 관광경험을 하기 전에는 자신의 구매의사결정에 대한 확신이 부족하기 때문에 광고나 구전을 통해 구매하기 쉽다(신상준, 2004)는 측면에서 구매 후 의심이 많아질 수밖에 없다는 것이다. 특히 해외관광상품의 경우 상품에 대한 평가는 매우 주관적일 뿐만 아니라 재고불가능성의 특징까지 있기 때문에 일반제품과는 달리 취소불가능성의 정도가 매우 크게 된다. 이러한 취소불가능성 정도가 커짐으로써 고도의 갈등상황이 내포된 구매의사결정이 이루어지게 되고, 이로 인해 구매 후 의심의 정도는 더욱 커지게 된다.

선행연구들에 의하면, 이러한 구매 후 의심이 발생하는 영향요인은 표와 같다.

표 3-3 구매 후 의심 영향요인

연구자(연도)	구매 후 의심 영향요인
Oshikawa(1969)	제품특성, 소비자특성, 주변상황
Cumming & Venkatesan(1976)	상황적 현상, 개인특성, 외부상황과의 상호작용
Stayman(1982)	수용자매개변수, 상황매개변수, 자극지각매개변수, 자극지향매개변수
김원인 · 박명례(2001)	상품특성, 여행객특성, 구매상황
최낙환 · 나광진(2002)	소비의지, 긍정적 기대감정, 소비행동의 적극성, 긍정적 소비 후 감정, 부정적 기대감정, 획득가치
박중환(2009)	취소하고 싶은 마음, 구매 후 후회, 구매 후 확신이 없음

자료: 박중환(2009).

특히 신상준(2004)은 구매 후 의심을 하나의 관광상품 구매에 대한 후회의 개념으로 정의하고 구매상황특성으로 보았다. 또한 그의 연구 결과에서 관광객의 부정적 감정반응에 정(+)의 영향(경로계수: .3787)을 미치는 것으로 분석하였으며, 관광객의 긍정적 감정반응에 부(−)의 영향(경로계수:

-2.4439)을 미치는 것으로 분석하였다. 또한 이러한 구매상황특성이 관광객 특성보다도 상대적으로 영향이 큰 것으로 분석하였다.

결국 관광상품에 대한 구매 후 의심은 관광상품이 무형적 특성과 직접 관광에 참여하지 않고는 그 상품의 품질을 경험할 수 없는 특성이 있기 때문에 발생한다. 다시 말해 관광상품 구매 시점(t_1)과 관광행동 시점(t_2) 시점 간에 시간적 갭(Gap)과 무형적 특성(유형재가 아님)이 일반 제품과 달리 많이 존재하기 때문이다. 즉 관광상품에 대한 불확실성과 예상되는 부정적 결과로 인해 구매 후 의심이 증가할 가능성이 매우 높다고 할 수 있다. 또한 관광상품 구매의사결정 과정에서의 구매 후 의심은 사후 행동의 주요한 결정요인으로 작용한다(신상준, 2004). 따라서 무형의 서비스상품을 파는 여행사 관점에서 보면, 구매 후 의심에 대한 영향변수의 파악과 마케팅 전략적 대응 관점에서 관광객들의 구매 후 의심의 정도를 파악하는 것이 매우 중요하다.

표 3-4 남녀별 구매 후 의심 정도

구매 후 의심	성별	전체 평균	평균	S.E
1. 해외여행상품을 구매한 후 후회함 2. 구매 후 취소하고 싶었음 3. 구매 후 믿음이 가지 않음	남 (79명)	2.84	3.03 2.59 2.91	1.405 1.382 1.361
	여 (115명)	3.14	3.15 3.03 3.25	1.326 1.382 1.419

자료: 박중환(2009), 384.

박중환(2009)의 연구에 의하면, 구매 후 의심에 대한 집단 간의 차이분석을 바탕으로 성별에 따른 구매 후 의심의 정도는 〈표 3-4〉와 같으며,

특징은 남성(평균 2.84점)보다 여성(평균 3.14점)이 구매 후 의심이 많은 것으로 나타났다.

또한 이는 구매 후 의심 감소전략으로 여성 관광객을 위한 여행사 브랜드가치 개발 및 포지셔닝 전략과 지각위험 감소전략이 필요함을 시사하고 있다. 그리고 최근 해외관광 시에 이용한 여행사의 규모에 따른 구매 후 의심의 차이분석 결과를 살펴보면, t-test 결과, t값은 -3.486, 자유도 192(n=194)로서 양측검정의 유의확률 0.045(≤.05)로 두 집단 간에는 5%의 유의수준에서 차이가 있는 것으로 나타났다. 또한 두 집단 간의 분산의 동질성을 Levene의 등분산 검정결과 값으로 살펴본 결과, 집단 간의 분산이 같다(F=1.192, p=.188)고 가정되었다.

〈표 3-5〉에서 나타난 특징은 대규모 여행사 관광상품에 대한 구매 후 의심(평균 2.81점)보다는 중소규모 여행사 관광상품에 대한 구매 후 의심(평균 3.09점)이 더 큰 것으로 나타났다. 이는 향후 논의될 중소규모 여행사의 전략적 제휴를 통한 공동 브랜드 전략이 필요함을 시사하고 있다.

표 3-5 여행사 규모별 구매 후 의심 정도

구매 후 의심	이용 여행사	전체 평균	평균	S.E
1. 해외여행상품을 구매한 후 후회함 2. 구매 후 취소하고 싶었음 3. 구매 후 믿음이 가지 않음	하나/모두 투어 등 (76명)	2.81	2.80 2.78 2.85	1.476 1.442 1.431
	기타 (118명)	3.09	3.23 2.89 3.14	1.264 1.370 1.389

옵션투어와 쇼핑관광으로 인한 관광상품의 변질

우리는 해외관광에서 선택관광을 할 것인가? 또 쇼핑관광은 가야만 하나? 등 새로운 의사결정 문제에 부딪히곤 한다. 이로 인해 관광만족도는 물론 특정 여행사 이미지 및 애호도 등이 타격을 받을 수 있다. 이러한 현상은 꼬리가 몸통을 흔드는 것(Wag the Dog)으로 일종의 디드로 효과(Diderot Effect)라 할 수 있다. 이러한 효과는 하나의 물건을 구입한 후 그 물건과 어울리는 다른 제품들을 계속 구매하는 현상이다.

일부에서는 '디드로 통일성(Diderot Conformity)'이라고도 부른다. 사람들은 구매한 물품들 사이의 기능적인 동질성보다는 정서적, 문화적인 측면에서의 동질성 혹은 통일성을 추구한다. 시각적으로 관찰이 가능한 제품일수록 이 효과가 더 커진다.

디드로(Denis Diderot)는 에세이 『나의 오래된 가운을 버림으로 인한 후회』(Regression Parting with My Old Dressing Gown)에서 처음 언급하였다. 18세기 프랑스의 철학자 디드로는 친구가 준 세련된 빨간 가운과 자신의 낡은 물건들이 어울리지 않는다고 생각했다. 그는 가운과 어울리도록 의자, 책상 등을 빨강 계열의 새 것으로 바꾸다가 마침내 모든 가구를 바꾸었다. 결국 돈을 낭비한 그는 자신이 빨간 가운의 노예가 되었다며 우울해했다는 것이다.

그림 3-6 디드로 효과 사례 이미지

유사한 맥락에서 미국 사회학자이자 경제학자인 쇼어(1992)는 자신의 베스트셀러 『과소비하는 미국인들: 왜 우리는 우리에게 필요 없는 것을 원하나』(The Overspent American: Why We Want What We Don't Need)에서 디드로 효과의 부정적인 측면을 지적한 바 있다(네이버 지식백과).

그렇다면 우리는 관광상품이나 옵션(Option)을 어떻게 선택해야 할까? 예컨대 현지 관광지에서 로컬 가이드(Local Guide)가 추천하는 옵션(Option)을 추가하려고 할 때 동반자들의 반응은 각양각색일 수밖에 없다. 결국 동반 관광객들은 선택피로(Option Fatigue)와 결정장애(Indecisiveness)로 인해 관광 전반에서의 분위기가 의도치 않게 싸해질 것이 분명하다.

이때 일시적 역할의 리더(Leader)는 어떤 선택을 할 수 있을까? 결론은 풀 옵션(Full Option)이 최적의 대안이 될 수 있다. 왜냐하면, 우리는 선택피로와 결정장애를 겪지 않아도 되기 때문이다.

관광가이드의 무리지능 법칙 활용법 여행인솔자(Tour Conductor)나 현지 가이드(Local Guide)는 단체관광 인솔 시 새들의 군무와 같이 레이놀즈(C. Reynolds)의 법칙을 활용하라는 것이다. 즉 첫째, 제1법칙(분리성)으로서 너무 복잡한 곳을 피해야 한다. 패키지 투어를 진행하다 보면, 다양한 개성을 지닌 관광객을 만나게 되는데, 특히 복잡한 곳과 무질서한 곳을 싫어하는 관광객을 위한 배려 차원뿐만 아니라 여행의 만족도를 높이는 차원에서도 이러한 서비스가 필요하다. 둘째, 제2법칙(응집성)으로서 '뭉치면 살고 흩어지면 죽는다'는 전략적 노력이 필요하다. 이때는 관광서비스 분배 공정성이 무엇보다도 중요하다고 할 수 있다. 이러한 응집성은 여행 일정 내내 분위기 고양은 물론 옵션 투어(Option Tour)나 쇼핑관광에서 더욱 효과적이라고 할 수 있다. 셋째, 제3법칙(정렬성)으로서 소집단의 의견선도자(Opinion Leader)를 적극 활용하라는 것이다. 많은 수의 개성 있는 관광객을 인솔하려면, 다양한 욕구뿐만 아니라 다양한 요구를 반영할 수 있는 커뮤니케이션 창구가 필요하다. 이때 필요한 효과적인 소통 통로가 소집단의 의견선도자(Opinion Leader)이다.

제4절 단체관광에서의 집단지성과 스웜문화

오늘날 관광은 단순히 대량적이고 대중적인 개념을 넘어 사회행복실현을 위한 수단으로 진화하고 있다. 특히 테마관광(Special Interest Tourism)은 관광객이 추구하는 주제, 즉 주된 목적이 무엇인가에 따라 정의될 수 있다. 따라서 이러한 테마관광은 단일 목적성이라기보다는 다목적성의 성격이 강하다. 즉 이는 복합관광의 형태라 할 수 있다. 앞에서 제시했던 대표적인 관광형태인 의료관광, 스포츠관광, 축제이벤트관광, 문화유산관광, 커피 · 와인관광, 문학관광, 섬 · 낚시 · 스쿠버관광, 슬로시티관광, 다크투어리즘(Dark Tourism), 템플스테이(Temple stay), 한옥체험관광, 골프투어, 트레킹(Trekking), 농촌체험관광, 영화제 · 공연관광 등 역시 경영가치를 창출하고, 가치창출을 실현하려면, 이러한 다목적성의 관광객 욕구를 충족시켜야 한다. 이때도 집단지성과 스마트 스웜문화가 필요하다.

이러한 집단지성을 제대로 발휘하는 데 필요한 조건이 있다. 집단에 참여하는 사람의 배경이 다양해 서로 다른 이유로 각자 결정을 내리되, 다른 이의 눈치를 너무 많이 보면 안 된다는 것이다. 비슷한 사람만 모아서 물어보는 것은 그중 한 사람에게만 묻는 것과 다를 바 없고, 다른 이의 눈치를 많이 보게 되면 목소리 큰 사람의 편향된 의견으로 집단 전체의 의견이 몰릴 위험이 있기 때문이다(김범준, 2017). 특히 집단지성을 끌어내기 위해서는 개미집단의 행동 특성과 마찬가지로 따라가기(Exploitation)와 돌아다니기(Exploration)가 전제되어야 한다. 따라서 우리가 가성비 좋은 즐거운 관광을 하고자 한다면, 인터넷 정보수집과 함께 여행사 방문 등 발품을 팔아야 하며, 또한 '친구 따라 강남가기'(밴드웨건 효과)를 해야 할 것이다. 이때 관광객은 On-Line여행사의 경우 관광상품의 애호도나 수요 등을 고려하여 다양한 가격전략을 쓰고 있음도 잘 알아야 한다. 그러므로 관광에 참가하는 동반자 수가 적을 경우에는 상품이 취소될 수도 있기 때문에 다른 대안도 미리 검토하고 있어야 한다.

우리들이 일상생활에서 아이디어나 대안을 개발할 때 여럿이 모여 자유롭게 아이디어를 개발하는 회의방식을 브레인스토밍(Brain Storming)이라 한다. 이러한 브레인스토밍은 아이디어나 대안을 만들어 낼 때 3인 이상이 모여 자유롭게 아이디어를 내놓는 회의방식으로 한 가지 문제를 놓고 회의를 통해 여러 가지 아이디어를 구상하는 방법이기 때문에 짧은 시간에 많은 아이디어를 만들어 낼 수 있다는 큰 장점이 있다. 이러한 브레인스토밍은 한 가지 주제를 놓고 회의를 하기 때문에 회의주제는 매우 구체적이어야 하며, 보통 사회자 1명, 기록자 1~2명, 발표자 6~12명이 한 조를 이루어서 진행된다. 이때 브레인스토밍을 하기 위한 가장 중요한 전제는 반드시 자유로운 분위기를 유지해야 한다는 것이다. 또한 참가자의 아이디어나 제안을 절대 비난하지 말아야 한다는 점이 매우 중요하다. 왜냐하면 한번 비판하고 비웃기 시작하면 아이디어를 내기가 쑥스러워지고 위축이 되어 제안을 잘 하지 못하게 되므로, 브레인스토밍의 효과가 사라질 수 있기 때문이다. 또한 강압적이지 않고 자유로운 복장과 분위기 속에서 토론을 할 수 있도록 하는 것이다. 특히 브레인스토밍은 질보다 양을 중요시하며, 많은 아이디어 중에서 좋은 아이디어가 있을 확률이 높기 때문에 아이디어의 좋고 나쁨을 판단하지 않고 생각나는 대로 많은 아이디어를 만들어 내는 것이 중요하다. 만약 자신의 아이디어가 고갈되었을 경우는 말하지 않고 그냥 있는 것보다 다른 사람이 제출한 아이디어를 결합하거나 자신의 생각을 더해서 발표할 수 있어야 한다. 그리고 아이디어를 개발한 후에는 항목을 나누어 정리해야 한다. 중복성이 높은 것과 가치가 없는 것을 제거하고 정리해야 한다. 최종적으로 얻어진 결론을 구체화하여 문제를 해결하면 된다(네이버 지식백과).

특히 패키지 해외관광에서는 다양한 의사결정, 즉 관광목적지는 어디로 할 것인지?, 관광상품은 얼마짜리로 할 것인지?, 관광지에서의 옵션은 무엇을 할 것인지?, 쇼핑은 할 것인지?, 팁(Tip)은 과연 얼마를 거둬서 줄 것인지 아니면 공금으로 처리를 할 것인지? 등을 결정해야 하는 상황이 발생하기 때문에 이때 꼭 필요한 것이 브레인스토밍을 통한 집단지성(Collective Intelligence)의 개발이다.

이러한 브레인스토밍과 유사한 집단지성(Collective Intelligence)은 다수의 개체들이 서로 협력하거나 경쟁을 통하여 얻게 된 지적 능력의 결과로 얻어진 집단적 능력을 일컫는 용어이다. 이는 결국 집단지능·협업지성과 같은 의미라 할 수 있다. 다수의 개체들이 서로 협력하거나 경쟁하는 과정을 통하여 얻게 된 집단의 지적 능력을 의미하며, 이는 개체의 지적 능력을 넘어서는 힘을 발휘한다는 것이다. 이 개념은 미국의 곤충학자 휠러(1910)가 출간한 『개미: 그들의 구조·발달·행동』(Ants: Their Structure, Development, and Behavior)에서 처음 제시하였다. 휠러는 개체로는 미미한 개미가 공동체로서 협업하여 거대한 개미집을 만들어내는 것을 관찰하였고, 이를 근거로 개미는 하나의 개체로서는 미미하지만 군집하여서는 높은 지능체계를 형성한다고 설명하였다.

이후 러셀(Peter Russell), 아틀리(Tom Atlee), 붐(Howard Bloom) 등이 연구를 진행하였으며 특히 서로위키(James Surowiecki)는 실험 결과를 토대로 "특정 조건에서 집단은 집단 내부의 가장 우수한 개체보다 지능적"이라고 주장하였다. 또 레비(Pierre Levy)는 사이버 공간의 집단지성을 제시하였는데, 그는 누구나 자신의 사이트를 가지고 집단의 문화를 형성하는 시대가 오면 어디에나 분포하고, 지속적으로 가치 부여되며, 실시간으로 조정되고, 역량의 실제적 동원에 이르는 집단지성이 발현될 것이라고 주장하였다. 이러한 집단지성은 사회학이나 과학, 정치, 경제 등 다양한 분야에서 발현될 수 있으며, 인간뿐만 아니라 동식물까지 연구 대상에 포함된다. 집단지성의 대표적 사례로는 인터넷을 기반으로 한 위키피디아와 웹2.0을 꼽을 수 있다. 위키피디아의 발전 과정은 지식 · 정보의 생산자나 수혜자가 따로 없이 누구나 생산할 수 있고 모두가 손쉽게 공유하면서 계속 진보하는, 집단지성의 특성을 보여준다(네이버 지식백과).

따라서 '전체는 부분의 합보다 크다'는 복잡계의 대표적 특성으로도 설명할 수 있는 측면에서 관광현상에서도 낯설고 새로운 관광지에서의 지각위험(Perceived Risk)과 선택피로(Option Fatigue), 그리고 문화충격(Cultural Shock) 등을 최소화하기 위해서는 관광객(관광주체)과 가이드(Guide)는 분산 제어(Decentralized Control), 분산 문제 해결(Distributed Problem Solving), 다중 상호작용(Multiple Interaction)을 함으로써 집단지성이나 무리지능을 개발할 수 있다.

한편 무리짓기는 우리들의 사회생활에서도 발견할 수 있다. 사람들은 혈연, 지연, 학연 등 스스로 집단에 속하려 하는 경향이 있다. 다른 사람을 대할 때도 어느 집단의 일원으로서 파악한다. 예컨대 최근에 유행했던 롱패딩과 같은 유행 패션이나 해외관광지 밴드웨건 효과 등 유행과 쏠림 현상이 일어나는 것도 무리짓기의 특성으로 해석할 수도 있다. 인간의 이런 경향을 과학적인 시각에서 분석하려는 시도가 최근 부상하고 있는 '사회물리'다. 사회물리는 사회가 갖는 복잡성을 동물의 무리짓기처럼 단순한 원칙을 통해 이해하고 해결하려 한다. 무리짓기의 조직화와 변화의 원리를 근원적으로 이해하는 것은 21세기의 새로운 도전과제이다. 그동안 무리짓기 연구는 생물학자, 물리학자, 수학자, 사회학자 등 각각의 영역에서 진행돼 왔다. 하지만 최근에는 복잡계이론, 네트워크과학, 신경과학, 행동경제학, 진화심리학 등 여러 학문들이 서로 융합해 도전하고 있다(김승환, 2011).

따라서 계모임(Gyemoim: Kitty Party Group)에서 멋지고 아름다운 해외관광을 계획하고 있다면, 다들 모여 브레인스토밍을 통해 집단지성을 개발해 보라고 권하고 싶다. 다만 계원들의 개인적 아이디어나 제안을 절대 비난하지 말아야 한다는 것을 잊지 말아야 한다. 즉 계원 모두는 공감적 경청을 해야 하며 사회나 기록은 회장과 총무가 하면 될 것이다. 결론은 회장 및 총무가 내리지 말고, 회원 모두가 결정하도록 하는 것이 매우 중요하다. 그래야지만 계원은 관광 사후에 올 수 있는 불평불만에 대한 책임을 회피할 수 있을 뿐만 아니라 다음번의 해외관광의 기회도 더 많이 가질 것이기 때문이다. 다시 말해 베레비(David Berreby)가 말한 것처럼 이는 무리짓기의 착각으로서 서로 비슷한 사람끼리 한패가 되는 것이 아니라 한패가 되고 나서 서로 비슷해진다는 데서 우리들에게는 근본속성의 오류(Fundamental Attribute Error)가 있음을 알아야 한다. 특히 동물들의 무리짓기와 달리 우리 인간의 무리짓기는 훨씬 복잡다양하다. 그 이유는 우리들의 춤추는 감정이 늘 개입되기 때문이기도 하다. 한편 해외단체관광에서 동반자의 최소 조건은 ① 나이가 비슷할 것, ② 취미나 기호 등 케미(Chemistry)가 맞을 것, ③ 매너와 배려심이 있을 것 등이 있다. 아무리 힘들고 긴 관광일지라도 관광 동반자가 좋으면, 아름답고 행복한 경험가치 관광이 될 수 있다는 것이다. 특히 관광 동반자의 경우 나이가 비슷해야 한다는 것은 관광동반자의 기호나 취미가 비슷할 수 있음을 의미한다. 결국 우리는 음식(예, 메뉴, 길거리음식 등), 체험활동 등 옵션(Option) 선택, 여흥과 같은 새로움 추구(Novelty) 등 감각추구 동기 등이 비슷함으로써 동성사회성(Homosociality) 판타지가 커지기 때문에 관광에서의 색다른 경험(Exotic Experience)을 할 수 있는 기회가 늘어날 수 있다는 것이다.

반대로 동반자 중 누군가는 인증샷(예, 우정샷이 아닌 인생샷)만 찍고, 또 누군가는 패키지 해외관광까지 와서 개인적 카톡 등 SNS에 몰입해서 관광분위기를 망치는 경우가 너무나도 많기 때문이다. 또한 동일한 비용을 지불하고 해외관광을 왔음에도 불구하고 옵션 투어 등의 의사결정에서 결정을 주도하고, 또 과거의 해외관광 경험을 관광 내내 자랑질하고, 과거의 제한적인 관광 경험정보로 어설픈 조언과 잘난 체하는 휴브리스(Hubris)[11]로 관광의 분위기를 망치는 경우가 종종 있다. 그리고 쇼핑백의 크기로 밀리어네어 신드롬(Millionaire Syndrome)에 의한 힘(Power) 자랑도 문제인 경우이다. 이때 쇼핑백 크기로 파워를 부리는 동반자를 특히 경계해야 한다. 왜냐하면, 이런 부류의 관광객은 대체로 자기 중심적일 뿐만 아니라 대개 안하무인의 고집이 매우 센 특성을 가지고 있기 때문이다. 또 관광

11) 영국의 역사학자 · 문명비평가인 Arnold J. Toynbee가 역사 해석학 용어로 사용하면서 유명해졌으며 '신의 영역까지 침범하려는 정도의 오만'을 뜻하는 그리스어에서 유래한 용어임. 영어에서도 지나친 오만, 자기 과신, 오만에서 생기는 폭력 등을 의미함.

동반자들은 제한적인 합리성을 가지고 있기 때문에 대개 모방쇼핑을 많이 하게 되는데, 이러한 현상은 일종의 자존심 싸움(예, 스트레스 해소용)인 것이다. 즉 우리들은 춤추는 감정으로 인해 결국 비합리적 소비인 과소비를 하게 되고, 나중에 보면 쓸모없는 쇼핑을 하게 되었다는 사실을 깨닫게 된다. 결국 이러한 모방쇼핑은 결국 후회 내지 구매 후 의심(Post Purchase Doubt)으로 이어지기 때문이다. 이때 우리가 잊지 말아야 할 것은 21세기 관광 트렌드는 명품의 소유가 아니라 새로운 관광경험 가치가 행복에 이르는 최고의 비법이라는 것이다. 만약 그래도 본인이 쇼핑을 해야 한다면, 현지 지역주민들이 만드는 관광기념품(Souvenir) 정도는 공정관광(Fair Tourism) 차원에서도 괜찮지 않을까?

단체관광에서 관광 동반자의 매너와 배려심은 관광기간 동안 감정싸움을 하지 않아도 되는 중요한 요소이다. 특히 톡톡대는 여행 동반자가 있을 경우 관광 중 그 사람의 눈치를 보기에 급급해 여행이 주는 소확행(小確幸)을 맛볼 수 없게 될 수도 있기 때문이다. 그리고 관광 동반자들 간의 커뮤니케이션은 감정 관광(Emotional Tourism)을 예방할 수 있을 뿐만 아니라 관광 전반의 분위기와 집단지성을 이끌어 낼 수 있다. 요즘 사람들은 다들 똑똑하다. 그래서 반대로 우직한 사람을 적이 아닌 내 편이라고 생각하는 경향성이 있다는 점을 명심해야 한다. 이는 결국 래포(Rapport) 형성의 첫걸음이 될 수 있다. 그러므로 먼저 나 자신이 좀 더 양보하고, 자신이 더 수고하라(One Step Ahead)고 조언하고 싶다. 그 다음에 잘난 척 하지 말고, 또 질투도 하지 말라는 것이다. 그리고 사소한 일로 의견충돌을 일으키지 말라는 것이다. 결국 긴 관광일정에서 갈등이 생기면, 관광도 망치고, 일상탈출의 자유로운 분위기도 망치며, 또 상대에게 원한을 가져다주기 때문이다. 관광의 순기능은 관계 맺기, 즉 즐거운 래포

(Rapport) 형성이기 때문이다. 나아가 현지 주민들과의 언어 커뮤니케이션도 매우 중요하다. 그래야만 현지 문화를 깊숙이 이해하는 계기가 될 수 있다. 특히 현지 로컬가이드의 근무 시간 외 배려나 무한 수고를 계속 요구할 수 없기 때문이기도 하다.

우리는 관광을 하다 보면 래포(Rapport) 형성을 계기로 해방된 분위기 속에서 과연 친구에게 솔직한 조언을 하는 것이 좋은가?

결론은 아니오(No)이다. 즐거움에 취한 한 번의 통쾌함은 평생 관계악화로 이어질 수 있기 때문이다. 그러므로 우리는 칭찬을 아끼지 말아야 하며, 즐거움이 배가될수록 관계에서의 골디락스 존(Goldilocks Zone)[12]과 같은 골디락스 관계(Goldilocks Rapport)를 지킬 것을 권유한다. 특히 우리 인간관계에서 화를 불러오고 분란을 일으키는 것이 무엇인가? 고사성어로 초화계흔(招禍啓釁)이라고 하는데 결국 우리는 말과 마음을 다스리지 못하고 말을 절제하지 못한 데서 많은 문제가 생긴다는 것으로 말은 결코 주워 담을 수 없기 때문이다.

요즘 사람들이 말하는 '기쁨을 나누면, 질투가 되고, 슬픔을 나누면 두고두고 약점이 되는 세상'이니 말이다.

12) 골디락스 존(Goldilocks Zone)은 온도가 적절하고 물이 있어 생명체가 살 수 있을 만한 지대를 의미함.

TOURISM & SWARM CULTURE

관광행동에서의 동성사회성과 스웜문화

CHAPTER

04

관광행동에서의 동성사회성과 스웜문화

제1절 관광행동에서의 끼리문화와 친구 따라 여행가기

관광행동에서 '끼리끼리'는 어떤 역할과 효과가 있는 것일까? 사람들이 특정 집단에 가입하는 것은 그것이 특정 욕구를 충족시켜 주기 때문이다. 집단은 구성원을 보호해주고 문제해결을 도와주며, 다른 사람과 만나고 교제하도록 해주며, 행동모델을 제시해주고 자기 이미지를 고양시켜 주며, 또한 구성원의 행동을 평가할 수 있는 기준을 많이 제공해준다. 배타적인 지역클럽에 가입해 있는 사람은 그 사회에서 성공한 사람들을 접촉할 지위를 부여받기 때문에 그 클럽에 가입한 것이다. 이러한 집단은 각 회원들에게 각기 다른 욕구를 충족시켜 준다.

관광행동에서 대표적인 사례로서 새들의 돌발적 군무와 같이 어떤 사람은 패키지투어를 하는 이유가 특정 관광지에 혼자 가는 것보다 단체로 관광하는 것이 비용과 스트레스를 절감할 수 있기 때문이기도 하다. 또 어떤 사람은 관광경험이 적어 낯선 외국에서 혼자 관광하는 것이 불안해서일 수도 있다. 또 다른 사람은 자신의 친구들과 계모임을 통해서 단체관광을 할 수도 있다.

이와 같이 남의 행동을 따라하는 행동을 동조성(Conformity)이라고 한다. 사회적 관습과 규범이 존재하는 것은 우리가 다른 사람에 동조하는 습성이 있기 때문이다. 우리는 사회적 동물이기 때문에 공식적 집단이든 비공식적 집단이든 거기에 소속한 사람은 자기에게 부여된 역할을 하게 된다. 사람들의 동조 모방은 인간의 본능으로서 '친구 따라 강남 간다'는 밴드웨건 효과(Bandwagon Effect)뿐만 아니라 '레밍 효과'(무분별하게 동조하는 쏠림 현상) 등 '따라 하는' 현상으로 나타난다. 최근 해외에선 친구가 가진 것을 부러워한다는 '프렌비(Frienvy: Friend+Envy)'가 새로운 용어로 등장하기도 했다. 이러한 소비현상과 맞물려 특히 우리나라에서는 여기서 한발 더 나아가 여기 한번 우르르, 저기 한번 우르르, 쏠리고 몰린다. 제품도, 음식점도, 관광지도 일단은 휩쓸고 지나가야 한다는 것이다. 이러다 보니 최근 등장한 자조적인 표현이 바로 '따라민국'(조선일보, 2017.12.8.)이다. 이러한 현상은 모든 판단 기준이 '나'여야 하는데 어느새 우리는 '옆집', '앞집'이 눈치보기의 중요한 기준이 되고 있는 현실에서 기인하였다. 늘 남을 의식하면서 나의 존재를 자꾸 알리고 싶은 사회 분위기가 과열되고, '너는 안 해봤니?'가 너와 나의 편을 가르는 중요한 질문이 되면서 다른 편의 사람을 지적하는 현상이 두드러지는 것이다.

이러한 현상은 개개인의 판단보다는 집단 의사가 강하기 때문에 타인에 대한 관심 역시 '쏠림 현상'에 강한 불을 지핀다. 과열된 관심으로 타인을 파헤치다가 지나치면 '신상 털기'까지 서슴지 않게 된다. 곽금주 교수는 "최근 '분노 조절 장애'가 현대사회의 대표적인 고질병으로 꼽히고 있는데 '관심 조절 장애' 역시 관계를 해치는 심리적 질병이 될 수 있다"고 말하기도 한다. 이러한 현상은 곧 광풍이다. 입는 것, 먹는 것, 노는 곳 등 관광행동에서도 요즘엔 '유행'이라는 꼬리표로 너도나도 따라 하는 모습이다. 특히 페이스북, 인스타그램 같은 '소셜 미디어 인증'이 곁들여지면서 이러한 현상을 촉진시키고 있다.

우리는 의도적이건 아니건 간에 어떤 사람이 수행하는 역할의 수와 다양성은 여러 가지 역할범주를 고려함으로써 알 수 있다. 이러한 역할의 유형은 다음과 같다(Mayo & Jarvis, 1981).

① **생물학적 역할**: 연령별과 성별 역할
② **반생물학적 역할**: 친척과 사회계층적 역할
③ **제도적 역할**: 직업, 종교, 정치, 오락적 역할
④ **일시적 역할**: 손님의 역할
⑤ **배역 역할**: 주인공, 폭탄 등의 역할

이러한 역할범주는 사람들이 일생 동안 많은 역할을 수행함을 의미하기도 한다. 이러한 역할 중 많은 것은 가족이나 학교, 그리고 친구로부터 학습을 통해 이루어진다. 이와 같이 자신이 수행하는 역할이 다양하고 역할수행의 태도가 다르기 때문에 사람들의 행동은 여러 가지로 영향을 받는다. 어느 단체에 속해 있으며, 또한 그 속에서 하는 역할이 무엇이냐에 따라 자기가 할 일이 무엇이며, 누구와 함께 하며, 언제 어디서 할 것인가에 영향을 준다. 게다가 각자가 수행하는 역할은 특정 제품을 구입하고 소비하는 데도 영향을 미친다.

특히 사람은 사회적 동물로서 혼자 여행할 때도 자신의 관광행동은 다른 사람이나 집단에 의하여 영향을 받는다. 관광객은 관광할 때 여러 가지 역할을 수행하게 되는데 한 예로서 소규모 집단이 R.V.(Recreational Vehicle)를 이용해 소규모 단체관광을 할 경우에도 항공편 예약, 관광일정을 짜는 사람, 운전기사의 역할을 하는 사람과 총무 등의 다양한 역할을 나누어 수행하기도 한다. 이와 같이 단체관광에 참가하는 관광객의 역할과 행동은 집에 있을 때와 매우 다르다. 왜냐하면 관광행위에 참여하는 순간 캠핑활동으로서 자급 활동(Burch, Jr., 1965)이 시작되기 때문이기도 하다. 우리는 집을 떠나 멀리 여행할 때 관광은 그야말로 제2의 현실세계로서 환상의 세계(Fantasy World)일 뿐만 아니라 놀이의 세계(Play World)에 몰입하는 것이기 때문이다. 이러한 측면에서 관광의 놀이세계는 일상생활과는 분명히 다른 독특한 점이 있으며, 이때 관광객은 '놀이하는 인간(Homo Ludens)'으로서 자기의 행동을 제약하는 일상적인 관여와 책임에서 벗어나게 되나 관광객으로서의 새로운 역할을 수행하게 된다. 이때 관광 분위기는 참여하는 사람들이 역할을 수행하는 데 있어서 매우 큰 융통성을 부여해준다. 관광객들의 상호작용은 집을 벗어났다는 해방감과 즐거움, 끼리문화로 인해 더욱 강렬해진다. 사람들은 관광지에서 술도 마시고 이야기도 하면서 서로에게 고민을 털어 버리기도 하며, 평소에는 할 수 없는 의외의 행동을 하게 된다. 대부분의 사람들은 관광을 할 때 많은 이방인과 폭넓은 사회적 상호작용(Social Interaction)은 물론 새로운 래포(Rapport) 형성을 경험하기도 하는데, 이것이 관광의 색다른 매력인 것이다.

"친구 따라 강남가기"는 과연 집단광기인가? 관광행동에서 끼리문화를 이해하기 위해선 먼저 동성사회성 문화에 대한 이해가 필요하다.

동성사회성은 동성 사회적 · 동성 연대적이라는 말로 번역되어 있다(네이버 지식백과). 그러나 페미니즘이나 퀴어(Queer) 연구의 중요한 문제 틀로 설정되어 있지는 않다. 말하자면 아직 그것은 젠더 · 성 · 페미니즘 정치학의 문제로 한국형 블록버스터에서의 동성사회적 판타지된 상태는 아닌 것이다(김소영, 2011). 서구에서도 동성사회적이라는 용어 자체는 학문적 신조어로서 'Homosocial'이라는 단어는 역사와 사회과학 등에서 동성 간의 사회적 연대를 가리키는 말로 쓰였으며 특히 'Homosexual'과 구분하기 위해 사용된 것(김소영, 2011)이라고 한다.

특히 한국은 타국에 비해 동성사회적 특성을 많이 지니고 있는데 이것이 사회관계망의 거의 모든 영역을 지배하고 있기 때문이다. 부부나 커플이 함께 모이는 직장 단위의 파티나 집안행사에서도 남성과 여성의 분리는 자연스럽게 이루어진다. 여자는 여자끼리 남자는 남자끼리라는 '끼리끼리' 문화는 동성끼리의 연대에 기반한 한국 사회의 면모를 잘 보여준다. 특히 남성들 간의 끼리문화는 학연 · 지연 등으로 다시 묶여지면서 남성들만의 권력의 장을 사적 · 공적으로 횡단하며 구성해 내는 단단한 지반이 된다(김소영, 2011). 즉 남성들 간의 끼리문화는 요즘 가끔 듣는 일종의 남성 카르텔이라는 것이다. 반면 한국 여성동성애자들의 모임의 이름이 '끼리끼리'라는 것은 비대칭적(Asymmetric) 권력 관계를 이루고 있다는 점을 시사한다. 특히 남성들 사이의 권력의 창출과 유지를 위해 동원되는 동성사회적 연대는 학연, 지연, 혈연, 국가 시스템과 성 정치학 등 거의 모든 분야에서 관계 역학으로 존재한다. 아직도 지속되는 한국의 냉전 상황에서 남성들의 사회적 연대는 권력의 위계 질서를, 군대에서 전우애는 전우로서 서로 돕고 사랑하는 남성 군인들의 연대를 가리키는 말이지만 전우로서의 '우정'과 '사랑'은 표면적으로는 동성사회와 동성애 사이의 지속이나 단절을 함의하지 않는다. 여기서 우정과 사랑은 서로 등가로 교환되는 동의어에 가깝다(김소영, 2011). 결국 앞에서 이야기한 것과 같이 관광 동반자가 친구라면, 친구 따라 강남가는 밴드웨건 효과(Band Wagon Effect)도 종종 나타날 뿐만 아니라 친구들 간의 동성사회성의 확장은 결국 아름답고 행복한 관광으로 이어질 것이다.

과연 우리는 누구와 있을 때 대체적으로 행복한가에 대한 답은 최인철 교수가 그의 특강에서 제시하였다.

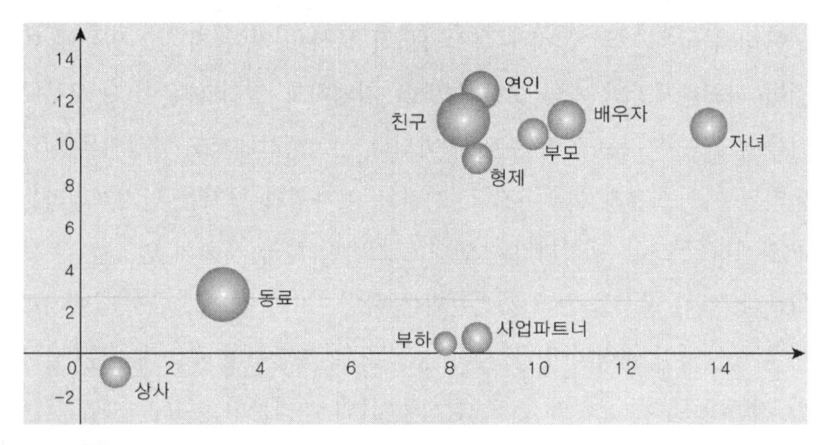

그림 4-1 한국인은 누구와 있을 때 행복한가?

그래프에서 x축은 의미(Meaningful), y축은 즐거움(Pleasurable)을 나타내며, 그림에서와 같이 친구, 연인, 가족과 함께할 때 즐거움과 의미를 충족시켜 주고 있음을 보여준다.

이 그래프가 시사하는 바는 우리들이 해외관광을 가고 싶다면 친구들, 연인, 가족과 함께 가라는 의미이다.

제2절 관광행동에서의 감각추구 성향과 스웜문화

미인과 추녀의 경제 격차 사례

관광서비스에서의 스테레오타이핑(Stereotyping)과 유니폼 효과(Uniformed Service Effect)는 과연 어느 정도일까? 일본의 연구(30~40대 500명 대상 조사) 결과에 의하면, 연봉은 외모에 따라 대략 연간 1,200만 원의 차이가 존재하는 것으로 밝혀졌으며, 남녀 간 동일하게 차이가 나는 것으로 나타났다. 역시 호주의 한 연구에서도 잘생긴 남성의 수입이 평균 이하보다 22%p 소득이 높은 것으로 나타났으며, 연간 약 3,500만 원 차이가 있는 것으로 나타났다. 그러나 이 연구에서는 여자의 경우 미모 격차와 소득 간에 상관관계가 없는 것으로 밝히고 있다. 또한 미국의 연구들에 의하면, 옷을 잘 입는 사람의 소득이 높은 것으로 나타났다.

미모의 경제 효과를 추정하는 것은 현실에서는 어쨌든 이론상으로는 간단하다. 인종과 연령, 사회 계층, 학력 등 외모 이외의 조건이 모두 동일한 남녀를 모집해서 제3자에게 그들의 미모를 판정하도록 하고 순위를 매겨 수입의 차이를 조사하면 된다. 하지만 실제로 이런 조사는 불가능하므로 다양한 통계학적 조정과 유추 작업을 거치게 되는데 결론만 요약하면 다음과 같다(다치바나 아키라, 박선영 역, 2017). 미모 평가를 5등급으로 나누고 평균을 3점으로 했을 때 평균보다 높은 등급(4점 혹은 5점)의 여성은 평균 수준의 여성보다 수입이 8%p 더 많았으며, 평균보다 낮은 등급(2점 혹은 1점)의 여성은 수입이 4%p 적었다는 것이다. 현대사회는 용모에 따른 수입의 격차가 분명히 존재한다. 이미 다들 알고 있는 사실이겠지만 말이다. 경제학에서는 이 현상을 미인은 8%p의 프리미엄(+)을 누리고 그렇지 않은 사람은 4%p의 페널티(-)를 지불한다고 설명한다. 여기서 페널티는 벌금을 의미하는데 그저 예쁘게 태어나지 않았다는 이유만으로 불이익을 당하는 셈이니 이것이야말로 차별 그 자체라 할 수 있다. 이 프리미엄(+)과 페널티(-)는 구체적으로 어느 정도의 금액일까? 20대 여성의 평균 연봉을 30,000달러라고 하면 미인은 매년 2,400달러의 프리미엄을 받고 그렇지 않은 여성은 1,200달러의 패널티를 지불한다고 한다. 생각보다 격차가 크지 않다고 생각할 수 있지만 일반적으로 미인과 그렇지 않은 사람의 수입은 하늘과 땅만큼 차이가 나므로 생애 총소득을 계산하면, 이야기가 달라진다. 대졸 사원의 평생 소득(퇴직금 포함)이 200만 달러 정도라도 하면, 미인은 평생 16만 달러 정도를 더 벌고 그렇지 않은 여성은 평균보다 8만 달러 손해를 보므로 미모 격차의 총액은 24만 달러나 되는 셈이다. 그러나 다행히도 미모도 고정불변이 아니라 나이가 들면서 퇴색한다는 것이 우리에게 그나마 위로가 된다. 하지만 『미인경제학』의 저자 해머메시(Daniel S. Hamermesh)는 변호사 같은 직업에서 미모 격차는 연령과 함께 더 증가한다고 설명한다. 젊을 때 수입은 같지만 미모의 변호사는 더 좋은 고객을 확보하기 쉬우므로 나이가 들수록 그 경제 효과가 커진다는 것이다.

노골적인 이야기지만 미모와 행복의 관계도 조사되었는데 결과는 예상대로다. 미인은 더 좋은 배우자를 찾아 풍요롭고 행복한 인생을 손에 넣고, 그렇지 않은 여성은 못생긴 남성과 결혼해서 가난하고 불행한 인생을 사는 경우가 많다는 결과가 나왔다(다치바나 아키라, 박선영 역, 2017). 하지만 이 차이는 일반적으로 생각하는 것만큼 크지 않아서 상위 3분의 1의 용모에 해당하는 사람이 자신의 인생에 만족하는 비율은 55%(즉 45%는 불만이라는 이야기)로 밑에서 6분의 1에 해당하는 용모라도 45%는 자신의 인생에 만족하고 있다. 이 결과를 긍정적으로 받아들인다면 미인이라도 절반 가까이는 불행하고, 못생긴 사람도 절반 정도는 행복하게 살아가고 있는 것이다. 이 미모 격차가 남성보다 여성에게 더 큰 심리적 압박이 된다는 사실은 분명하다. 이는 남성이 여성의 젊음이나 외모, 즉 생식 능력에 매력을 느끼기 때문인데 이로 인해 여성은 치열한 미의 경쟁에 내몰리게 된다. 반면 여성은 남성의 외모 외에도 사회적 지위나 권력, 자산에 매력을 느낀다. 이는 못생긴 남성도 노력을 통해 외모 핸디캡을 극복할 수 있다는 뜻이다. 그 결과 여성만이 미의 주술에 묶여 괴로움에 시달리게 된다는 것이다. 과도한 다이어트나 거식증, 성형수술 같은 신체에 대한 폭력은 그야말로 '미의 음모'로 나타난다. 결국 남녀 공통적으로 유니폼 효과 활용 등 다양한 노력으로 외모격차는 극복 가능하다는 것이다. 그리고 핸디캡 이론(Handicap Theory)[13] 역시 우리를 위로해 줄 수 있다.

관광객과 외모가 뛰어난 종사원 서비스

외모에 따라 인생이 좌우된다는 사실은 다수가 알고 있다. 잘생긴 남자와 예쁜 여자는 모두에게 사랑받고 못생긴 사람들은 무시당한다는 사실이다. 그렇다면 미모의 경제적 가치는 얼마나 될까? 이런 의문을 갖고 연구한 사람은 경제학자인 해머메시이다(다치바나 아키라, 박선영 역, 2017).

해머메시는 아름다움의 기준은 시대와 문화에 따라 다르지만 일종의

13) 이스라엘 동물학자 자하비(Amotz Zahavi)가 주장한 성 선택이론으로서 '불리한 형질의 핸디캡이 역설적으로 높은 생존력을 과시하는 지표'라는 것임.

보편성이 존대한다고 말한다. 모든 사회에 공통되는 미의 기준은 대칭을 이루는 얼굴형과 부드러운 피부, 여성의 체형에서는 잘록한 허리다. 진화론적으로 이유를 살펴보면 얼굴 모양의 대칭이 무너졌거나 피부에 생긴 습진과 염증은 감염병의 징후를 의미하고, 허리가 불룩한 여성은 임신했을 가능성이 있다. 이 모든 조건은 자손을 남기는 데 장애가 되므로 진화 과정에서 건강한 이성이나 임신하지 않은 여성을 선호하는 프로그램이 뇌에 정착된 것이다. 하지만 이 논리는 현재의 과거학(진화생물학이나 진화심리학)에서는 표준적 이론이며 실험과 관찰결과에 바탕을 둔 방대한 증거가 축적되어 있다. 물론 현대인의 아름다움에 대한 선호를 모두 진화로 설명할 수는 없다. 하지만 사람과 대부분의 유전자가 일치하는 침팬지나 보노보(Bonobo)의 수컷은 젊은 암컷보다 출산 경험이 있는 연상의 암컷에게 더 매력을 느낀다는 것이다. 다시 말해 귀중한 먹이와 섹스를 교환해야 한다면 건강한 아이를 낳을 능력이 증명된 상대가 더 가성비(價性費)가 높기 때문이라는 것이다. 확실히 이 설명이 진화론적으로는 더 합리적이라고 할 수 있다.

우리는 외모가 뛰어난 관광종사원(예, 항공사승무원, 관광가이드, 호텔리어 등)에게 서비스를 받고 싶어 하는 이유인즉 결국 자신이 인기를 원하기 때문이다. 인기(Popular)라는 단어는 16세기 이후부터 '높이 평가되고 선호되는 대상'이라는 의미로 쓰이기 시작했다. 인기의 속성은 두 가지다. 첫 번째는 호감(Likability)으로서의 인기다. 대개 호감을 주는 사람들은 타인과 협력하고 나눌 줄 알고 규칙을 따른다. 유년기 아이들 사이에서도 확실히 호감을 끄는 유형이 있다. 그 아이들은 다른 아이들의 감정을 살피고 소중히 대하고 친구가 소속감을 느끼도록 신경 쓴다. 두 번째는 청소년기에 급부상하는 지위(Status)로서의 인기다. 우월감 · 힘 · 영향력 같은 것들을 기초로 한다. 지위는 청소년기에 나타나 평생에 걸쳐 큰 영향을 미치는데 지위형 인기에 익숙한 사람은 성인이 돼서도 불안 · 우울증 · 중독, 관계의 어려움에 부딪힐 수 있다(조선비즈, 2018.11.5.). 우리가 이토록 인기에 집착하는 이유는 자연스러운 신경 화학의 산물이기 때문이다. 예컨대 유명 연예인을 보거나 관계망을 가지고 있기만 해도 우리 뇌의 보상 중추가 활성화되는데, 이는 우리 뇌의 신경망과 호르몬은 인정받거나 칭찬을 받을 때 기분이 좋아지도록 설계되어 있기 때문이다. 그러나 우리는 이것도 지나치면 관계 중독으로 이어질 수 있음을 알아야 한다.

결국 관광객은 가성비(價性費)를 넘어 가심비(價心費)가 좋은 서비스를 받고 싶어 하는 것이다.

그러면 과연 이러한 미모 격차는 극복이 불가능한 걸까? 결론은 우리는 유니폼 효과로 미모 격차를 극복할 수 있다는 사실이다.

유니폼 효과와 스토리텔링으로 미모 격차 극복하기

일반적으로 외모는 여성에게 더 중요한 문제로 여겨지므로 지금까지는 의도적으로 여성의 미모 격차를 다루었다. 그런데 해머메시(Daniel S. Hamermesh)는 여성보다 남성에게 더 큰 미모 격차가 발생한다는 사실을 발견했다. 우선 잘생긴 남성은 평범한 용모의 남성보다 수입이 4%p 정도 많았으며, 놀라운 사실은 용모가 떨어지는 남성의 경우 평균 남성에 비해 13%p나 수입이 적었다는 것이다. 예쁘지 않은 여성의 경우 마이너스(−) 4%p였던 것을 감안하면 못생긴 남성은 그보다 3배 이상의 손해를 보는 셈이다. 이 의문에 대해 해머메시는 모집단의 차이로 인해 분석결과에 대한 바이어스가 발생한 것으로 보고 있다. 성인 남성의 경우 80%

이상이 직업이 있지만 미국사회에서도 취업한 여성은 전체의 70% 정도라는 것이다(다치바나 아키라, 박선영 역, 2017). 특히 전업주부들이 노동시장을 기피하는 이유는 기대 임금이 낮기 때문일 뿐만 아니라 경력이 단절된 여성(경단녀)은 새로운 취업기회가 줄어들기 때문이기도 하다. 특히 미모에 따른 임금 격차가 존재하는 이상, 전업주부를 선택한 여성이 미인이 아닐 가능성은 더 높다고 추정할 수 있다는 것이다.

하지만 이것으로 남녀 간에 보이는 미모 격차의 차이를 모두 설명할 수 있을까? 우리나라의 경우 블라인드 채용으로 항공사를 포함한 관광기업은 남녀 구직자의 외모나 키 등의 기준을 공개적으로 제한할 수는 없는 실정이다.

관광산업의 현실은 아직도 그렇지 않은 경우가 있지만 과연 우리들은 이러한 외모 격차를 어떻게 극복할 것인가 하는 문제에 당면해 있다.

결론적으로 관광서비스 생산자인 종사원은 차별적인 유니폼 서비스(Uniformed Service)(예, 최근 대한항공의 멋진 유니폼)를 함으로써 자신감 충만은 물론 외모가 주는 프리미엄, 즉 가성비(價成費) 및 가심비(價心費) 문제를 적극적으로 극복할 수 있다. 특히 관광객은 관광지에서 상품이나 서비스를 구매하는 것에 그치지 않고 관광지에서의 즐거움과 문화적 자극, 감성적 체험 등을 하고 싶어 한다. 오늘날 관광자원이나 관광대상의 가치를 높이기 위해 스토리텔링 기법이 적용되고 있는데, 관광객들은 관광목적지를 선택할 때 이성적 판단보다는 감성적 판단에 주로 의지하기 때문이기도 하다. 따라서 관광가이드는 관광지 관련 전문지식 중심의 스토리텔링을 통해 관광객에게 특별한 경험을 제공함으로써 자신에 대한 이미지나 태도를 외모 격차 이상으로 변화시킬 수 있다.

제3절 감각추구성향으로서 매춘관광과 스윙문화

관광행동에서 매춘관광은 관광심리학적 관점에서 보면, 인간 본성의 기저에 깔려있는 감각적 욕구의 하나인 성적 동기(Libido)와 관련이 있다. 이러한 인간의 본성은 맹자(孟子)의 성선설(性善說)을 논박하는 고자(告子)편의 '식색성야(食色性也)'와 닿아 있다고 할 수 있다. 즉 식색성야의 하나로서 성(Sex)은 다윈(C. Darwin)이 말하는 생존과 번식의 수단일 뿐만 아니라 '행복의 기원'이라고 한다(서은국, 2019).

오늘날에는 섹스와 관련된 관광행동 또한 관광문화의 한 부분임을 부정할 수는 없다. 안타깝게도 관광현상에서 매춘은 하나의 유인요인(Appeal Point)으로서 상품화되고 있는 것 또한 엄연한 현실이다.

관광은 성인들에게 놀이, 환상, 모험, 일상으로부터 새로운 세계로 탈출하는, 사회적으로 인가된 통로의 역할을 한다.

동서고금을 막론하고 섹스는 인간에겐 호기심의 대상이자 놀이의 하나로도 발전하여 왔다(박의서, 2007).

인간은 발정기와 관계없이 언제든지 성행위를 할 수 있는 동물이며, 인간 이외에는 원숭이의 한 종류인 보노보(Bonobo)가 인간과 유사하다는 연구들이 있다. 보노보는 피그미침팬지(Pygmy chimpanzee)라고도 하며 아프리카 콩고강 남쪽 끝의 낮은 지대에 분포한다. 이들은 보통 60~100여 마리가 무리를 이루고 살며, 자유분방한 성행동을 하여 발정기가 따로 없고 임신기간은 약 240일이다. 암컷은 다 자라면 사는 곳을 떠나 다른 집단으로 옮겨가며, 교미할 때가 아닌데도 암컷끼리나 수컷끼리, 심지어 가족끼리도 성기를 접촉하는 독특한 행동을 한다(네이버 지식백과 및 동물 다큐멘터리 등).

한편 놀이로서의 섹스산업은 정도의 차이는 있으나 세계적으로 번창하고 있으며 관련 종사자들과 시장 규모 역시 엄청나다. 섹스를 동반하는 관광산업은 매춘 여성들에게 고용과 소득의 원천으로 중요한 역할을 해 왔다. 섹스는 관광을 매개로 자신을 파는 가난한 나라에서 경제 매체의 역할을 하고 있는 경우가 허다하다(박의서, 2007).

매춘관광은 매춘을 목적으로 관광활동에 참여(Graburn, 1983)하거나, 관광지에서 매춘을 하는 경우 그리고 관광의 주요 목적이나 동기가 상업적으로 성관계를 맺는 것(Graburn, 1983; Hall, 1994)을 말한다. 역사적으로도 고대 아테네에서 매춘은 은밀히 행해지는 것이 아니라 에로스의 여신인 아프로디테의 호의를 만끽하는 것으로 여겨져 그 사회에서 합법적으로 용인되었으며 일상적 삶의 한 부분이었다(Cohen, 2000). 성직자이자 철학자인 아우구스티누스나 철학자 아퀴나스도 매춘을 사회적 필요악으로 인정하였다(박의서, 2007에서 재인용함). 매춘을 매개로 하는 섹스관광은 전 세계적으로 번창하고 있어 항상 논쟁의 대상이 되고 있다. 최근의 매춘관광은 2000년대 이후 섹스토이, 포르노를 주축으로 그 흐름이 변화되고 있다. 유럽, 일본, 미국 등의 일부 선진국에서는 관광을 포함한 섹스산업이 하나의 문화로 자리 잡아가고 있는 추세이기도 하다. 이러한 매춘관광의 동기는 힘이 센 남성적 이념에 뿌리를 두고 있다(Altman, 2003). 즉 매춘관광을 성적 자신감, 인종 간의 호기심, 관광객의 도덕적 방종을 증대시키는 일탈의 결과로 보는 견해도 있다(이태희, 2000).

매춘부는 인류역사와 함께 가장 오래된 직업 중의 하나이며 매춘은 동서고금을 막론하고 때와 장소를 가리지 않고 지속되어 왔다. 미국 국무

부의 인신매매 보고서에 따르면 전 세계 142개국에서 매춘이 성행(US Department of State, 2006)하고 있으며 섹스산업에 종사하는 부녀자와 어린이들의 숫자는 파악하기 어려울 정도이다.

독일은 2001년 말부터 매춘을 합법화하였으며, 매춘 업주와 종사원에게 세금과 의료보험을 의무로 규정하고 있다. 스위스는 1992년 이후 매춘을 합법화하여 허가제로 실시하고 있다. 법적으로는 스위스 시민만이 매춘에 종사할 수 있고 매춘을 목적으로 한 영주권 취득이나 비자는 허용되지 않고 있다. 네덜란드는 2000년 매춘을 합법화했다. 이탈리아는 1958년 폐지된 공창제도의 부활을 검토 중이다. 호주는 영국의 영향으로 성문화가 자유로운 나라다. 시드니가 속한 빅토리아 주는 매춘을 허용하고 있고 뉴질랜드도 매춘합법화를 추진 중이다. 일본에서 매춘은 불법이나 널리 용인되고 있으며, 매춘의 규모는 상상을 초월하는 것으로 추정된다. 필리핀에서의 매춘은 사실상 합법이며 국민총생산의 4위를 차지하고 있는 실정이다. 태국의 섹스산업은 국내총생산의 14%에 달하는 것으로 파악된다. 태국의 경우 외견상 매춘을 허용하고 있는 것 같지만, 실제로는 매춘에 관련된 모든 행위를 엄격히 처벌하는 '전면적 금지주의'를 채택하고 있다. 1996년 발표된 '매춘 예방 및 금지에 관한 법령'은 동성과 이성을 막론하고 어떤 형태의 매춘도 금지하고 있다(황규희, 1999). 중국은 개혁과 개방의 급속한 진전과 함께 매춘도 급속히 확산되어 향락 및 섹스산업이 지방경제를 좌우할 정도가 되고 있다. 중국 당국은 한동안 '매춘이 없으므로 관련법규도 없다'는 입장을 고수해오다 1986년 중화인민공화국 치안관리처벌규례를 제정하여 윤락행위를 엄격히 금지하고 있다. 이후에도 매춘 처벌 규정을 더 강화했지만 교묘해지는 매춘수법을 따라가지 못하고 있는 실정이다(박의서, 2007).

한편 포르노영화제와 박람회섹스는 축제 관광상품에서 필요악의 소재가 되고 있다. 한 예로서 매년 10월에 개최되는 '바르셀로나 인터내셔널 어덜트 필름 페스티벌'은 스페인의 개방적 성문화의 상징이다.

매춘에 대한 여성운동은 매춘여성의 입장에서 매춘을 바라보면서도 차이점을 보이고 있는데 이는 크게 세 가지 정도로 분류될 수 있다(박의서, 2007에서 재인용함). 첫째, 매춘자체를 금지하거나 규제하기보다는 매춘을 강제한 인신매매나 착취를 없애도록 해야 한다는 입장이다. 둘째, 모든 매춘은 여성의 인간화에 역행하므로 이를 없애야 한다는 입장이다. 셋째, 일부 매춘여성들이 주장하는 것으로 일체의 규제 없이 내버려두고 오히려 직업으로 인정해야 한다는 입장이다. 한편 아동보호유엔아동기금(UNICEF)에 의하면, 매년 1백만 명의 어린이들이 섹스산업에 인신매매되며 지난

그림 4-2 매춘관광 이미지

30년간 3천만 명의 어린이들이 성적 착취를 당한 것으로 파악하고 있다(하태훈, 2002). 우리나라의 경우 한국형사정책연구원 발표에 따르면, '한국인이 동남아시아 성매매 관광객 수 1위'라는 조사 결과는 다소 충격적이라고 할 수 있다(서울신문, 2013.1.31.).

관광산업과 밀접한 관련을 갖는 매춘관광은 그동안 국내 관광학 분야 연구에서 터부시 되어 왔던 것이 사실이다. 그러나 새로운 관점에서 관광객 심리 및 행동과학 측면에서 보다 체계적이고 과학적인 분석은 물론 관광행동 측면에서의 스윔문화의 담론 주제로 이슈화 할 필요성이 있다.

매춘관광수요 함수

특정한 관광지에서의 매춘관광수요는 특정 관광지의 문화적 환경과 관광에 참가한 사람의 관광에 대한 성향과 저항의 기능 또는 요인에 의하여 결정된다.

D(매춘관광수요) = f{(+)촉진요인, (−)저항요인, (±)상황요인}

첫째, 매춘관광수요 촉진요인에는 개인의 관광욕구나 관광동기, 즉 새로움(Novelty) 추구동기와 호기심, 관광단체 분위기, 참가자들의 동성사회성(Homosociality) 판타지로서 관광집단의 응집성, 즉 끼리문화 등의 개인적 요인과 관광상품의 특성이 있다. 둘째, 매춘관광수요 억제요인으로서 저항요인에는 매춘관광 비용, 관광집단의 이질성(Heterogeneity) 및 분리성 등이 있다. 셋째, 매춘관광수요 상황요인에는 매춘관광 촉진효과 및 마찰

효과로서의 문화적 거리(Cultural Distance) 요인과 개인의 가치관 요인이 있다. 이때 문화적 거리는 관광객의 출발지 지역 문화와 관광지 문화 간의 차이를 말하는데, 일반적으로는 문화적 거리가 크면 클수록 저항 또한 커지지만 가끔 색다른 이국적 문화나 새로운 경험을 추구하는 관광객에게는 매춘관광 촉진요인이 되기도 한다. 또한 개인의 가치관 및 도덕성 역시 관광객에게는 매춘관광 촉진요인 또는 저항요인이 되기도 한다.

그렇다면, 과연 한국남성들은 매춘관광을 좋아할까?

우리나라의 해외여행 시장 크기는 2018년과 2019년 2,800여 만 명으로서 해외여행이 대중화되고, 일상의 소확행으로 자리 잡았다고 할 수 있다. 이러한 해외관광의 대중화는 관광문화의 성숙으로 이어져 그래프에서와 같이 탐닉관광객(Addictor)이 많이 줄어들고 있는 추세라는 점이 그나마 다행이라고 할 수 있다. 결국 이러한 관광현상은 우리가 인정하고 싶지 않지만 일종의 그레이 스웜(Grey Swarm) 관광문화의 하나이다.

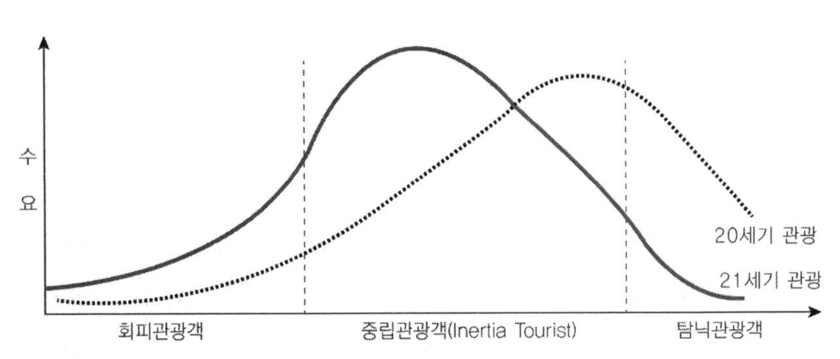

그림 4-3 매춘관광 수요 그래프

제4절 관광행동에서의 동성사회성 판타지와 스웜문화

관광현상에서 베블런 효과와 밴드웨건 효과

베블런 효과(Veblen Effect)의 개념은 미국의 사회학자이자 사회평론가인 베블런(Thorstein B. Veblen)이 1899년 저술한 『유한계급론』에서 "상층계급의 과시적 소비(Conspicuous Consumption)는 사회적 지위를 과시하기 위하여 자각 없이 행해진다"고 말한 데서 유래되었다. 베블런은 이 책에서 물질만능주의를 비판하면서 상류층 사람들은 자신의 성공을 과시하고, 허영심을 만족시키기 위해 사치를 일삼는다고 꼬집었다.

이러한 베블런 효과는 상류층 소비자들에 의해 이루어지는 소비 행태로, 가격이 오르는 데도 수요가 줄어들지 않고, 오히려 증가하는 현상을 말한다. 예를 들어 값비싼 보석이나 고가의 가전제품, 고급 자동차, 명품 핸드백 등은 경제상황이 악화되어도 수요가 줄어들지 않는 경향성이 있다는 것이다. 최근 우리나라 내수시장의 특징인 소비양극화 현상에서도 이러한 현상을 찾을 수 있다. 이는 꼭 필요해서 구입하는 경우도 있지만, 단지 자신의 부를 과시하거나 허영심을 채우기 위해 사치품을 구입하는 사람들이 많기 때문이다. 이들은 값이 오르면 오를수록 수요가 증가하고, 값이 떨어지면 누구나 손쉽게 구입할 수 있다는 이유로 구매를 하지 않는 경향이 있다. 무조건 남의 소비 성향을 좇는다는 뜻에서 소비편승효과라고도 한다.

이런 점에서 다수의 소비자가 구매하는 제품을 꺼리는 소비현상으로, 남들이 구입하기 어려운 값비싼 상품을 보면 오히려 사고 싶어 하는 속물근성에서 유래한 속물효과와 비슷하다. 한국에서는 대학생들 사이에 명품 소비 열풍이 일면서 일명 명품족으로 불리는 럭셔리 제너레이션도 등장하였는데, 2000년대 이후에는 극소수의 상류층 고객만을 상대로 벌이는 마케팅전략인 VVIP마케팅도 등장하였다(네이버 지식백과).

그림 4-4 베블런 효과 사례

한편 관광현상에서도 친구 따라 강남 가는 밴드웨건 효과(Band Wagon Effect)가 종종 나타난다. 밴드웨건 효과는 베블런 효과와 함께 등장하는 심리적인 효과이다. 유행에 따라 제품을 구입하는 소비현상을 뜻하는 경제학 용어로서 곡예나 퍼레이드의 맨 앞에서 행렬을 선도하는 악대차(樂隊車)가 사람들의 관심을 끄는 효과를 내는 데에서 유래한다. 즉 이러한 현상은 특정 상품에 대한 어떤 사람의 수요가 다른 사람들의 수요에 의해 영향을 받거나 미치는 현상으로, 편승효과 효과라고도 한다(네이버 지식백과). 다시 말해, 이러한 현상은 '친구 따라 강남 간다'는 말과 일맥상통한다.

한편 베블런 효과와 유사개념인 스노브 효과(Snob Effect)도 있다. 사전적인 의미로 스노브(Snob)란 아랫사람을 무시하고 윗사람에게 아부하는 속물을 뜻하는 단어로서 경제학에서 스노브 효과란 다른 사람이 구입하는 물건을 구매하지 않고 남들과 구분될 수 있는 '특이하거나 특별한 물건을 구매하고자 하는 소비행태'를 말한다. 즉 다른 사람들과 구별되려고 특이한 의류를 구매한다든지, 리미티드 에디션, 커스텀마이즈드 등 소위 말하는 레어 아이템(Rare Item)을 소유하고자 하는 소비행태라 할 수 있다.

그림 4-5 밴드웨건 효과의 하나로서 인천공항 사례

닭의 무리 가운데 한 마리의 학(군계일학)처럼 남들과 다른 개성을 추구한다는 의미에서 '군계일학 효과'라 할 수 있다. 이러한 소비행태를 가진 소비자는 제품을 구매할 때 남과 다른 자신만의 개성을 추구하는 방식으로 의사결정을 내리기 때문에 다른 사람들이 많이 소비할수록 구매의사가 줄어드는 현상이 있다. 한편으로는 사치스러운 소비행태를 보이기도 하지만 자신만의 개성이나 새롭고 특이한 제품에 대한 욕망을 표현하는 소비이기도 하다.

최근 우리나라 해외관광현상에서는 밴드웨건 효과가 종종 나타나고 있다.

해외관광에서의 대표성 휴리스틱 사례

관광현상에서 우리나라 사람들에게 밴드웨건 효과가 나타나는 이유는 무엇일까? 그 주된 이유는 첫째, 우리나라 사람들의 문화적인 특성인 자랑강박증에서 찾을 수 있다. 좀 더 구체적인 분석, 즉 셀카와 자기과시 행동 등은 제10장에서 논의하기로 한다. 우리 일상에서의 가장 흔한 사례로 레스토랑에서의 음식 인증샷이나 우정샷, 그리고 유명한 곳에서의 인생샷을 들 수 있다. 이는 인증샷을 통해 스마트(Smart) 내지 그레이(Grey)하게 대표성 오류를 적절히 활용하는 것이라 할 수 있다.

둘째, 보여주기 문화에서 찾을 수 있다. 해외여행에서의 한 사례로서 SBS뉴스(2016.05.08.)에서 보도된 내용 중 "등산복은 한국 사람?…… 해외관광 복장 '논란'"과 YTN 뉴스 보도에서 찾을 수 있다.

> 언제부턴가 중장년층 여행객들이 해외로 나갈 때 등산복을 입고 있는 모습, 자주 볼 수 있습니다. 활동성이 좋고 편해서일 텐데 일부 여행사에서는 단체 여행객들에게 등산복 착용을 자제해 달라는 안내까지 하고 있습니다. 등산복 입고 가는 해외여행, 여러분은 어떻게 생각하십니까?…… 황금연휴를 맞아 인천공항은 해외 여행객들로 붐빕니다. 인파 속에서 유난히 많이 눈에 띄는 건 알록달록한 등산복. 특히 단체여행객들은 마치 서로 맞춘 듯 등산복 일색입니다…… 여행지에서도 즐겨 입다 보니 등산복을 입은 건 한국인이라는 얘기까지 나올 정도입니다. 급기야 한 여행사는 최근 등산복을 자제해 달라는 문자를 고객들에게 보낸 것으로 알려졌습니다. 여행사 직원 曰 다른 외국인들이 볼 때 딱 보고 한국사람인 걸 알아본다는 거죠…… 최소한 박물관이나 식당에서는 예의상 등산복 차림은 삼가야…… 연간 해외여행객 2천만 명 시대를 맞아 가열되고 있는 논란거리입니다…… (https://news.sbs.co.kr).

덧붙여 YTN 뉴스에서도 "형형색색의 등산복, 편하고 가볍기 때문에 많이 즐겨 입으시죠? 요즘 해외여행을 갈 때도 빼놓지 않는 필수 품목이 되었습니다. 하지만 때와 장소를 가리지 않는 한국인들의 등산복 사랑이때론 비웃음거리가 되기도 합니다"라고 보도하였다. 이러한 관광문화 현상은 우리가 알고 있는 디드로 효과(Diderot Effect)의 역설(Paradox)이라고 할 수 있다.

그림 4-6 밴드웨건 효과의 하나로서 단체관광 등산복

그럼에도 불구하고 우리나라 사람들은 행동경제학 관점에서 보면, 직관적 판단 오류로서 대표성 휴리스틱(Representative Heuristic)을 자연스럽게 활용하고 있다고 할 수 있다. 예를 들어 관광서비스 생산자의 유니폼 서비스(Uniformed Service)와 마찬가지로 유형적 증거(Physical Evidence)인 인증샷과 등산복을 입음으로써 준거집단 간 또는 준거집단 내에서의 파워(Power)를 보여줄 뿐만 아니라 新카스트(Caste)를 형성할 수 있기 때문이다. 이러한 관광행동은 남의 행동을 따라하는 동조성(Conformity)에서 출발하는 것으로 사회적 관습과 규범이 존재하는 것은 우리가 다른 사람에게 동조하는 습성이 있기 때문이라고 할 수 있다. 그러나 이러한 관광행동을 무조건 비난할 수는 없는 이유는 우리나라 사람들의 생활문화이기 때문이다.

이러한 관광 스웜문화는 행동경제학의 대표성 휴리스틱의 하나로서 스마트 스웜문화와 그레이 스웜문화가 공존한다고 볼 수 있다.

지각위험하에서 관광객의 가치추구와 스웜문화

CHAPTER

05

지각위험하에서 관광객의 가치추구와 스웜문화

제1절 관광객의 가치와 리스크에 대한 태도

관광상품이란?

관광상품과 여행상품은 과연 개념이 같은 것일까? 일반적으로 관광상품에 대한 주류적 정의는 ① 미국학계 중심의 제품(Product) 정의, ② 독일과 일본학계의 제품 정의가 있다. 첫째, 미국을 중심으로 한 미국마케팅학회(American Marketing Association) 및 대표적인 학자들의 정의를 종합해 보면, 제품은 시장의 욕구를 충족시켜주기 위해 제공되는 것(Kotler & Levy, 1969)으로서 오늘날에는 광의의 제품 정의, 즉 유형재(Tangible Goods), 서비스, 이벤트, 사람, 장소, 조직, 아이디어 혹은 이들의 결합물(Kotler & Armstrong, 2008)이라는 것이다. 따라서 관광상품은 '시장의 1차적 욕구 또는 2차적 욕구를 충족시켜

주기 위해 제공되는 어떤 것'으로 정의할 수 있다. 이는 서비스 등을 포함하는 광의의 포괄적인 개념이다. 둘째, 독일 및 일본학계의 정의는 미국학계의 포괄적 정의와는 다소 차이가 존재한다. 즉 독일학계의 정의는 독일경제학에서 말하는 재화(Goods)와 서비스(Service)에서 출발하여 제품(Product)을 물품(Commodity)과 동일 개념으로 보고 있으며, 제품을 서비스에 대비되는 개념으로서 '기술생산품'으로 협의적 정의를 하고 있다. 이러한 상품 개념은 본래 물품(Commodity)에서 출발하여 자연생산물(Produce)과 기술생산품(Product)이 상업의 객체, 즉 상거래 대상이 되었을 때를 말한다(한희영, 1987).

나아가 관광학계 또는 관광산업에서 사용하고 있는 관광상품의 개념은 제2차 세계대전 이전 독일학계의 영향을 받은 일본학계의 영향으로 인해 관광상품으로 통용되고 있다고 할 수 있다. 이러한 독일학계의 정의를 중심으로 살펴보면, 상품이란 관광과 관련된 자연생산물과 기술생산품이 상업의 객체가 될 경우를 말한다. 결국 독일학계의 정의는 관광현실을 반영하기 어려우며, 또한 관광상품을 체계적으로 정의하는 데도 나름 한계가 있다고 볼 수 있다.

따라서 관광상품을 미국학계의 정의를 중심으로 광의의 포괄적 개념 관점에서 정의하면, '관광시장의 1차적 욕구 또는 2차적 욕구를 충족시켜주기 위해 제공되는 것'으로 정의할 수 있다. 한편 관광상품 용어 사용의 경우 일부 학자 중에는 관광제품이라고 표현하는 학자도 있으나 이 저서에서는 관광산업에서 일반적으로 통용되고 있는 관광상품으로 통일하기로 한다. 우리나라 「관광진흥법」상의 관광사업의 종류를 중심으로 관광상품의 유형을 살펴보면, 다음 [그림 5-1]과 같다.

첫째, 여행상품에는 기본적으로 ① 국내여행상품, ② 인바운드 여행상품(Inbound Tour), ③ 해외여행상품(Outbound Tour) 등이 있다. 그리고 해외여행상품에는 패키지상품(Package Tour), 주문상품, 소매상품이 있다.

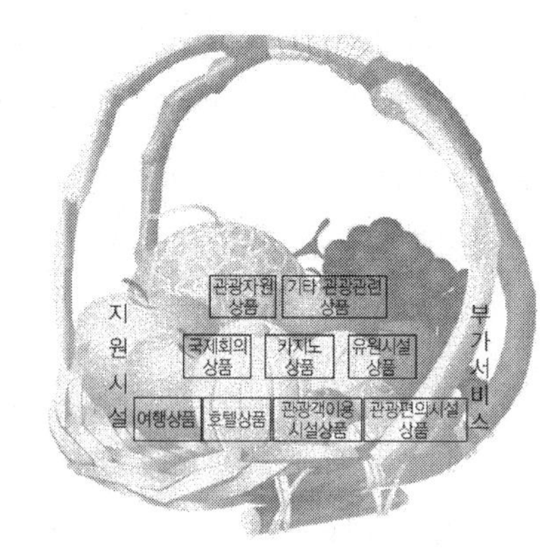

자료: 박중환(2016), 234.

그림 5-1 관광상품 바구니

둘째, 호텔상품에는 ① 객실상품, ② F&B상품, 그리고 ③ 부대시설상품이 있다. 셋째, 관광사업과 관련된 상품으로 ① 관광객이용시설상품, ② 관광편의시설상품, ③ 국제회의상품, ④ 카지노상품, ⑤ 유원시설상품, 그리고 ⑥ 관광자원상품이 있다. 넷째, 기타 관광 관련상품에는 ① 항공사, 크루즈, 렌트카 등 교통수단상품, ② 백화점, 면세점 등 쇼핑상품, ③ 병원 등 의료관광상품, ④ 낚시, 스쿠버, 템플스테이 등의 테마관광상품이 있다.

이러한 관광상품은 부가서비스(관광안내, 문화관광해설서비스 등 인적 서비스)와 지원시설(주차장, 화장실, 편의시설 등과 같은 관광지 지원시설 및 안내표지판, 관광안내소 등과 같은 관광안내정보서비스 시설 등)의 뒷받침이 전제되어야 한다.

한편 관광상품의 경우 그 복합성(Heterogeneity and Nonstandardization) 특성상 자체 또는 여타 관광 관련산업 간의 전략적 제휴(Strategic Alliance)와 같은 패키지도 있다. 이러한 관광상품 패키징(Service Packaging)에는 크게 1차적 패키징(Primary Packaging)과 여타 관광상품 연계의 파생적 패키징(Secondary Packaging)이 있다. 첫째, 1차적 패키징은 특정 상황하에서 관광객에게 제공되는 서비스 관련 아이템의 집합체(Item Sets)로 물질적 · 유형적인 요소와 무형적인 요소가 결합되어 만들어진 '혜택의 묶음(Bundle of Benefits)'이다. 관광상품의 성격은 바로 이들 패키지(Package)를 구성하고 있는 요소 중 특정의 주도적 요소에 의해 결정된다. 이것을 핵심 서비스(Core Service)라 하고 그 밖의 요소를 보조적 혹은 주변적 서비스(Peripheral Service)라 한다. 예를 들어 호텔 객실의 경우 투숙·휴식이 핵심적인 서비스이고 룸서비스(Room Service), 전망, 분위기, 하우스키핑(Housekeeping), 미니 바(Mini Bar), 어메니티(Amenity) 등은 주변적인 서비스가 된다. 물론 이러한 구분은 항상 명확한 것은 아니다.

관광상품 패키징(Packaging)은 여러 다양한 요소에 의해 결정되는데 이에 대한 분류는 아래 네 가지로 구분된다(Fitzsimmons & Sullivan, 1982). ① 편의지원시설 및 장비(서비스가 제공되기 이전에 있어야 할 물적 자원), ② 서비스에 필요한 물품(관광객에 의해 구매되거나 소비되는 물품 혹은 관광객에게 제공하는 물품), ③ 감각적 혜택 혹은 구체적 서비스(감각을 통해 쉽게 관찰할 수 있고 서비스에서 핵심적, 내재적 특성을 구성하고 있는 혜택), ④ 심리적 혜택 혹은 암묵적 서비스(관광객이 모호하게 감지하거나 서비스에서 보조적, 외재적 특성으로 느끼는 심리적 혜택)가 있다. 여기서 구체적 서비스와 암묵적 서비스의 개념적 차이는 존재하나 어느 것이 더 중요한지는 말하기 힘들다. 예를 들어 신혼여행을 특급 호텔에서 보내는 경우 훌륭한 객실에서의 편안한 휴식이 구체적인 무형적 혜택(Benefits)이 되며 아울러 특급 호텔에서의 등급이 주 혜택은 아니지만 부수적으로 자아 개념(Self Concept)을 높여 주는 암묵적인 무형적 혜택이 되는 것이다.

둘째, 파생적 패키징은 관광상품의 가치를 높이는 방법으로서 자타 내지 여타 관광상품 관련 기업과의 연계를 통한 패키징이다. 이는 기본적으로는 공생마케팅(Symbiotic Marketing) 내지 공동마케팅(Co Marketing) 콘셉트라 할 수 있다. 예를 들어 특정지역의 호텔이 가족관광 패키지를 개발할 경우 호텔서비스(객실+사우나+조식뷔페 등)에다 박물관 견학, 주변 관광지 견학, 다양한 체험프로그램을 부가하는 방법이다.

여기서 논의된 바와 같이 관광상품과 여행상품은 엄연히 개념적 차이가 존재한다.

관광객 가치와 즐거움

20세기에는 우리 사회가 소유가치를 중시하는 시대였다면, 21세기에는 존재가치를 중요하게 여기는 시대라고 할 수 있다. 이러한 가치관의 변화는 기호화, 상징화로 대변되는 포스트 모더니즘(Post Modernism) 시대를 거치면서 시작되었다고 할 수 있다. 한 광고회사의 조사에서도 나타났듯이 21세기는 Fusion 마케팅 시대로서 소비자 의식이 재미(Fun)를 중시하는 가치관으로 변화되었으며, 최근에는 YOLO(You Only Live Once) 및 소확행(小確幸) 가치를 중시하는 시대가 되었다. 특히 최근에 새로운 가치소비 시장에 등장한 MZ세대는 디지털 환경에 익숙하여 모바일을 우선적으로 사용하고, 최신 트렌드와 남과 다른 이색적인 경험을 추구하는 특징을 보인다. 특히 MZ세대는 SNS를 기반으로 유통시장에서 강력한 영향력을 발휘하는 소비 주체로 부상하고 있다. 이들은 집단보다는 개인의 행복을, 소유보다는 공유를, 상품보다는 경험을 중시하는 소비 특징을 보이며, 단순히 물건을 구매하는 데에서 그치지 않고 사회적 가치나 특별한 메세지를 담은 물건을 구매함으로써 자신의 신념을 표출하는 '미닝아웃(Meaning Out)' 소비를 하기도 한다. 또 자신의 성공이나 부를 과시하는 '플렉스(Flex)' 소비문화를 즐기며 고가 명품에 주저 없이 지갑을 여는 경향도 있다. 특히 이 세대는 자신이 가치를 부여하거나 본인의 만족도가 높은 소비재는 과감히 소비하고, 지향하는 가치의 수준은 낮추지 않는 대신 가격·만족도 등을 꼼꼼히 따져 합리적으로 소비하는 성향이 있다. 다시 말해 이들은 호경기 때는 남들에게 보이기 위해 소비하는 과시소비를 하며, 경제위기 때에는 무조건 아끼는 '알뜰소비'가 유행하는 특징이 있다. 특히 이러한 가치소비는 남을 의식하지 않는 자신만을 위한 플렉스(Flex) 소비와 함께 실용적이고 자기만족적인 성격이 강하며, 무조건 저렴한 상품이 아닌 가격 대비 만족도가 높은 제품에 대해서는 과감한 투자를 하는 특징이 있다.

일반적으로 가치(Value)란 비용당 효용으로서 사용가치, 교환가치, 상품가치, 이미지 가치 등이 있다. 트버스키와 카너먼(1992)의 프로스펙트 이론(Prospect Theory)에 의하면, 사용되는 가치 함수에서 평가의 기준이 되는 점을 준거점(Reference Point)이라 한다. 그러나 모든 사람의 가치 함수가 같은 형태라는 뜻은 물론 아니며, 함수의 형태에는 개인차가 있다. 또한 개인이라고 해도 결정해야 할 문제에 따라 달라지기도 한다. 현재의 상태(준거점)가 1,000만 원일 때와 1억 원일 때는 가치 함수가 다른 것이 일반적이다.

[그림 5-2]에서와 같이 관광객 총가치는 ① 핵심상품 가치, ② 유형상품 가치, ③ 확장상품 가치로 구성된다. 관광객의 총가치는 앞서 관광상품 수준에서 논의된 바와 같이 '혜택의 묶음(Bundle of Benefits)'으로서 핵심적 혜택으로서의 핵심상품(Core Product) 가치와 호텔의 객실과 F&B(Food and Beverage)와 같은 유형상품(Tangible Product) 가치, 그리고 인적 관광서비스와 관광지원시설, 서비스 보증(Service Assurance)과 같은 확장상품(Augmented Product) 가치의 결합으로 경험가치와 소유가치를 포함한다.

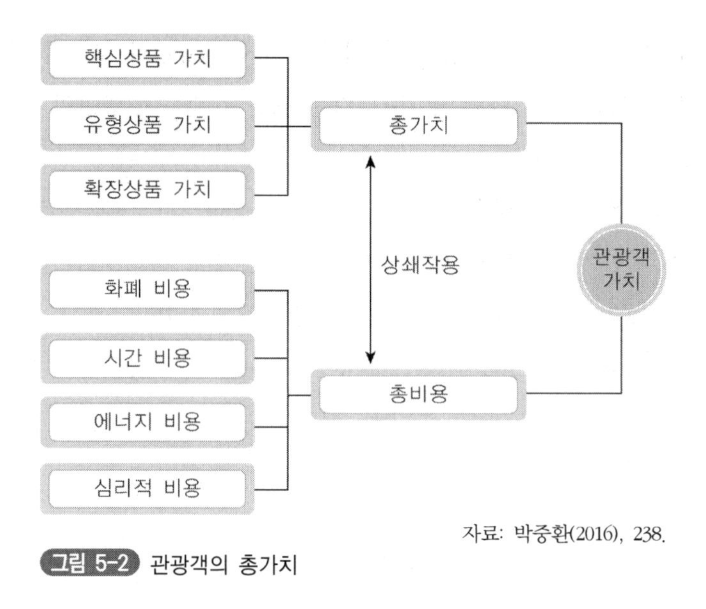

그림 5-2 관광객의 총가치

한편 관광객 총비용은 ① 관광객이 지불하는 화폐 비용, ② 관광객의 시간 비용, ③ 관광객의 에너지 비용, ④ 관광객의 심리적 비용으로 구성된다.

한 예로서 신혼여행지로 유명 관광지와 근교관광지를 비교해 보면, 유명 관광지의 경우 화폐 비용은 많이 들겠지만 확장상품 가치로서 이미지 가치가 크므로 '평생 자랑거리'가 될 수 있다. 따라서 심리적 비용은 관광객 총가치와 관광객 총비용의 상쇄효과로 인해 많이 들지 않는다고 할 수 있다. 반대로 근교 관광지로 신혼여행을 간다고 가정했을 때, '평생 한 번뿐인데!……'에 함몰되어 평생 동안 바가지를 긁히게 되어 심리적 비용의 누적 효과는 실로 상상하기 어려울 것이다. 결국 현명한 소비자라면, 평생 한 번의 신혼여행은 좋은 데(목적지)로 가야 한다. 따라서 관광마케터는 신혼여행 상품을 개발할 때 관광객 총가치와 관광객 총비용을 고려해야 하며, 오히려 고가 전략(Skimming Strategy)의 고품질 관광상품이 소구력(Appeal Power)도 클 수 있다는 점을 간과하지 말아야 한다.

결국 오늘날의 관광객 가치는 프롬(1976)이 말하는 '소유냐 존재냐(To Have or To Be)'의 문제와 총비용의 충돌이 아니라 경험가치 시대로 전환되고 있다. 즉 우리의 행복은 경험에 비례한다는 것이다. 특히 최인철 교수는 비교불문 행복을 주는 최고의 활동이 관광이라고 하였다.

결국 관광은 의미(Meaningful)와 재미(Pleasurable)를 모두 충족해 주는 경험가치를 복합적으로 제공해주기 때문이다.

관광객의 리스크에 대한 태도와 스웜문화

트버스키와 카너먼(1992)의 프로스펙트 이론(Prospect Theory)에 의하면, 일반적으로 사람들은 가치에 대해 '민감도 체감성(Diminishing Sensitivity)'이 있다. 사람들은 이익이나 손실의 가치가 작을 때에는 변화에 민감하여 손익의 작은 변화가 비교적 큰 가치 변동을 가져온다는 것이다. 반대로 이익이나 손실의 가치가 커짐에 따라 작은 변화에 대한 가치의 민감도는 감소한다는 것으로 이런 특성이 바로 민감도 체감성이다. 이 특성은 주류 경제학에서 가정하는 한계효용체감의 법칙과도 같은데, 손익의 한계 가치를 체감하는 것을 의미한다.

트버스키와 카너먼(1992)의 실험에서는 확률이 낮을 때 이익에 대한 리스크를 추구하는 대신 손실은 리스크 회피적으로 나타난다는 것이다. 즉 이것은 낮은 확률에 대한 과대평가로 인해 이익에 관해서는 리스크 추구로, 손실에 관해서는 리스크 회피로 나타남을 의미한다.

만약에 리스크가 없는 상태(확률이 1인 상태)에서 사건이 발생하면, 의사결정자가 받아들일 경우라고 하더라도 프로스펙트 이론(Prospect Theory)의 가치 함수에 의한 사고방식은 얼마든지 적용될 수 있다. 즉 리스크가 없는 확실한 경우에도 앞서 확인한 준거점 의존성이나 손실 회피성이 판단이나 선택에 두루 영향을 끼친다는 점이다. 즉 프로스펙트 이론에서는 준거점의 도입과 손실 회피성에 따라 무차별곡선이 표준 이론과 달리 결국 준거점이 어디에 있느냐에 따라 A와 B의 무차별 관계가 변화한다는 것이다(도모노 노리오, 이명희 역, 2007).

트버스키와 카너먼(1991)에 의하면, '손실 회피성(Loss Aversion)'이 사람의 행동에 미치는 영향을 잘 설명해 주는 개념은 '보유 효과(Endowment Effect)'나 '현상유지 바이어스(Status Quo Bias)'이다. 여기서 보유 효과란 사람들이 어떤 물건이나 상태(부동산, 지위, 권리, 의견 등)를 실제로 소유하고 있을 때는 그것을 지니고 있지 않을 때보다 그 자체를 높게 평가하는 것을 말한다. 이러한 보유 효과는 개인에 따라 다소 차이가 있지만 마케팅개념의 하나인 마브니즘(Mavenism) 현상과 유사하다.

보유 효과는 두 가지 의미에서 손실 회피성을 구체적으로 드러낸 사례다. 첫째, 소유하고 있는 물건을 내놓는 것(매각)은 손실로, 그것을 손에 넣는 일(구입)은 이익으로 느끼는 것이다. 둘째, 물건을 구입하기 위해 지불하는 금액은 손실로, 그것을 팔아서 얻는 금액은 이익으로 취급한다. 하지만 손실 회피성에 따라 어느 쪽이라 해도 이익보다는 손실 쪽을 크게 평가하게 된다. 따라서 손실을 피하려고 가지고 있는 것을 팔려 하지 않고, 실제로 소유하고 있는 물건에 대한 집착이 생기는 것이다.

사람들은 일반적으로 기회비용과 실제로 지불한 비용의 금액이 같을 때 후자를 더 소중하게 평가하는 경향을 보인다. 여기서 실제로 지불한 비용은 손실(−)이며, 기회비용은 얻을 수 있었지만 얻지 못한 이익(+)으로서 반드시 손실로 간주되는 것은 아닐지라도 양쪽이 같은 크기일 경우 손실 회피성에 따라 실제로 지불한 비용은 과대평가되고 기회비용은 경시되는 경향성이 있다는 것이다(도모노 노리오, 이명희 역, 2007).

이러한 보유 효과는 사람이 어떤 물건(권리나 자연환경, 경제 상태, 건강 상태 등)을 내놓고 그 대가로 희망하는 최솟값, 즉 수취의사액(Willingness to Accept)과 그것을 손에 넣기 위해 지불할 만하다고 생각하는 최댓값, 즉 지불 의사액(Willingness to Pay) 사이의 괴리를 의미하기도 한다. 한마디로 자신이 보유한 물건의 대가로 요구하는 액수는 그것을 가지고 있지 않을 경우에 구입비용으로 지불할 만하다고 생각하는 액수보다 크다는 것이다. 이 현상 자체는 신고전파의 효용이론에 모순된 것이 아니라 보유 효과에 따라 수취의사액과 지불의사액 사이에 차이가 존재함을 알 수 있다. 일반적으로 두 값(수취의사액과 지불의사액)은 일반 차이가 매우 적어 어떤 대상에 대한 평가로서는 어느 쪽 값을 사용해도 큰 차이는 없다고 되어 있으나, 트버스키와 카너먼의 실험 결과는 이와 같은 예상을 완전히 뒤집어놓았다(도모노 노리오, 이명희 역, 2007).

한편 관광자원가치 평가모델 중 가상적 가치평가법(Contingent Valuation Method: CVM)이 있다. 이 기법은 관광객의 지불의사액(Payment Intention) 중심의 평가기법으로서 특정의 관광자원과 직·간접으로 관련이 있는 사람들에게 가상적인 시장을 설정하여 직접 인터뷰 방식으로 인터뷰 대상자(Interviewee)가 관광자원을 이용하는 대가로 얼마를 지불할 수 있는가 하는 지불의사액을 설문조사해서 추정하는 기법이다. 그러나 수취(To Accept)와 지불(To Pay) 간의 차이를 충분히 고려해야 할 것이다.

손실 회피성에서 도출된 또 다른 성질로 사람들은 현재 상태(현상 유지)에서 변화하는 것을 회피하려는 경향이 있는데, 이러한 현상을 '현상유지

바이어스(Status Quo Bias)'라고 한다. 현재 상황이 특별히 나쁘지 않은 한 변화를 시도하면 좋아질 가능성과 나빠질 가능성 두 가지가 된다. 이때 손실 회피 작용이 발동하면 현상 유지에 대한 지향이 강해진다는 것이다.

이러한 현상은 인간이 쾌락을 얻는 구조 중 가장 중요하고 큰 특징으로서 플러스(+)적인 자극보다도 마이너스(−)적인 자극에 훨씬 민감하다는 것이다. 왜냐하면 우리는 일상 속에서 자신의 기분을 더 좋아지게 하는 것은 꽤 있긴 하지만, 지금의 기분을 상하게 하는 것은 무한대로 많기 때문이기도 하다.

제2절 관광상품 리스크로서 지각위험과 스웜문화

일반적으로 관광객들은 관광행동을 할 때 그것을 이용함으로써 발생할 수 있는 손실(Loss)의 불확실성에 빠지게 된다. 이와 같이 관광객이 관광행위를 할 때 지각하고 인지하는 위험을 지각위험(Perceived Risk)이라 한다. 관광객의 태도변수로서 지각위험은 예상되는 손실 개념과 부정적 결과 개념이다(박중환, 1999; 2009). 이러한 지각위험은 구매자가 브랜드 선택 등 구매상황에서 객관적인 상황인식에서 벗어나 주관적으로 지각하는 위험으로서(Bauer, 1960) 크게 두 가지 측면에서 논의된다. 그것은 '예상되는 손실'과, '부정적 결과'이다. 첫째, '예상되는 손실' 개념의 대표적 학자로는 머레이 등(1990)이 있다. 이들은 여러 학자들(Greene and Serbein, 1983;

Jacoby and Kaplan 1972; Roselius 1971 등)의 견해를 종합하여 지각위험을 특정 제품의 구매와 이용에서 발생하는 '예상되는 손실(Expected Loss)'의 유형과 정도로서 '소비자 구매 이전의 불확실성 경험'으로 정의하였다. 둘째, '부정적 결과' 개념의 대표적 학자로는 바우어(1960)와 콕스(1967) 등이 있다. 특히 바우어는 지각위험을 두 개의 차원, 즉 불확실성과 부정적 결과로 정의하였다. 이러한 지각위험 개념들은 저비용항공사 서비스에 적용할 수 있다. 즉 고객이 항공권을 예약(구매의사결정)한 후, 실제로 이용하기 전까지는 선택의 결과로 나타나는 구체적인 유형적 단서가 없으므로 구매의사결정이 만족스러운지 알 수 없다. 따라서 구매상황에서 지각위험이 발생한다.

특히 저비용항공사 서비스에서 지각위험이 많이 발생하는 이유는 첫째, 관광객과 항공사 간 서비스 인카운터에서 유·무형의 인적·물적·시스템적 활동과 경험의 총체로 관광객의 참여와 함께 경험재(무형성)의 특징이 있다. 둘째, 항공사 예약은 구매시점과 탑승시점 간의 시간적인 갭이 매우 크다. 셋째, 저비용항공사 서비스는 관광객이 항공기를 이용하기 전에 획득할 수 있는 항공서비스 정보의 양이 적기 때문이다.

여기서 논의될 수 있는 이슈는 지각위험을 예상되는 손실의 개념으로 볼 것인가 하는 문제와 부정적인 결과의 개념으로 볼 것인가 하는 문제이다. 따라서 본 저서에서는 지각위험을 그린 등(1983)의 정의에 근거하여 주관적으로 지각하는 예상되는 손실 내지 불확실성으로 정의한다.

이러한 관점에서 관광분야의 선행연구들을 중심으로 지각위험 요인들을 살펴보면 다음 표와 같다.

표 5-1 지각위험의 유형

선행연구(연도)	지각위험의 유형
Peter & Ryan(1976)	① 재무적 위험, ② 기능적 위험, ③ 신체적 위험, ④ 심리적 위험, ⑤ 사회적 위험, ⑥ 시간손실 위험
Mayo & Jarvis(1981)	① 기능적 위험, ② 사회심리적 위험
Mitchell(1999)	① 금전적 위험, ② 숙박시설 관련 위험, ③ 기능적 위험
박중환(1999, 2009)	① 물리적 위험, ② 기능적 위험, ③ 재무 · 심리적 위험, ④ 사회적 위험, ⑤ 문화적 위험
이경환(2000)	① 기능적 위험, ② 사회심리적 위험, ③ 금전적 위험, ④ 신체적 위험
이정자 · 윤태환(2007)	① 신체적 위험, ② 시간적 위험, ③ 경제적 위험, ④ 성과적 위험, ⑤ 심리적 위험, ⑥ 사회적 위험
최휴종(2011)	① 재무적 위험, ② 기능적 위험, ③ 물리적 위험, ④ 시간적 위험, ⑤ 심리-사회적 위험
김홍범 · 윤진영 · 이재형(2012)	① 사회 위치적 위험, ② 신체위험, ③ 안전위험, ④ 시설 및 기능위험, ⑤ 금전적 위험
유창근 · 이혜린(2014)	① 신체적/심리적 위험, ② 기능적 위험, ③ 시간적 위험, ④ 재무적 위험
최진주 · 김형곤(2014)	① 항공권 구매에 대한 위험지각, ② 기체의 안전에 대한 위험지각, ③ 기내서비스에 대한 위험지각

특히 박중환(1999)의 연구에서는 패널(Panel)을 이용한 종단연구(Longitudinal Analysis)를 통해 지각위험의 정도가 서비스 이용 시간에 가까워질수록 줄어든다는 사실을 확인하였다.

덧붙여 지각위험과 관련된 유사개념으로는 손실(Loss), 위험 사상(Perils), 그리고 해이(Hazards)가 있다. 그린 등(1983)에 의하면, 손실은 경제적 손실(Economical Loss)을 의미한다. 위험 사상은 손실이 발생될 수 있는 사상(Event)으로 화재, 폭풍, 혹은 폭발 등이 이에 해당된다. 그리고 해이(Hazards)는 손실의 빈도와 규모에 영향을 미치는 조건(Condition)을 의미한다(박중환, 1999; 2009).

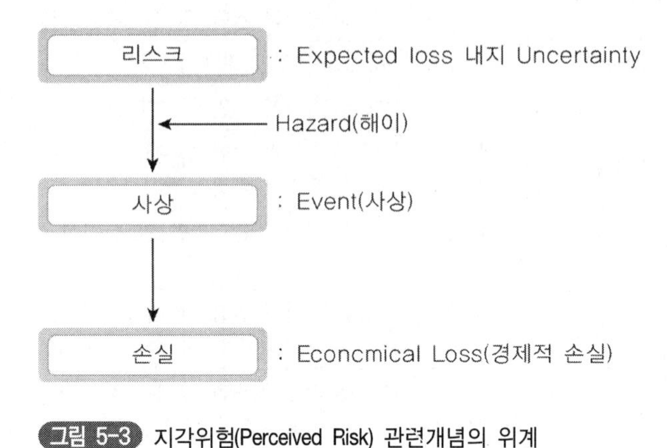

그림 5-3 지각위험(Perceived Risk) 관련개념의 위계

그림에서 알 수 있듯이 그린 등(1983)은 손실을 경제적인 측면에 초점을 두고 있다. 그러나 관광서비스의 경우 관광객이 지각하는 위험(Perceived Risk)에는 경제적 손실 이외에도 시간적 손실, 에너지 손실, 심리적 손실 등이 있다.

관광상품 구매에서의 지각위험과 스웜문화

관광객 태도변수로서 지각위험은 대개 불확실한 구매 및 이용 상황에서 일어난다고 보고 있다.

관광상품 구매에서 구매자가 지각하는 지각위험에는 제품 범주 위험(Product-category Risk)과 제품 관련 특정 위험(Product Specific Risk)이 존재한다. 미첼(1999)에 의하면, 제품 범주 위험은 특정 관광상품 범주를 이용하는

그림 5-4 관광상품(번지점프)에서의 고(高) 지각위험 사례 이미지

데 있어서 본질적 위험에 대한 관광객 지각을 말하며, 제품 관련 특정 위험은 특정 관광상품 이용과 관련된 구체적 위험이라 할 수 있다. 이러한 측면에서 이경환(2000)은 지각위험을 관광상품 이용행동에서 나타나는 것으로 보았으며, 특히 상품범주에 따른 본질적 위험지각이 아닌 특정 패키지 관광상품에 대한 구체적 위험으로 보았다. 그러나 지각위험에 대한 연구들이 사회과학의 주요 이슈로 구매의사결정 단계에서의 제품 평가와 선택 및 구매행동을 중심으로 연구되어 왔다는 점에서 보다 확대된 해석이 필요하다. 또한 관광상품 구매에서 발생될 수 있는 지각위험은 가치함수의 특성 중 하나인 손실 회피성 관점에서도 설명할 수 있다. 대표적 학자로서 트버스키 등(1991)은 많은 연구를 통해 행동경제학적 관점에서 "인간이 쾌락을 얻는 구조 중 가장 중요하고 큰 특징은 플러스적인 자극보다도 마이너스적인 자극에 훨씬 민감하다"고 보았다. 명백하게 같은 금액일 경우 손실이 이익보다 큰 영향을 끼친다는 것이다. 즉 손실회피계수(λ)는 2.25로서 우리는 일상에서 이익(+)보다는 손실(−)을 2.25배 크게 평가하는 경향성이 있다는 의미이다. 결국 이러한 바이어스는 우리들이 흔히 일상에서 쓰고 있는 '좋은 일에는 방해되는 일이 많다'는 호사다마(好事多魔)나 일체개고(一切皆苦)와 연결된다. 특히 과학전문 매체 '사이언스 데일리(ScienceDaily)'와 한국과학기술정보연구원에 따르면 사람들은 부끄럽거나, 놀라거나, 짜증나거나 심지어 지루함을 느낄 때보다 슬픈 감정을 느낄 때 240배 정도 더 오래 기억하는 것으로 나타났다(국제신문, 2014.11.16.). 이때 우리에게 필요한 것은 '외상 후 성장(Posttraumatic Growth)'과 '오늘을 즐겨라(Carpe Diem)', 그리고 '운명을 사랑하라(Amor Fati)'이다.

결국 관광상품은 무형성의 특성상 지각위험 연구의 필요성이 더 크다고 할 수 있다.

저비용항공사 서비스의 지각위험과 스웜문화

우리나라 항공시장은 저가격 · 고품질의 가성비(價性比) 소비 트렌드와 오픈 스카이(Open Sky) 시대가 도래하면서 저비용항공사(Low Cost Carrier: LCC)의 시장점유율은 점차 높아지고 있다. 우리나라 저비용항공사들은 이러한 시장상황에 발맞춰 가격 경쟁력을 앞세워 "흥행 돌풍"(동아일보, 2017.6.14.)은 물론 적극적으로 국제선 노선을 확충하고 있다. 특히 2013년 1,569만 명 이용실적을 기록한 이후 다시 큰 폭으로 성장하여(국토교통부, 2014) 2015년에는 시장점유율에서 이미 대형항공사(Full Service Carrier)를 추월했으며, 국제선에서 차지하는 비중도 급격히 증가하고 있다(네이버뉴스, 2016. 5.3.).

그림 5-5 저비용항공사 이미지

이와 관련하여 최근 우리나라 언론에 비친 저비용항공사 서비스에 대한 지각위험 관련 주요 사례를 요약해 보면 다음 〈표 5-2〉와 같다.

표 5-2 언론에 비친 저비용항공사 서비스 지각위험 주요 사례

언론사(게재일)	주요 기사 내용	지각위험 유형
뉴시스(2017년 6월 26일)	"세탁기처럼 흔들려 말레이시아 저가항공… 회항"	신체적 위험
중앙일보(2017년 5월 24일)	"항공사 중 1분기 지각대장은 국내선 진에어…"	시간손실 위험
동아일보(2017년 4월 26일)	"진에어 국내선 지연 3대 중 1대꼴… 항공권 환급 민원 최다"	기능적 위험, 경제적 위험
제주신보(2017년 4월 10일)	"저가항공사가 요금 인상 주도…"	경제적 위험
한겨레(2017년 4월 7일)	"말뿐인 저가항공 대한항공과 국내선 요금 비슷"	경제적 위험
MBC TV(2017년 2월 10일)	"턱없이 부족한 정비인력, 항공기 안전 빨간불"	기능적 위험
중앙일보(2016년 4월 21일)	"저비용항공사 안전대책 강화"	신체적 위험
부산일보(2016년 4월 1일)	"저가항공 부실정비, 정비사 피로누적 탓"	기능적 위험
국제신문(2016년 2월 11일)	"'배짱운항 뒤엔 배짱 점검'"	기능적 위험
부산일보(2016년 2월 2일)	"LCC(저비용항공사) 툭 하면 결항 · 지연… 보상체계 손봐야"	기능적 위험, 경제적 위험
조선일보(2016년 1월 9일)	"엔진에 '새' 끼어 회항… 저가항공사 안전 괜찮은가"	신체적 위험
국제신문(2016년 1월 8일)	"저비용항공, 이제는 안전이다…"	신체적 위험
MBC라디오(2016년 1월 4일)	"저비용 항공사, 항공기 노후화와 정비인력 부족"	기능적 위험
조선일보(2014년 4월 29일)	"저가항공 안전도 걱정…낡은 항공기 정비능력도 부족"	기능적 위험

표에서의 핵심 주제는 부실정비, 요금 비슷, 결항 및 지연, 환급, 회항 등이라 할 수 있다. 이러한 기사들은 저비용항공사 서비스에 대해 연상되는 단어로서 핵심 개념인 지각위험과 관련된 것이라 할 수 있다. 또한 저비용항공사 서비스 수단으로서 항공기 기령비교 역시 본 저서의 개념 중 하나인 지각위험과 관련된 사례라고 할 수 있다.

표 5-3 저비용항공사와 대형항공사 기령 비교

구분		보유항공기	평균기령
저비용항공사 (Low Cost Carrier)	제주항공	15대	12.9년
	에어부산	12대	15.0년
	진에어	11대	13.7년
	이스타항공	9대	12.6년
	티웨이항공	7대	11.3년
대형항공사 (Full Service Carrier)	대한항공	148대	9.0년
	아시아나항공	83대	9.3년

자료: 조선일보(2014.4.29.).

표에서와 같이 저비용항공사의 경우 항공기령이 평균 11.3년에서 15년 정도인 것으로 나타나 상대적으로 대형항공사(Full Service Carrier)에 비해 낡은 비행기로 운영하고 있다. 또한 국토교통부 통계 「2017년 1분기 항공서비스 보고서」에 따르면, 국내선의 경우 진에어가 17.56%, 제주항공이 14.38%, 그리고 에어부산이 13.57%의 지연율을 보인 것으로 나타났다. 여기서 '지연'이라 함은 이착륙이 예정보다 30분 이상 늦어지는 것을 말한다. 또한 최휴종(2011)의 연구에 의하면, 저비용항공사의 지각위험 정도가 상대적으로 큰 것으로 나타났다.

표 5-4 저비용항공사와 대형항공사의 지각위험 비교(5점 척도)

	저비용항공사(LCC)	대형항공사(FSC)
재무적 위험	3.26	3.04
기능적 위험	4.06	3.75
신체적 위험	4.17	3.71
심리사회적 위험	3.53	3.38
시간적 위험	3.94	3.73

자료: 최휴종(2011).

박중환(2017)의 연구에 의하면, 전체(n=189)적으로 저비용항공사 서비스에 대한 지각위험의 정도는 대개 중앙값(4점) 이하로 나타났다는 점에서 생각보다 크지 않았다.

표 5-5 저비용항공사의 지각위험 요인별 비교(7점 척도)

저비용항공사	기능적 위험	시간손실 위험	신체적 위험	사회심리적 위험	경제적 위험
제주항공(n=41)	3.7560	3.6524	4.0001	2.4716	3.6890
진에어(n=44)	3.3750	3.4375	3.3864	2.5606	3.8352
에어부산(n=92)	3.9792	3.9348	3.9601	2.9457	3.7527
이스타 등 기타(n=12)	4.0833	4.1250	4.9445	3.3333	4.7083
전체(n=189)	3.8182	3.7995	3.9287	2.7968	3.8489

자료: 박중환(2017).

표에서와 같이 지각위험의 정도는 7점 만점에서 신체적 위험 3.9287, 경제적 위험 3.8489, 기능적 위험 3.8182, 시간손실 위험 3.7995, 사회심리적 위험 2.7968로 나타났다. 특히 저비용항공사 서비스의 경우 앞서 언급한 최휴종(2011)의 연구결과와 같이 이용승객들이 상대적으로 안전과 관련된 신체적 위험을 크게 느끼는 것으로 나타났다. 이러한 실증분석 결과는 저비용항공사 서비스가 저비용(혹은 저가)이라는 손실 프레임(Loss Frame) 효과에 기인한다고 할 수 있다. 즉 저비용항공사의 경우 이용승객들은 저가 메리트 때문에 이용하면서도 늘 신체적 위험 등을 지각하는 것으로 판단되므로 이에 대한 팩트, 즉 알고리즘 중심의 신뢰성 있는 정보제공 등 보다 적극적인 손실 프레임 제거 노력과 함께 이득 프레임(Gain Frame) 극대화 노력을 해야 한다는 점을 시사한다.

제주항공의 경우 신체적 위험과 기능적 위험이 큰 것으로 나타났다. 따라서 앞의 〈표 5-3〉에서와 같이 평균기령이 12.9년임을 고려하여 새로운 항공기 도입을 적극적으로 검토할 필요성이 있으며 '안전' 개념의 포지셔닝 전략도 필요함을 시사한다. 진에어의 경우 경제적 지각위험이 여타 요인에 비해 큰 것으로 나타났다. 특히 한겨레(2017.4.7) 보도 내용("말뿐인 저비용항공 대한항공과 국내선 요금 비슷")과 동아일보(2017.4.26) 보도내용("진에어 국내선 지연 3대 중 1대꼴…… 항공권 환급 민원 최다")을 교훈 삼아 가격경쟁력 제고와 환불과 지연에 따른 보상시스템의 구축과 함께 마케팅 커뮤니케이션 노력이 필요함을 시사한다. 에어부산의 경우 기능적 지각위험과 신체적 지각위험이 상대적으로 큰 것으로 나타났다. 특히 에어부산은 노후 항공기 이미지 일소 노력이 더욱 필요하다고 할 수 있다.

저비용항공사 이용승객의 지각위험은 연령대별로 20대 이하 집단(n=82)은 기능적 위험(3.4043), 신체적 위험(3.4919), 사회심리적 위험(2.5285) 순으로 나타났으며, 50대 이상 집단(n=23)은 기능적 위험(4.7174), 신체적 위험(5.0580), 사회심리적 위험(3.9565) 순으로 나타나 연령대가 높아질수록 이들 요인에 대한 지각위험이 커지는 것으로 나타났다.

저비용항공사 이용승객은 월소득이 높을수록 지각위험의 정도가 큰 것으로 나타났다. 특히 월소득 200만 원 미만 집단(n=87)의 경우 기능적 위험(3.4146), 사회심리적 위험(2.3755) 순으로 나타났으며, 400만 원 이상 집단(n=29)의 경우 기능적 위험(4.7587), 사회심리적 위험(3.9885) 순으로 나타났다.

저비용항공사 이용승객은 이용경험이 늘어날수록 기능적 지각위험의 정도가 대체적으로 큰 것으로 나타났다. 현재는 이용경험이 없는 향후 이용예정인 집단(n=33)의 경우(3.3106), 4회 이상 경험이 많은 집단(n=43)의 경우(4.5407)로 나타났다.

따라서 저비용항공사는 응답자들의 연령대가 높아질수록, 월소득이 높을수록, 이용횟수가 늘어날수록 지각위험의 정도가 커진다는 점에서 목표시장에 맞는 보다 정밀한 맞춤식 마케팅전략의 개발과 구사가 필요하다는 점을 시사하고 있다.

제3절 관광객의 손실회피성 브랜드 가치추구와 스웜문화

『쇼핑학』(Buyology)의 저자인 린드스트롬(2010)은 “성공하는 브랜드는 종교적 요소를 가지고 있다”고 설명했다. 그는 “할리 데이비슨, 애플, 헬로키티, 디즈니, 레고 등 이름만으로 소비자를 설레게 하는 브랜드를 구매하는 고객들은 단순 소비자라기보다는 철저한 신자에 가깝다”며 “어떤 땐 이성적 사고를 마비시키기까지 하는 브랜드의 브랜딩 전략을 참고할 필요가 있다”고 말했다.

이러한 맥락에서 오늘날 마케팅 환경에서 이미지가 중요해진 이유는 이미지는 행동을 일으키는 잠재적인 힘이 있으며 추상적인 것으로 보이지만 실제로는 행동을 좌우하는 요인이 될 수 있기 때문이다. 브랜드 이미지는 특정 브랜드가 오랫동안 만들어지고 판매되는 가운데 사회적으로 형성된 심리적 소산이라 할 수 있는바, 작게는 정서적 반응으로부터 크게는 판매에 영향을 미치는 정서적 작용을 총칭한다(오두범, 1984).

일반적으로 소비자들은 새로운 브랜드가 시장에 출시되면, 특정 시점에 그 브랜드를 인지하는 집단과 인지하지 못하는 집단으로 나뉜다. 이러한 소비자들에게 인지된 브랜드는 크게 ① 고려대안조(Evoked Set), ② 비활성조(Inert Set), ③ 불호조(Inept Set)로 나뉘어진다.

나라야마 등(1975)의 연구에 의하면, 특정 브랜드에 대한 구매의도 조사에서 인지 세트가 10.6%일 때, 고려대안조 3.5%, 비활성조 4.7%, 불호조 2.4% 비중인 것으로 나타났다. 또한 일반적으로 소비자들은 구매를 고려하는 브랜드 수(고려대안조)는 대개 5개 내외인 것으로 나타났다.

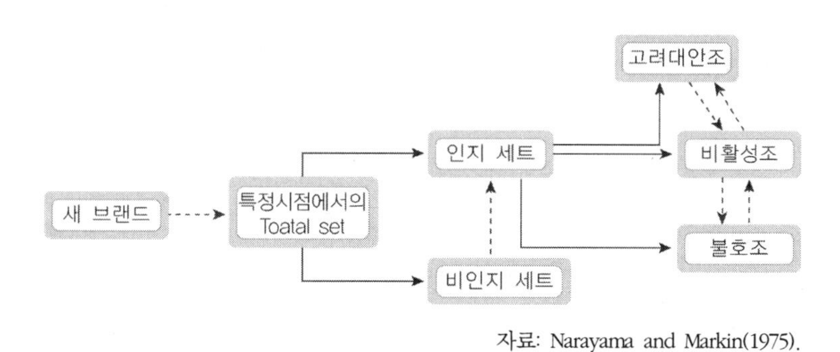

자료: Narayama and Markin(1975).

그림 5-6 New Brand 인지 세트

체인호텔 브랜드와 고객의 호텔 브랜드 가치추구

세계적인 체인호텔 브랜드에는 ① Marriott International, ② Hilton Hotels & Resorts, ③ Starwoodhotel Hotels and Resorts Worldwide, Inc., ④ Hyatt International, ⑤ Accor Group 등이 있다. 이들 체인호텔들은 목표시장(Target Market)전략 측면에서는 완전포괄 내지 선택적 전문화를 추구하고 있으며, 브랜드 파워를 이용한 시장선도력 유지, 규모의 경제를 실현하고 있다. 그 외 세계적인 체인 호텔로는 Intercontinental Hotel Group, Best Western International, Four Seasons Hotels and Resorts, Shangrila Hotels and Resorts 등이 있다.

양정윤 · 박중환(2010)의 연구에 의하면, 호텔 브랜드 가치(Brand Equity)는 모두 전환비용에 정(+)의 영향을, 전환비용은 애호도에 정(+)의 영향을 미치는 것으로 확인되었다. 결과적으로 호텔 브랜드 가치의 하위 변수인 브랜드 인지도(경로계수: .146), 브랜드 이미지(경로계수: .526), 지각품질(경로계수: .398)이 호텔고객이 지각하는 전환비용에 긍정적인 영향을 보여주고 있음을 확인하였는데, 여기서 브랜드 이미지가 상대적으로 더 많은 영향을 미침을 알 수 있다. 이는 기존 연구들의 가설과 일치하며, 전환비용의 선행조건으로 호텔 브랜드 가치의 중요성을 시사하고 있다. 또한 호텔고객이 지각하는 전환비용이 애호도의 하위 차원인 태도적 애호도와 행동적 애호도에 긍정적인 영향을 보여주고 있음을 확인하였다(양정윤·박중환, 2010). 또한 레몬 등(2001)은 기업의 실질 가치를 높여주는 수단이 되는 브랜드를 통한 고객의 감정적인 유대관계를 강조하였으며, 마틸라(A. S. Mattila)는 고객이 서비스에 가치를 부여할 때 브랜드에 관한 긍정적인 결정을 한다고 하였다(이상호·박중환, 2013). 결국 호텔 고객은 손실을 회피하고자 하는 욕구를 기저로 하여 위험회피 휴리스틱 소비를 하게 된다. 따라서 호텔 기업에서는 브랜드 가치(Brand Equity)의 중요한 변수인 브랜드 인지도, 브랜드 이미지, 그리고 지각품질이 결국 고객의 애호도로 연결되므로 무한 경쟁시대에서 경쟁우위를 달성하기 위해서는 고객 애호도를 이끌어 낼 수 있는 통합적인 브랜드 가치 개발전략이 필요하다.

관광객의 여행사 브랜드 가치추구 및 선택 속성

일반적으로 관광객은 자신의 의사결정에서 손해를 보지 않기 위해 위험회피 휴리스틱에 근거하여 손실회피 의사결정을 한다. 이러한 결정의 대표적인 사례가 사회적 증거 내지 경험의 법칙에 의한 여행사 브랜드 가치 추구 성향인 것이다. 이러한 브랜드 추구 성향은 대규모 여행사로의 쏠림현상으로 나타나고 있는 것이 오늘날의 현실이다. 결국 이러한 쏠림 현상은 선호되고 신뢰하는 브랜드 이미지에서 출발한다. 이러한 브랜드 이미지는 크게 네 가지 속성으로 요약할 수 있다(임창열, 1998). 첫째, 브랜드 이미지를 상품이 지니고 있는 물리적 속성에 중점을 두어 속성에 대한 신념의 집합이라는 관점에서 설명하는 것이다. 둘째, 브랜드 이미지를 소비자가 상표에 대해 주관적으로 갖게 되는 정서적 측면을 강조하여 설명하는 것이다. 대표적으로 트커(1957)는 브랜드 이미지를 상표나 브랜드에 대해 소비자가 갖는 주관적 의미라고 정의하였다. 또한 제인 등(1976)은 제품특성의 경우 제품에 대해 정서적 감정을 충분히 반영하는 제품 자체의 보다 구체적·기술적·물리적인 성질로서 이것이 오랜 시간을 통해 소비자의 정서적 감정에 영향을 미침으로써 이미지가 형성된다는 것이다. 셋째, 브랜드 이미지를 복합적 지각이라는 관점에서 설명하는 것이다. 아아커 등(2002)은 브랜드 이미지가 의미를 지니고 조직화된 연상들의 집합이라고 하였다. 따라서 브랜드 이미지는 상품의 물리적 특성과 이에 대한 주관적 연상이나 감정까지를 포함한 브랜드에 대한 포괄적 의미로 정의할 수 있다(윤태환·전재균, 2009).

한편 브랜드 이미지는 브랜드 가치(Brand Equity)로 이어진다. 아아커(1996)는 브랜드 가치를 "한 브랜드의 이름 및 상징과 관련된 자산과 부채의 총체로서 소비자가 특정 브랜드에 호감을 가지고 그 브랜드를 부착함으로써 제품의 가치가 증가된 부분"이라고 정의하였다. 또한 경쟁우위를 통한 차별화를 이끌 수 있다는 점에서 중요하다고 하였다.

이러한 브랜드 가치는 소비자가 특정 브랜드를 알고 있고, 그 브랜드에 대해 호의적이고, 강력하며 독특한 이미지를 가지고 있을 때 형성된다. 특히 브랜드 인지도는 통합적 마케팅 커뮤니케이션의 시작점으로서 소비자가 특정 브랜드를 다른 브랜드와 어느 정도 구별할 수 있는가의 개념이다. 이러한 브랜드 가치 구성요인을 종합해 보면 다음과 같다.

대부분의 연구자들의 연구를 종합해 보면, 브랜드 가치는 브랜드 인지도(Brand Awareness), 브랜드 이미지(Brand Image), 브랜드 애호도(Brand Loyalty), 지각품질(Perceived Quality)의 4가지 요인으로 구성된다. 이러한 브랜드 가치는 서비스의 구매의 경우 소비자가 구매 전 상품평가가 힘든 부분, 즉 금전적 측면과 사회적 측면, 그리고 안전과 관련된 위험부담을 감소시킨다(Berry, 2000). 따라서 브랜드 가치는 특히 해외여행상품 특성상, 즉 상품 구매 전(t_1 시점), 구매(t_2 시점), 구매 후(t_3 시점), 그리고 관광행동(t_4 시점)이라는 과정상에서 볼 때 중요한 역할을 수행한다.

표 5-6 여행사 브랜드 가치 구성요인

연구자(연도)	구성요인
Aaker(1991)	애호도, 인지도, 지각품질, 연상 이미지, 특허, 등록상표, 유통관계 등과 같은 기타 독점적 브랜드 자산가치
Martin & Brawn(1991)	지각품질, 지각가치, 이미지, 신뢰성, 관계유지욕구
Keller(2003)	브랜드 인지도, 브랜드 이미지
이미영(2003)	충성도, 차별성, 지각품질
김연선(2004)	이미지, 애호도, 지각품질, 인지도
김연선 · 김철원(2007)	인지도, 차별화, 신뢰, 지각품질, 위신, 애호도
백정숙(2006)	인지도, 지각품질, 이미지, 애호도
박중환(2009)	여행상품품질, 여행사 애호도, 여행사 인지도, 여행사 이미지

자료: 박중환(2009), 374.

특정 브랜드가 소비자에게 선택되어 구매되기까지는 브랜드 인지도 형성 → 브랜드 이미지 형성 → 브랜드 애호도 형성의 단계를 거쳐야 한다(정성태, 2006). 여기서 높은 브랜드 인지도는 브랜드 자산에 긍정적으로 연관되므로 구매자가 구매하려는 시점에 브랜드에 대한 호의적인 행동을 이끌게 될 수 있다(Yoo, Donthu & Lee, 2000). 만약 특정 브랜드가 차별적으로 지각되지 않는다면 그 브랜드는 경쟁우위를 유지할 수 있는 가격 프리미엄이나 마진을 얻을 수 있는 가격을 유지하기 어렵게 된다. 나아가 브랜드 이미지는 소비자가 상품에 대해 직 · 간접적인 경험을 통해 가지는 제품속성이나, 혜택(Benefits) 등의 전체적인 이미지로 그 상표와 연합된 감정들을 포괄한다. 결국 특정 여행사에 대한 브랜드 가치요인들이 모여 그 여행사를 선택하게 된다.

한편 여행사 선택속성에 관해서 국내외의 많은 연구자들이 연구를 해오고 있다. 스토발(1992)은 여행사를 이용하는 고객들이 중요시하는 항목들을 조사하였는데 여행사의 평판, 관광목적지, 안내원의 포함 여부, 여행일정의 짜임새, 과거 경험, 단체관광의 안전성, 여행사를 통한 예약가능성 여부, 가격, 친구나 친지의 권유, 여행사의 권유, 새로운 친구와 사귐 등의 순서로 나타났다. 켄달 등(1989)은 여행사의 광고가 고객을 유인하는가에 대한 연구에서 널리 알려진 장소(Hawaii)에 대한 광고와 낯선 곳(Fiji)에 대한 광고에 노출된 집단은 일반적 견해, 즉 낯선 장소를 광고한 여행사가 그곳의 전문여행사라고 생각하여 문의전화를 하고 실제로 예약도 할 것으로 예측하였지만 관광객들은 두 광고를 실시한 여행사 모두에 전화만 하고 실제 예약은 자신들의 단골여행사에서 하였다. 즉 여행사 이용고객의 경우 여행사의 신문광고를 통해서는 여행사를 차별적으로 인식하지 못한다는 것이다. 또한 르블랑스(1992)는 패러슈라만 등(1985)의 기존의 서비스 품질 측정 척도로 여행사에 적합한 변수 50개를 9개 요인으로 개발하여 상용 관광객과 순수 관광객을 대상으로 여행사 서비스 품질에 대한 관광객 지각을 연구했는데 전반적으로 여행사 이용고객들은 기업이미지, 경쟁력, 예절성, 응답성, 접근성, 능력 요인들을 중요시한다고 하였다.

김성혁 · 전기환(1996)은 여행사 선택속성에 대한 차이를 연구했는데, 관광목적, 해외 관광경험, 관광형태 및 여행사와 관광상품에 대한 우선순위 정도로 구분하여 t-test 방식을 사용하였다. 그 결과 단체 관광객은 인적서비스 수준, 단골여행사 및 잘 아는 직원의 유무가 중요시된다는 사실을 확인하였다. 특히 개인 관광객은 정보제공능력, 고객관리 및 전화응답성을 중요시하였으며, 해외관광 유경험자가 비경험자에 비해 인적서비스나 단골여행사, 단골직원에 대해서 더 중요시하는 것을 확인하였다.

제4절 관광객의 구전효과와 스웜문화

구전(Word of Mouth)은 입소문으로서 일반적으로 특정 제품과 서비스에 대해 소비자들 사이에 주고받는 커뮤니케이션이며, 소비경험이라고 할 수 있다. 황의록 · 김창호(1995)는 특정 주제에 관한 소비자들 간의 개인적인 직 · 간접 경험에 대해 긍정적 혹은 부정적인 내용의 정보를 비공식적으로 교환하는 의사소통행위 또는 과정이라고 정의하였다. 구전은 일대일 커뮤니케이션으로서 다른 커뮤니케이션보다 효과가 크고 기업의 상업적 원천이 아니라 소비자들 개개인이 원천이기 때문에 신뢰도가 높다. 오늘날의 현명한 소비자들은 구매의 실패와 손실회피를 위해 구매 전에 많은 정보를 구하고자 한다. 이러한 정보획득 방법 중의 하나가 친지나 이웃으로부터의 정보 습득, 즉 구전 커뮤니케이션을 이용한 정보습득이다. 아아커 등(1982)은 구전 커뮤니케이션을 광고의 수신자가 친구나 동료에게 이야기함으로써 정보의 원천이 되는 형태의 커뮤니케이션이라고 정의하였다. 특히 특정 기업이나 브랜드에 대한 고객의 불평은 단지 한 명의 고객에게만 관련되지만 구전 커뮤니케이션은 많은 사람들에게 전달되기 때문에 기업에 더욱 해로울 수가 있다는 것이다. 결국 이것은 부정적인 바이럴 마케팅(Viral Marketing) 원천이 될 수 있다. 일반적으로 서비스 실패를 경험한 고객들은 평균 10명에게 자신의 경험을 전하고 만족한 경험에 대해서는 평균 5명에게 구전을 하는 것으로 나타났는데, 실제로 레스토랑 이용 고객의 75%는 나쁜 서비스

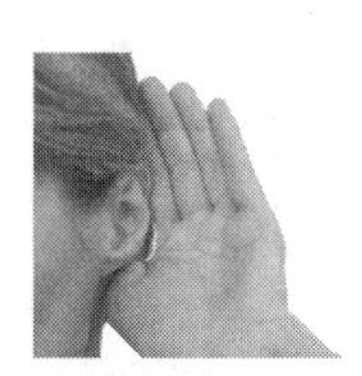

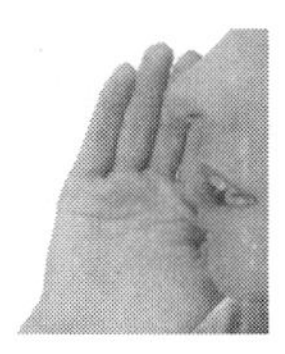

그림 5-7 구전 이미지

경험에 대해 다른 사람들과 정보를 나눈 것으로 밝혀졌다. 이와 같이 부정적 구전은 비상업적인 의도를 가진 실제 경험자의 정보라는 점과 대면 방식의 쌍방향 의사소통을 통한 정보의 전달이기 때문에 신뢰성과 전달력이 매우 높다. 또한 ICT 기술의 발달로 인해 온라인을 통한 잠재고객들의 정보 습득 및 전달이 가능해졌기 때문에 마케팅 커뮤니케이션 전략으로 매우 중요하다(유종식·이애주·한희섭, 2016). 특히 구전은 대면 커뮤니케이션이므로 문서나 자료보다 매스 커뮤니케이션에 비해 더욱 큰 효과를 나타내며 생생한 경험적 요소에 기초해서 보다 확실한 정보를 얻게 해 준다.

이정실 · 최순희(2002)는 외식기업의 선택요인에 대한 부정적인 구전은 그 정도에 따라 구매행동에 차이가 있음을 실증분석을 통해 확인하였고, 부정적인 구전은 구매행동에 부(−)에 영향관계가 있으므로 부정적 구전의 강도를 낮추어야 할 필요성이 있다고 하였다. 관광기업의 마케팅과 관련되지 않은 정보원천에 기초하기 때문에 마케팅 담당자에 의한 커뮤

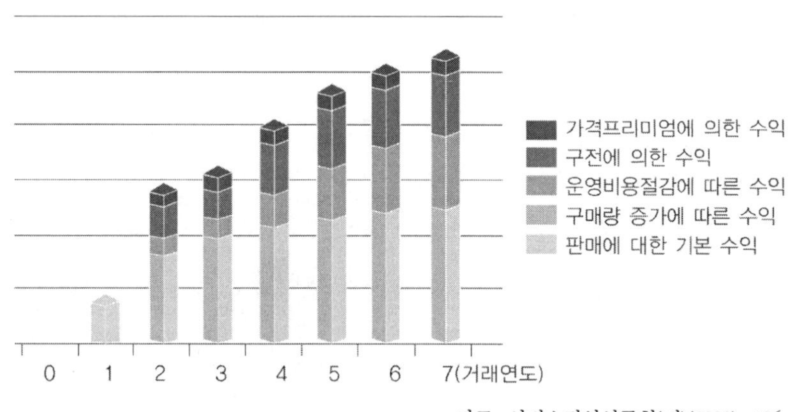

자료: 서비스경영연구회(편)(2000), 106.

그림 5-8 구전에 의한 수익모델

니케이션보다 믿을 만하다고 인식된다. 특히 관광기업에 대한 관광객의 불평은 단지 한 명의 관광객에게만 관련되지만 구전 커뮤니케이션은 많은 사람들에게 전달되기 때문에 기업에 더욱 해로울 수 있다. 구전마케팅의 효과는 관광객의 경험이 다른 관광객에게 그대로 전달된다는 것이다.

이러한 직접적인 경험의 전달은 해당 제품이나 서비스를 구매하기 전 관광객의 사전 확인과 입증의 절차를 용이하게 한다. 그래서 구전은 광고와는 달리 구매의사 결정과정의 후반부로 갈수록 영향력이 커지며 관광객의 구매의사 결정 과정 자체를 가속화한다. 특히 관광객의 태도변화에 미치는 영향이 크기 때문에 해당 기업이나 브랜드의 애호도(Loyalty)를 높이는 데 매우 효과적이다.

관광행동에서의 프레임 효과와 스웜문화

CHAPTER

06

관광행동에서의 프레임 효과와 스웜문화

제1절 관광객 지각에서 프레임 문제

우리 모두는 일상생활에서 다양한 학습의 원천에 의해 학습된 경험을 하게 되는데, 이로 인해 프레임(Frame)이라고 하는 나름의 틀에 갇히게 된다. 이러한 프레임은 개인의 생각, 판단, 소비행동에 크게 영향을 미친다. 즉 우리는 '아는 것만큼 보인다'는 말처럼 우리의 주변세계를 해석하고 행동하게 된다. 이러한 프레임의 대표적인 사례로 독일의 게쉬탈트 심리학(Gestalt Psychology)의 4가지 법칙, ① 유사성의 법칙(Law of Similarity), ② 근접성의 법칙(Law of Proximity), ③ 대칭성의 법칙(Law of Symmetry), ④ 배경성의 법칙(Law of Context)으로 주변세계를 보는 것과 같다. 또한 행동경제학적 관점에서 보면, 우리 인간의 의사결정이 경험이나 정보에 의한 발견적 관점에서 이루어진다는 점, 즉 관광객은 경험적, 발견적, 직관적 판단에 의해 호텔이나 여행사, 그리고 항공사 등의 관광서비스를 이용한다는 것 또한 이러한 프레임 문제라고 할 수 있다.

우리는 어릴 적에 국어책에서 본 성취인의 행동특성을 이해하는 비교로서 컵에 물이 반 정도 남아 있는 것을 보고 '아직 반이나 남아 있네' 하고 생각하는 사람은 낙천주의자, '이제 반밖에 없네'라고 생각하는 사람은 비관주의자라는 말을 기억할 것이다. 이처럼 사람들은 똑같은 내용을 보고도 상황이나 이유에 따라 다르게 받아들인다. 결국 우리는 그다지 합리적이지도 또한 비합리적이지도 않다는 것이다.

일상생활에서 우리는 어떤 질문에 대답할 때, 일반적으로 질문이나 문제의 제시 방법에 따라 우리의 판단과 의사결정이 크게 달라지는 경우가 많다. 이런 사실에 착안해 기대효용이론에 대한 반례로 문제 삼은 사람이 바로 카너먼과 트버스키(D. Kahneman & A. Tversky)이다. 그들은 이와 같은 표현 방법을 판단이나 선택에 있어서의 '프레임(Frame)'이라 부르고, 프레임이 달라지는 것에 따라 판단이나 선택이 변하는 것을 '프레임 효과(Frame Effect)'라 하였다.

프레임 효과가 나타나려면 기대효용이론의 전제인 '불변성'이 성립되어야 한다. 이때 불변성이란 동일한 문제라면 어떤 형태로 표현되더라도 선호나 선택에 영향을 끼치지 않는 것을 뜻하는데, 대단히 암묵적인 전제이다. 그러나 이러한 이론체계도 현실세계에서는 '일시적 불변성'으로서 카너먼과 트버스키와 카너먼의 경제학자들에 의하면, 준거점에 따라 그 효과가 달라질 수 있다. 그럼에도 불구하고 우리들은 그다지 합리적이지도 비합리적이지도 않지만 관광상품 구매의사결정에 있어서 프레임의 하나인 준거점 의존성이 매우 크다는 것이다.

제2절 관광객의 준거점 의존성과 스웜문화

관광객의 준거점 의존성

우리는 관광상품의 가치나 가격을 평가할 때 어떤 기준에서 할까? 이를 이해하기 위해서는 경제학에서의 기대효용이론(Expected Utility Theory)을 이해해야 한다. 기대효용이론의 가설로서 1730년경 스위스의 물리학자 베르누이(Daniel Bernoulli)는 사람들은 화폐에 관해 한계효용이 체감하는 효용함수를 갖는다고 하였다. 그는 개인은 판단의 기준을 게임의 수학적 기대치보다 게임이 가져오는 효용의 수학적 기대치, 혹은 기대효용으로 삼는다는 가설에 따라 이익의 기대치가 무한대인 게임이라도 실제로는 그 게임에 거금을 내고 참가하는 사람은 없다는 소위 '상트페테르부르크의 역설'을 설명하였다. 이러한 기대효용이론은 게임이론과 밀접히 결부되어 발전하였으며, 경제이론에서도 프리드만(Milton Friedman) 등은 기수적(基數的) 효용에 관한 한계효용체감성이 위험회피를 의미한다는 것을 밝혔다. 특히 경제학에서 효용이란 개념은 부(富)의 수준으로 측정되는 것으로 장기적으로 합리적인 행동을 하기 위해서는 이 가정이 타당하나, 현실적인 인간 행동에서는 상당한 차이가 있다는 것이다.

카너먼(D. Kahneman)은 효용을 부의 수준으로 측정하는 것을 '베르누이의 착오'라 일컫는다(도모노 노리오, 이명희 역, 2007). 다음과 같은 예를 살펴보자. 두 사람이 최근 한 달간 자신의 금융자산 증감에 관한 보고를 받았다. A는 자산이 4,000만 원에서 3,000만 원으로 줄어들고, B는 1,000만 원에서 1,100만 원으로 늘어났다. 어느 쪽이 행복할까? 최종적인 부의 수준이 효용의 척도인 표준 이론에서는 A가 더 행복하겠지만, 실제로는 B라고 생각하는 사람이 많을 것이다. A는 4,000만 원, B는 1,000만 원이 준거점이다. 거기서부터 플러스 방향으로 변화한다면 이익이므로 효용을 초래하기 때문이라는 것이다.

따라서 효용 또는 불효용을 주는 것은 부의 변화이며, 절대량이 아니라는 생각은 카너먼이 새 바람을 불러일으키기 전까지 경제학계에서는 무시되고 있었다(도모노 노리오, 이명희 역, 2007).

준거점(Reference Point)은 다양한 상태에서 생각해볼 수 있다. 금전이나 건강에 대해서는 '현재의 상태'에 관한 것이 많다. 예컨대 '병에 걸리고 나서야 비로소 건강의 소중함을 아는 것'처럼 말이다. 또한 어떻게 행동해야 할 것인가를 규정하는 사회규범이나 장래에 대한 사항, 다른 사람의 행동에 대한 기대가 준거점이 될 수도 있고, 요구 수준이나 목표가 준거점이 될 수도 있다. 그러나 준거점에 관해서는 어떤 상황에서 무엇이 준거점이 될지, 준거점의 이동은 어떤 경우에 발생하는지 또는 발생하지 않는지, 장단기의 구별은 어떻게 할지, 해결해야 할 과제가 남아 있다(도모노 노리오, 이명희 역, 2007).

소비자들은 특정한 제품에 대하여 그 제품을 평가할 수 있는 최저가격, 제품이 정상적으로 판매되는 가격, 제품에 대한 공정한 가격, 그리고 그 제품에 대해서 지불하려고 하는 최대가격 등의 가격근거 인지들을 가지고 있다.

이러한 가격근거 개념들이 우리가 흔히 말하는 준거가격(Reference Price)인 것이다. 이러한 준거가격은 소비자가 구매를 고려하고 있는 제품의 실제 가격을 평가하기 위해서 사용되는 기준가격으로 정의되고, 소비자는 절대적으로 가격에 반응하는 것이 아니라 준거가격에 상대적으로 반응한다는 것을 전제로 한다(Thaler, 1985).

한편 라젠드란(1994)은 준거가격이 소비자가 사용하는 시간적 준거가격, 내적 준거가격, 상황적 준거가격 그리고 외적 준거가격을 포함하고 있다고 주장했다. 시간적 준거가격은 과거의 경험을 토대로 장기 기억 속에 저장되어 있던 가격으로 내적 준거가격과 유사한 개념이고, 상황적 준거가격은 구매시점에서 만나게 되는 경쟁 브랜드의 가격으로서 외적 준거가격과 유사한 개념이라고 하였다.

특히 내적 준거가격은 실제가격, 공정가격 또는 다른 가격에 근거해서 소비자의 기억 속에 저장된 가격이다(Mayhew & Winer, 1992). 내적 준거가격은 관찰된 가격과 비교되어지는 내적 기준이 되는 가격이다. 이러한 내적 준거가격들은 어떤 특정가격일 수도 있고, 특정한 가격의 범위일 수도 있다. 그리고 외적 준거가격은 구매상황에 관찰된 자극들, 즉 앞자리 수 효과(Left Digit Effect)를 극대화한 광고라든지 판촉(Sales Promotion) 등에 의해서 제시된 가격이다. 다시 말해서 외적 준거가격은 구매 시점에 같은 범주에 속해 있는 모든 브랜드의 가격에 근거한 가격이다. 소비자들은 특정 브랜드를 선택할 것인지 아닌지를 결정하기 위해서 특정 브랜드의 실제가격과 내적 준거가격과 외적 준거가격 둘 다를 비교한다는 것이다.

그 외에 선행연구들에서 제시된 준거가격에 대한 정의로 클레인(Klein, 1987)은 준거가격을 열망가격, 시장가격, 역사적 가격으로 정의하였다. 열망가격은 소비자가 기꺼이 지불하려는 가격으로 의식적으로 설정한 목표수준의 가격이고, 시장가격은 평균적인 시장의 정가나 소비자가 보거나 들은 적이 있는 가격이고, 역사적 가격은 소비자가 구매경험을 통해 지불한 적이 있는 가격을 의미한다. 타일러(1985)는 소비자가 접하게 되는 가격자극과 비교하기 위해서 사용하는 내적 기준이 되는 가격을 기대한 가격 또는 공정가격이라고 정의하였다. 위너(1986)는 상품에 대한 소비자의 지각된 가격을 현재가격이라고 정의하였고, 이는 소비자가 구매시점에 관찰하도록 기대되기 때문에 기대가격이라는 용어로 사용될 수도 있다고 했다. 그는 소비자의 내적 준거가격과 구매시점의 기대가격과 관찰된 가격(실제가격)과의 차이가 브랜드 선택에 상당하게 영향을 미친다고 주장하였다.

결국 준거가격은 소비자가 실제가격을 평가할 때 비교의 대상이 되는 기준가격을 의미하며, 본질적으로 다차원적인 구성개념이며 단순히 소매가격만으로 구성된 것이 아니라 소매가격, 유보가격, 지각된 현재가격 등의 통합된 다차원적인 개념이라 할 수 있다.

위와 같은 선행연구들을 통해서 준거가격이 존재한다는 것과 소비자들이 구매시점에 제시된 실제가격과 내적 · 외적준거 가격과의 차이에 근거해서 선택대안의 가격을 평가하기 위한 비교 기준점으로서 준거가격을 사용한다는 것을 알 수 있다.

관광상품 준거가격 개념

소비자들은 어떻게 준거가격을 형성하며, 사용하는가? 매줌다르 등(T. Mazumdar & K. B. Monroe)은 준거가격 형성을 밝히기 위해서 유용한 틀을 제시하였다(이은아, 2004에서 재인용함). 그들은 소비자가 두 가지 방법, 즉 의도적 학습과 우연적 학습을 통하여 가격 정보를 학습한다고 제시하였다. 의도적 가격학습은 전형적으로 특정상표를 활발하게 탐색하고 정확한 가격을 기억하는 것으로 매우 신중한 구매자와 비용을 최소화하려는 소비자들이 이런 행동을 채택한다. 특히 이러한 학습은 현재 가격과 기억 속에 저장된 이전 가격들의 명확한 비교를 포함하고 있다. 결국 의도적 가격학습은 시간적 준거가격을 더 선호한다는 것이다. 반면 우연적 가격학습은 소비자들이 가격을 기억하려는 어떤 명백한 의도나 노력 없이 제품을 구매하는 과정에서 상표의 가격들을 비교했을 때 발생한다. 일정기간 동안 이런 반복적인 가격 비교는 관여도가 낮은 학습을 가져오는데, 이러한 학습은 특정한 가격보다는 오히려 상대적 가격 서열일 가능성이 크다. 소매점들이 선택대안 중에서 한 상표의 가격을 자주 할인하기 때문에 우연적 학습은 곧 소용없게 되고 소비자들로 하여금 계속해서 상표들의 가격들을 비교하도록 요구한다. 따라서 우연적 가격학습은 상황적 준거가격에 적합하다.

이 두 구성요소, 즉 시간적 준거가격과 상황적 준거가격 중 어떤 것이 관광객에게 더 영향을 미칠까? 일반적으로 상황적 준거가격이 관광객에게 더 영향을 많이 미친다고 알려졌다. 그 이유는 첫째, 구매시점의 상황적 가격이 과거 가격들보다 더 최근의 것이고 현저하기 때문이라는 것이다. 관광객들은 수많은 범주에서 상당히 많은 상표선택을 해야 하는데 어떤 범주 내에 있는 상표들의 다수는 유사하고 변동가격을 가진다. 따라서 한 가지 능률적인 선택전략은 과거 경험으로부터 가격을 회상하지 않고 그들 앞에 있는 제시가격만을 비교함으로써 상표를 선택하는 것이다. 둘째, 관광객의 가격지식에 대한 다양한 조사에 따르면 소비자는 각 범주의 상표에 대해 현재가격과 과거가격을 비교할 만큼 가격에 대해 충분히 인식하지 않을 수 있다고 한다. 예를 들어 딕슨(1990)에 의하면, 특정 제품을 선택한 직후 실시한 조사에서 소비자의 절반 이하(47.1%)만이 정확한 가격을 진술할 수 있었다는 것이다. 또한 크리쉬나 등(1991)

은 소비자 조사에서 9개 상표에 대해서 정가를 정확히 기억한 소비자는 0%에서 32%까지 다양하다는 것을 밝혔다. 셋째, 일부 연구들은 소비자들이 과거가격들보다는 오히려 현재의 경쟁가격에 관한 가격 차이에 대해 반응한다는 것을 간접적으로 지지하였다. 대표적인 연구로서 블래트버그 등(1989)은 가격할인에 대한 반응에서 전국상표, 자체 상표, 그리고 무상표 간의 상표 전환에 대한 체계적 패턴을 발견했는데, 이 패턴은 시간 간의 비교보다 상표 간의 비교를 한다는 것이다. 이러한 맥락에서 특히 관광객들이 관광상품을 구매 · 이용하는 데는 일반적으로 관광상품의 관광일정(Itinerary)이나 가격과 같은 상품 고유의 특성과 시간적 요인 등의 상황요인, 여행사의 특성과 신뢰성, 서비스, 그리고 개인적 관계 등이 고려요인이 될 수 있다고 하였다. 또한 여행사 측면에서도 가격촉진은 관광상품이 가진 효용에 대해 관광객이 지불하게 되는 마케팅믹스 중 가장 경쟁에 민감한 요소, 즉 가격경쟁 요인이 중요한 경쟁우위전략의 원천이라는 것이다. 최근 관광객들은 일반적으로 관광기업의 전반적인 가격수준에 대한 지각에 근거를 두고 특정 관광기업을 자주 이용하는 경향이 있다. 그러므로 관광객은 가격할인을 좋은 거래의 신호로 지각하는 경향성이 매우 크며, 가격할인은 관광객들이 모든 정보를 처리하지 않고도 비교적 빠른 휴리스틱한 의사결정을 하도록 도와주는 역할을 하게 된다. 따라서 관광기업들이 가격할인을 실시할 때는 가격할인을 어느 정도로 할 것인가, 가격이 할인되었다는 것을 어떻게 커뮤니케이션 할 것인가 등의 의사결정 문제에 관심을 가져야 한다.

관광상품의 준거가격 광고는 제시된 관광상품의 가격을 할인(예, Loss Leader)하여 관광객의 지출 절감 효과에 소구하는 형태로 비교가격 정보를 포함하는 것이 대부분이며, 어떠한 형태를 취하든 비교가격 정보는 제시 가격(Offering Price)에 상응하는 준거가격을 포함하게 된다고 볼 수 있다. 따라서 관광상품의 준거가격 연구에 대한 중요성은 매우 커지고 있는 실정이다. 그러므로 이러한 준거가격 광고에서 가격단서와 더불어 관광객의 특성을 적용하여 관광객들의 관광상품에 대한 가격단서와 지식수준이 정보유형을 매개변수로 하여 관광객의 지각에 어떠한 영향을 미치는가를 규명함으로써 여행사의 가격경쟁을 위한 비교우위 가격정책수립에 도움을 줄 수 있다. 또한 관광객은 가격을 상대적으로 판단 · 평가하는데, 특정 상품이나 서비스의 가격이 수용 가능한가를 결정하기 위해 이들의 가격을 비교의 기준점이 되는 준거가격과 비교하게 된다(이은아, 2004).

결국 이러한 준거가격은 관광객의 마음 속에 존재하는 내적 준거가격(Internal Reference Price), 즉 평균가격, 적정가격, 최고 수용가격, 최저수용가격 등과 흔히 관광기업들이 판촉전략의 일환으로 책정하는 다양한 수단의 비교가격인 외적 준거가격(External Reference Price), 즉 공표요금, 할인요금 등으로 구분될 수 있다.

관광기업들은 이러한 측면을 고려하여 준거가격을 커뮤니케이션할 때 가격을 관광객들이 더 저렴하다고 평가하도록 만들기 위하여 상대적으로 더 비싼 외적 준거가격을 비교기준으로 제시하는 유형의 광고를 하기도 한다. 이렇게 함으로써 관광기업은 광고된 상품의 가격 경쟁력을 높일 수 있을 뿐만 아니라 관광객들이 경쟁기업보다 가격대를 낮게 지각하도록 유도할 수 있다. 얼바니 등(1988)은 이러한 가격비교 전략이 관광객의 지각가치에 영향을 주는 데 가장 효과적인 유형의 광고라고 하였다. 따라서 할인가격이 더 저렴하다고 관광객이 믿는다면 관광기업은 더 많은 관광객들이 그 관광상품을 구매할 것이라는 믿음을 가지고 준거가격 광고를 실시할 필요성이 있다. 준거가격 광고의 유형은 광고에서 이용되는 준거가격 광고의 형태에 따라 ① 거래지역 준거가격 광고(Trade Area Reference Price Ads), ② 비교가치 준거가격 광고(Comparable Value Reference Price Ads), ③ 과거의 준거가격 광고(Former Price Reference Ads)가 있다.

관광상품과 관련하여 비스와스 등(1991)의 연구에 의하면, 준거가격 광고는 관광객에게 기존의 가격신념을 재평가하도록 요구하는데 관광객은 제기된 가격단서인 외적 준거가격과 실제 판매가격과의 비교를 통해 이전 가격에 대한 신념을 변화시키고, 변화된 사전 신념과 실제 판매가격과의 비교를 통해서 가치를 지각한다고 하였다. 이 과정에서 관광객의 최초가격 추정치와 가격단서인 외적 준거가격 간의 불일치는 신념의 변화량과 역 유(U)자의 관계를 나타내며, 불일치의 크기가 대조효과를 일으키지 않는 한도 내에서 증가한다면 가격신념을 크게 변화시킨다고 하였다. 즉 준거가격광고는 기존의 관광객들이 지각하고 있었던 가격과 지나치게 어긋날 정도로 과장되어 제시되지 않는 한 가격신념을 변화시켜 지각가치를 증가시켜 준다는 것이다. 여러 학자들의 연구에 의하면, 특정 관광상품에 대한 지식수준이 높은 관광객의 경우에는 특정 관광상품에 대한 지식수준이 낮은 관광객보다 그 관광상품군에 대한 사전지식을 사용하여 선택에 중요한 정보에만 주의를 제한하는 동시에 광고에서의 가격단서(외적 준거가격) 제시 정보에 더 선택적으로 탐색하게 된다는 것이다. 반면에 관광상품에 대한 가격 광고에서 가격단서 미제시와 관광상품에 대한 지식수준이 낮은 관광객은 어느 정보가 중요하고, 중요치 않은지 판단할 능력이 부족하므로 정보의 유익성에 대해 정확하게 인식하지 못하고, 관광상품 마케터의 의견이나 광고의 모델 등과 같은 비기능적인 속성에 주의를 기울여 의사결정에 활용하는 경향이 높다는 것이다. 즉 이러한 목표시장은 관계마케팅에 의한 인적판매가 필요함을 시사하고 있다.

최근에는 준거가격 비교광고(Comparative Advertising)의 중요성이 크게 증가하고 있는데, 관광객이 광고상의 실제 판매가격을 낮게 지각하도록 유도함으로써 거래를 증가시킬 수 있고, 관광객의 지각가치와 의사결정에 영향을 미치기 때문에 실무적 가격전략에 매우 유용한 대안전략으로 평가되기 때문이다.

제3절 관광상품 가격 프레임과 스웜문화

관광상품의 가격 프레임과 스웜문화

관광상품 가격은 일반적으로 화폐가격과 비화폐가격으로 나눌 수 있다. 먼저 화폐가격은 관광상품을 구매하기 위해서 지불한 값을 의미한다(조선배, 1994). 여기서 일반적 화폐가격은 관광객이 관광상품에 대해 자신의 평가기준으로 평가한 가격을 말한다. 즉 관광객 자신이 생각하는 가격과 제공받는 관광상품의 가격을 내적 비교하여 판단하거나 노출된 각종 정보와 마음속의 가격을 비교하여 비싸다 내지 싸다 등으로 표현하게 된다. 한편 비화폐가격은 관광상품을 구매하기 위해 투자한 시간, 노력, 에너지 비용 등을 말한다. 비화폐적 가격과 유사개념으로 베이커(1990) 등이 제안한 지각된 희생이라는 개념이 있다. 즉 비화폐적가격이 불편함에 대한 것이라면, 지각된 희생은 불편함을 해소하기 위해 실제로 지불한 희생을 말한다(조선배, 1994). 이 저서에서의 관광상품 가격은 화폐가격에 초점을 두고 있으며, 이러한 화폐가격은 구체적으로 언급하면, 일반적 개념의 소비자 준거가격이라 할 수 있으며, 관광객들이 특정 관광상품을 이용할 때 적당하다고 생각하는 가격을 의미한다. 일반적으로 관광객은 절대적 가격에 반응하는 것이 아니라 준거가격에 상대적으로 반응한다는 점이다(Thaler, 1985).

따라서 관광상품 구매자 내지 이용자 관점에서 가격은 본질적으로 다차원적인 구성개념이며, 단순히 소매가격만으로 구성된 것이 아니라 유보가격, 지각된 현재가격 등의 통합된 다차원적인 개념이며(Winer, 1986; 이은아, 2004), 준거가격이라고 할 수 있다. 또한 관광상품은 개인의 효용차가 크기 때문에 관광객에 따라 상품에 대한 가격 수용범위도 다양하게 나타날 수 있다(신상준, 2004).

히스 등(1995)은 타일러(1985)의 심적 계산 원리를 적용하여 준거 프레임에 관한 연구를 수행하였는데, 그들의 연구에서 준거 프레임은 화폐량, 즉 금액의 변화와 할인율 변화를 동시에 제시하는 이원적 프레임, 화폐 금액의 변화만을 제시하는 절대가격 프레임과 할인율 변화만을 제시하는 상대가격 프레임을 제시하였다. 그리월 등(1994)에 따르면, 비록 소비자가 고가 제품의 가격변동이 더 크다는 것을 믿을지라도, 이런 제품의 가격 비교탐색에 더 많은 시간을 투자하려는 의도는 거래효용이론에서 예상한 것처럼 증가하지는 않는다는 것이다. 소비자는 가격탐색을 통해서 기대된 절약을 절대적인 화폐 금액이 아니라 상대적인 가격으로 해석한다는 것이다. 한편 다크 등(1993)의 연구에서 기존의 비례성을 중시하는 관점과는 달리 피험자들은 절약된 화폐금액과 할인율의 퍼센트(%)에 모두 민감하게 반응한다는 것을 제시하였다. 즉 할인수준에 따라서 준거프레임의 효과는 차이가 있다는 것이다. 결국 제품의 유형에 따라서도 차이가 있는데 제품의 기본 가격이 낮은 경우에 상대가격 프레임에 의존하고, 제품의 가격이 높은 경우에 절대가격 프레임에 대한 의존도가 낮아진다(김은정, 2001)는 것이다.

표 6-1 가격할인 프레임 매트릭스

	작은 할인	큰 할인
저가 관광상품	정가와 할인액(원) 정가와 할인율(%) 정가, 할인액(원), 할인율(%)	정가와 할인율(%)
고가 관광상품	정가와 할인액(원)	정가, 할인액(원), 할인율(%)

자료: 이은아(2004)의 내용을 응용함.

시간가격 프레임 관광객들의 의사결정에는 시간적 준거가격은 어떤 개념일까? 관광서비스에서의 시간적 준거가격은 시간의 새로운 소비 형태의 하나로서 서비스 대기행렬(Queue)과 연관된다고 할 수 있다. 제7장에서 구체적으로 논의되겠지만 이러한 대기행렬을 관광행동과 관련하여 크게 ① 즐거움을 위한 행렬, ② 목적지향을 위한 행렬로 나눌 수 있다. 즉 특정의 목적을 달성하기 위한 수단으로서 기능을 다하는 행렬과 행렬 그 자체가 시간의 새로운 소비 형태로 하나의 즐거움(레저)의 대상이 되는 행렬을 말한다. 특히 관광서비스에서 대기행렬은 서비스가 제공되는 곳이면 어디에서나 볼 수 있는 인간에게 있어 아주 보편화된 생활의 일부로서 여겨지고 있다. 관광기업은 관광객에게 즐거움과 편안한 휴식을 제공하기 위해 인적 서비스 품질과 물리적 서비스 품질의 향상 노력에도 불구하고 관광객에게 있어서 중요한 포인트는 서비스 속도(Service Speed) 및 서비스 시간(Service Time)이다. 관광객의 관점에서 보면, 이러한 관광서비스 이용 시간이 곧 가격인 것이다. 특히 관광상품의 경우 재고불가능성(Cannot be Inventory), 즉 소멸성(Perishability)의 특성이 강하기 때문에 대개 구매시점이 관광서비스가 이루어지는 시점에 가까워질수록 대개 변동되는 경향성이 크다. 특히 여행사의 해외 패키지관광상품이나 항공기 좌석의 경우에는 이러한 법칙이 잘 적용된다. 반대로 호텔상품의 경우 마감시간(Dead Line Time)이 가까워질수록 할인율이 커지는 경우가 많다.

심리가격 프레임 일반적으로 심리적인 개념작용의 하나로 이미지는 심상의 총체로서 지각 또는 관념의 결과물로서 임의의 물건이나 장소에 대해 개인 또는 집단이 지니고 있는 주관적인 지식, 인상, 상상력, 감정 등 모든 것의 표출로 볼 수 있다. 코틀러 등(1993)은 관광이미지란 특정 관광지에 대한 각종 믿음, 아이디어, 그리고 인상의 총체라고 정의하였다. 패케예 등(1991)은 푸시(Push) 이미지에 의해 관광행동 욕구가 발생하고, 욕구충족을 위해 각종 정보탐색 과정을 거쳐 풀(Pull) 이미지가 형성되며, 푸시 이미지와 풀 이미지에 근거하여 관광목적지가 선정된다고 주장하였다. 또한 관광목적지를 방문한 후 종합적 이미지가 형성된다고 주장하였다. 특히 특급호텔이나 고가 해외여행상품의 경우 서비스상품의 근본적 상징성(예, 고급) 때문에 이미지 가치, 즉 심리가격 프레임이 중요하다. 왜냐하면, 이러한 심리가격 프레임은 앞에서 논의된 베블런 효과(Veblen Effect) 및 스노브 효과(Snob Effect)와 연결되기 때문이다.

결론적으로 첸 등(1998)은 가격 프레임을 사용한 정보가 소비자의 가격촉진에 대한 지각과 구매의도에 영향을 미칠 수 있다는 것을 밝혔다. 프레임 효과는 왜 판매자가 고가의 제품의 경우에 화폐 금액을 사용한 가격할인을 더 선호하고, 반대로 저가의 제품의 경우에는 할인율(%)을 사용한 가격할인을 더 선호하는지에 대한 설명을 제시하였다. 예를 들어서 판매자가 만약 20,000달러의 자동차를 5~10% 할인하기로 결정했다면, 소비자가 지각하는 금전적 절약은 화폐의 양으로는 1,000달러에서 2,000달러로 상당하다. 그러나 5% 할인율은 0%에 가깝기 때문에 매우 작게 보여진다. 그래서 고가의 제품의 가격촉진을 실시하는 경우에는 할인율이 낮기 때문에 화폐의 양을 이용한 절대가격 프레임이 더 효과가 있다(이은아, 2004)는 것이다. 반대로 만약 50센트 콜라에 대해 10~50% 가격할인을 실시한다면, 소비자가 지각하는 금전적 절약은 5센트에서 25센트이다. 그러나 50%라는 할인율은 100%에 가깝기 때문에 소비자들은 상당히 크게 지각할 수 있다. 즉 이는 우리 인간의 인지편향(Cognitive Bias)을 이용하는 전략이다. 그러므로 저가의 제품의 경우는 할인율을 이용한 상대가격 프레임이 더 효과적이라는 것이다.

제4절 관광상품 가격전략과 스웜문화

주류 경제학에서는 선호(Preference)에 대해 꽤 엄격한 가정하에서 설명하는데, 선호는 모든 선택 대안에서 판정을 내릴 수 있다고 보는 관점이다. 예컨대 '나하고 일 중에 어느 쪽이 중요해?', '그런 건 결정할 수 없어'라는 식이 아니라, 어느 쪽이 좋은지를 항상 양자택일로 결정해야 한다. 또한 이러한 선호는 일관성이 있기 때문에 모순되지 않고, 어떤 상황에서나 시간이 걸리더라도 일정하며 불변한다고 보는 관점이다. 그러나 관광상품에 대한 선호는 경제학 관점에서의 선호 개념과는 달리 제2장에서 언급된 바와 같이 태도변수로서 ① 인지적 요소, ② 정감적 요소, ③ 행동적 요소에 의해 결정된다. 이러한 관광객의 선호는 태도모델로서 ① 선형보상모델, ② 사전편집식모델, ③ 속성결합모델, 그리고 ④ 비속성결합모델에 의해 결정된다. 결국 관광객 관점에서 볼 때 관광상품 대안은 일반적으로 선택대안 5개 내외에서 선호가 결정되는 특징이 있다.

결국 특정 관광상품에 대한 선호는 춤추는 태도변수로서 불변이 아니라 시간(Time), 장소(Place), 상황(Occasion), 즉 특별할인 이벤트 등 촉진활동에 따라 수시로 변화하기도 한다는 것이다.

초두효과와 앞자리 수 효과

초두효과(Primacy Effect)로서 초깃값 효과란 두 개의 상태 A와 B 어느 쪽이 초깃값이 되느냐에 따라 선택이 달라지는 것을 말한다. 이것 역시 프레임 효과의 일종이다. 여기서 앞자리 수 효과(Left Digit Effect)는 관광상품의 공표요금이나 할인율 등에서 앞자리 숫자, 즉 머리글자가 관광객들이나 관광상품 구매자들에게 각인된다는 것을 의미한다.

한 사례로 선진국의 현격한 장기 기증률 차이도 프레임으로 설명된다. 존슨 등(Johnson and Goldstein)은 2003년 "Do Defaults Save Lives?"라는 연구 논문을 발표했다(도모노 노리오, 이명희 역, 2007). 이들 연구자는 프랑스와 오스트리아는 장기 기증률이 99.9%가 넘는 반면, 덴마크는 4.0%, 독일은 12.0%, 영국은 17.0%에 불과한 현실을 이상하게 여기고 불특정 다수를 대상으로 실험을 실시했다. 교통사고 등으로 목숨을 잃게 되는 상황에서 자신의 장기 기증 여부를 물은 것이다. 그 결과 문화적으로 유사한 유럽 국가 사이에서 장기를 기증할 의향은 비슷하더라도 기증 양식(Form)에 따라 그 비율이 크게 달라진다는 점을 밝혀냈다. 즉 장기 기증률이 높은 나라는 장기 기증을 원치 않는 사람들이 그 의사를 직접 표기해야 하는 옵트아웃(Opt Out: 선택적 거부) 양식을 사용하고 있었다. 따라서 별도로 표기하지 않은 사람들은 자동적으로 장기 기증 의사가 있다고 여겨졌다. 그러나 장기 기증률이 낮은 국가는 옵트 인(Opt In: 선택적 동의) 양식을 썼다. 따라서 장기 기증률을 끌어올리고 싶다면 신청서 양식을 바꾸면 된다는 것이다. 본인이 신청서에서 별도로 표기하지 않으면 자동으로 장기 기증에 동의했다고 간주하도록 만드는 것이다. 결국 존슨 등(2003)에 의하면, 초깃값 설정이 사람들의 의사 결정에 영향을 끼친다고 결론 내렸다.

이러한 현상은 심리학 용어인 초두효과(Primacy Effect), 즉 첫인상 효과로 설명할 수 있는데, 여러 개의 단어 혹은 정보가 제시되었을 때 처음 제시된 단어 또는 정보를 가장 잘 기억하는 현상을 일컫는다. 서열 위치 효과는 정보를 순차적으로 제시할 때 가장 처음 제공된 정보와 가장 나중에 제공된 정보일수록 사람들이 더 잘 기억하며, 중간에 위치한 정보일수록 회상률이 낮아지는 현상을 의미한다. 한편 자주 노출될수록 잘 기억되는 현상을 의미하는 빈발효과(Frequency Effect)도 반대개념에 해당한다.

한편 카너먼과 트버스키가 세번째 휴리스틱으로 제시한 것이 '기준점과 조정(Anchoring and Adjustment)'이다. 즉 불확실한 사상에 대해 예측할 때 처음에 어떤 가치(기준점, 닻)를 설정하고, 그 다음 단계로 조정을 통해 최종적인 예측치를 확정하는 것이 '기준점과 조정'이라는 휴리스틱이다. 그러나 조정 단계에서 최종적인 예측치가 맨 처음 설정한 가치에 휘말려 충분한 조정을 할 수 없게 됨으로써 바이어스가 발생할 수 있다.

이러한 바이어스를 기준점 효과라 부른다. 닻(Anchor)을 내리면 닻과 배를 연결하는 밧줄 길이만큼 움직일 수 있듯이, 움직이는 범위가 닻의 위치와 길이에 따라 한정되는 것을 비유한 용어다. 기준점이 되는 최초의 가치는 스스로 생각하고 선택하는 경우도 있고, 문제와는 무관하게 외부에서 부여되는 경우도 있다. 이러한 현상은 앞서 논의된 바와 같이 일종의 프레임 효과(Frame Effect)의 하나라고 할 수 있다.

이러한 현상의 대표적인 사례로서 카너먼과 트버스키는 '8×7×6×5×4×3×2×1'이 얼마냐는 질문에 즉답하도록 하는 실험을 했다. 답변 평균치는 2,250이었다. 또 다른 실험 참가자에게는 거꾸로 '1×2×3×4×5×6×7×8'이 얼마인지를 질문했다. 놀랍게도 이번에는 512가 답변 평균치였다. 정답은 물론 양쪽 모두 40,320이다(도모노 노리오, 이명희 역, 2007).

예를 들어 우리는 물건을 사고 싶을 때는 낮은 금액을 제시하는 것과 같은 초보적인 교섭 기술처럼 특히 관광객들은 특정 여행상품에 대하여 그 상품을 평가할 수 있는 최저가격, 상품이 정상적으로 판매되는 가격, 상품에 대한 공정한 가격, 그리고 그 상품에 대해서 지불하려고 하는 최대가격 등의 가격근거 지각들을 가지고 있다. 관광객은 이러한 가격근거

지각들 중 어느 하나를 지각적 준거점(Perceived Reference Point)으로 이용할 것이기 때문에 이러한 지각들은 내적 가격기준이라고 불리었다. 앞에서 언급된 바와 같이 이러한 준거가격은 소비자가 구매를 고려하고 있는 제품의 실제가격을 평가하기 위해서 사용되는 기준가격으로 정의되고, 소비자는 절대적으로 가격에 반응하는 것이 아니라 준거가격에 상대적으로 반응한다는 것을 전제로 하고 있다(Thaler, 1985). 이때 내적 준거가격은 실제가격, 공정가격 또는 다른 가격에 근거해서 소비자의 기억 속에 저장된 가격(Mayhew & Winer, 1992)으로서 특정 관광상품에 대한 어떤 하나의 특정 가격일 수도 있고, 특정한 가격들의 범주(Category)일 수도 있다.

화폐착각의 관광상품 가격

화폐착각이란 사람들이 금전에 대해 실질가치가 아닌 명목가치를 기초로 판단하는 것을 말하는데, 프레임 효과 가운데 하나이다. 예를 들면 임금에 대한 사람들의 판단은 화폐착각을 일으키기 쉽다. 명목가치란 액면 그대로의 가치를 말하며, 실질가치란 액면가치(명목 값)에서 인플레이션율을 제외한 값을 말한다. 예를 들면 연간 소득이 1억 원에서 1억 2,000만 원으로 올랐다고 해도 인플레이션율이 10%였다고 하면, 실질적인 소득 상승률은 20%가 아닌 10%밖에 되지 않는다. 화폐착각은 경제학에서 오랫동안 연구된 개념으로서 경제학자인 피셔(I. Fisher)는 『화폐착각론』(1928)을 발표하였다.

관광산업에서 응용할 수 있는 가장 쉬운 프레임 전략 중 하나가 단수(端數)가격전략이라고 할 수 있다. 짝수로 된 가격보다 약간 낮은 단수(Odd Number)의 가격으로 했을 때 고객이 싸다고 느껴지도록 한 일종의 심리적 가격결정방법이다. 예를 들어 호텔 커피숍의 커피 값을 10,000원으로 하는 것보다 9,679원으로 책정하여 9,000원대의 커피로 어필함으로써 초두효과를 극대화 할 수 있다. 맥도날드의 1,000원짜리 미끼상품(Loss Leader) 커피가 대표적인 사례라 할 수 있다. 이 방법의 찬성론자들은 이것이 일종의 특매(Bargain)이며 여러 유형의 구매자를 유인할 수 있다고 주장한다. 반면에 반대론자들은 이것이 구매자결정에 아무런 영향을 못 주는 일종의 숫자놀음이라고 반박한다. 어느 견해가 맞고 틀리건 간에 특히 호텔 등급이 상대적으로 낮은 호텔에서 단수가격이 많이 이용되고 있는 것만은 사실이다. 한편 특급호텔이나 고가 해외여행상품의 경우 서비스상품의 고급(Deluxe)이라는 상징성 때문에 이러한 가격결정이 별 효과가 없음도 간과해서는 아니 된다. 또한 홈쇼핑에서의 해외여행상품 판매에서도 가격대별 단수가격전략을 좀 더 체계적으로 개발할 필요가 있다.

만족형 관광객과 최적형 관광객

우리들은 선택 대안이 많을수록 자유롭게 선택할 수 있는 가능성이 커지고 만족도가 더 커지는가? 그 해답은 행동경제학자인 캐머러(Colin F. Camerer)가 답을 제시하였다. 즉 "선택 과부하는 때때로 심각한 결과를 낳을 수 있다"는 것이다. 즉 우리들은 선택 대안이 많음으로써 오히려 행복도가 저하되는 경우가 있음을 의미한다.

제3장에서 논의되었던 바와 같이 관광객의 선택피로 문제와 연관하여 슈워츠(B. Schwartz)는 '선택의 패러독스(Paradox of Choice)'라고 하였다.

슈워츠 등은 무엇보다 최고를 추구하는 성향을 지닌 '최대화 인간'과 사이먼(1957)에게서 아이디어를 얻은 '적당히' 만족하는 '만족화 인간'이 있다고 설정하고, 최대화 인간과 만족화 인간의 판정법을 고안하였다. 이를 응용해 메이요 등(1981)은 관광시장을 '만족형 관광객(Satisfiers)'과 '최적형 관광객(Optimizers)'으로 분류하였다.

관광상품 가격전략 사례

관광상품 요금은 가격경쟁의 중요한 포인트로서 관광객이 구매의사결정 시 가장 현실적으로 고려하게 되는 요인이다. 특정 관광기업의 가격전략은 시장에서의 경쟁우위의 원천이다.

관광상품의 하나인 여행상품의 경우 [그림 6-1]에서와 같이 일반적인 원가항목은 교통요금, 지상경비, 기타 경비로 대별되지만 알선수수료 역시 포함되어야 한다(황현철·김규헌·윤정헌, 2003).

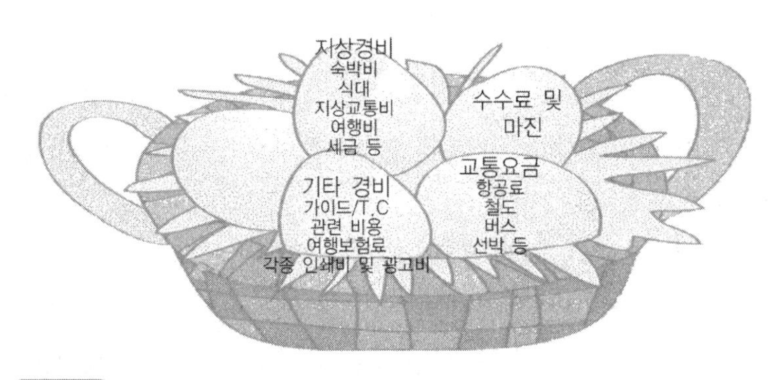

그림 6-1 여행상품 원가항목 바구니

한편 호텔상품의 경우 첫째, 미국식 요금제도(American Plan)는 이는 객실요금에 American Breakfast, 점심, 저녁 식사요금을 포함하여 계산하는 방식이다. 유럽에서는 미국식 요금제도와 유사하게 Full Pension이라고도 하는데, 이 역시 객실요금에 3식이 포함되어 있는 요금제도로서 주로 호화크루즈나 리조트 호텔(Resort Hotel)에서 적용된다. 그리고 수정된 미국식 요금제도(Modified American Plan)로 객실요금에 아침과 저녁식사 요금만 포함된 1박 2식 요금제도를 말한다. 둘째, 유럽식 요금제도(European Plan)는 객실요금과 식사요금을 별도로 계산하는 방식으로, 고객이 자유로이 호텔상품을 선택할 수 있는 제도이다. 대체로 식당과 편의시설이 많은 시내 중심가의 커머셜 호텔(Commercial Hotel)은 이 요금방식을 채택하고 있다. 셋째, 대륙식 요금제도(Continental Plan)는 Continental Breakfast의 요금을 포함하여 계산하는 요금제도이다. 아침식사는 주로 룸 서비스(Room Service)로 제공되며, 식사 내용은 롤빵이나 토스트에 커피나 홍차를 마시는 간단한 아침 식사 등이 있다.

관광기업은 가격목표가 수립되고 나면, 다음은 적정한 가격을 결정해야 한다. 관광기업의 가격결정전략에 영향을 미치는 주요 요인은 원가, 수요, 경쟁, 촉진 등이 있다.

첫째, 경쟁 중심 가격결정 방법으로 이는 경쟁기업의 가격 등을 고려하여 경쟁 중심으로 가격결정이 이루어지는 경우이다. 예를 들어 명성가격 결정(Prestige Pricing)은 상층흡수전략(Skimming Strategy)으로서 관광상품 이용자의 가격에 대한 감정적 반응을 고려한 심리적 가격전략이다. 즉 '가격이 곧 품질(Price Equals Quality)'이 적용된다.

둘째, 촉진 가격결정 방법으로 이는 서비스상품의 차별화, 인적판매, 여타의 마케팅 믹스와 마찬가지로 판매를 촉진하는 수단으로 이용되기도 한다. 촉진가격은 고객을 끌기 위해 저가격 혹은 다양한 할인가격을 이용한다. 이러한 가격전략에는 심리적 가격결정법으로서 단수가격결정법(Odd Number Pricing)과 할인가격결정법, 그리고 패키징 요금이 있다. 특히 가격할인(Price Discount)은 잠재고객을 유인하여 서비스 상품 이용을 확대시키는 방법 중의 하나이며, 이러한 방법에는 ① 오프 시즌 레이트(Off-season Rate), ② 멤버십 할인의 커머셜 레이트(Commercial Rate), ③ 단체 할인요금(Group Rate), 이 외에도 패밀리 플랜(Family Plan), 패키지 할인 등이 있다. 이러한 할인 시 고려될 수 있는 전략전술 중 하나가 ① 절대 프레임 할인(원 단위 할인으로 고가격일 때 유리함), ② 상대 프레임 할인(% 단위 할인으로 저가격일 때 유리함)이 있다(김은정, 2001; 이은아, 2004). 또한 촉진가격결정 방법 중 효과적인 것의 하나가 미끼상품(Loss Leader)을 이용하는 것이다. 고객을 유인하기 위해 특정 관광상품을 저가격으로 때로는 원가 이하로 하여 판매하는 경우이다.

한편 관광상품의 가격전략으로는 다음 [그림 6-2]와 같이 ① 신상품 가격전략, ② 비수기 가격전략 ③ 패키지 가격전략 등이 있다.

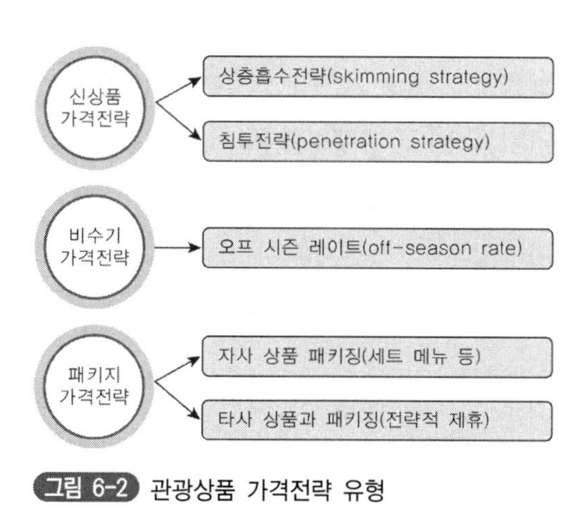

그림 6-2 관광상품 가격전략 유형

첫째, 관광기업에서 신상품의 가격결정은 마케팅 전략수립에 있어 핵심부분이 된다. 만일 가격결정에 대한 규제가 없다면 관광기업은 두 가지의 가격결정전략이 있을 수 있다. 즉 상층흡수전략(Skimming Strategy)과 침투전략(Penetration Strategy)이다. 상층흡수전략은 새로운 관광상품이 경쟁기업과 차별화되는 주요 혁신 관광상품이고 독특한 특성을 갖고 있는 경우나 관광기업의 시장선도력 내지 고급 콘셉트를 지향하고자 할 경우에 적합한 가격전략이다. 이 전략은 먼저 관광기업이 시장선도력을 가지고 있다고 전제하며 모든 잠재 관광객들에게 어필할 수 있을 정도로 합리적 가격을 사용해 신관광상품이 쉽게 일반화될 수 있게 한다. 특히 관광기업의 규모가 대규모로서 규모의 경제(Economy of Scale)가 적용되는 경우에 유리하다.

둘째, 관광상품은 그 특성상 소멸적이고, 계절적 수요변동이 크며, 저장이 불가능하기에 비수기 때 수요를 창출시키는 방법으로 비수기 가격전략이 있다. 특히 리조트호텔이나 여행사의 경우 계절적 수요탄력성이 매우 크기 때문에 오프 시즌 레이트(Off-season Rate) 전략이 매우 필요하다.

셋째, 관광상품 패키징에는 자사의 다양한 핵심 서비스(Core Service)를 결합한 1차적 패키징과 여타 관광사업 상품과의 연계를 통한 2차 패키징이 있다. 이는 기본적으로 공생마케팅(Symbiotic Marketing) 내지 코 마케팅(Co Marketing) 콘셉트의 응용으로서 일종의 B2B전략이나 전략적 제휴의 하나라 할 수 있다.

TOURISM & SWARM CULTURE

관광서비스 공정성과 스웜문화

CHAPTER

07

관광서비스 공정성과 스웜문화

제1절 관광서비스의 구조와 서비스의 불확정성

관광서비스의 구조는 어떤 모습인가? 관광기업은 하나의 조직적 생산체(Cooperative Production Entity)로서 생산품은 서비스이다. 결국 관광상품은 ① 인적 서비스, ② 물적 서비스, ③ 시스템적 서비스로 이루어져 있다.

따라서 관광기업이 생산하는 관광상품들은 결국 서비스로서 '혜택의 묶음(Bundle of Benefits)'인 것이다.

관광서비스는 한마디로 정의하면 '활동과 경험'으로서 관광객이 특정 관광상품을 이용함에 있어 인카운터(Encounter: 접점)하는 유·무형의 인적·물적·시스템적 활동과 경험이라고 할 수 있다(박중환 1995; Bitner 1990; King 1992). 이때 서비스 활동의 주체는 주로 관광사업(관광종사원 포함)이며, 상대적으로 서비스 경험의 주체는 주로 관광객이 된다. 특히 이들 활동과 경험은 상

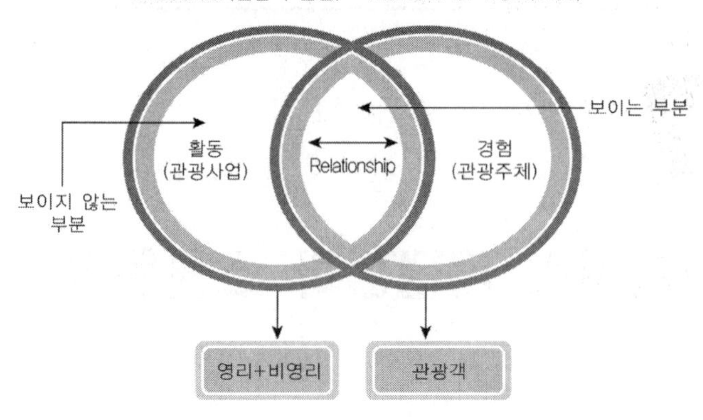

자료: 박중환(2016), 239.

그림 7-1 관광서비스의 구조

호 공통분모를 갖고 있을 뿐만 아니라 다중 상호작용 관계라 할 수 있다. 결국 관광서비스는 관광서비스 생산자와 관광객 간 좋은 상호작용 관계일 때는 훌륭한 서비스(예, 스마트 스웜)가 될 것이고, 그렇지 않을 경우에는 좋지 않은 서비스(그레이 스웜)가 될 수 있다는 것이다. 즉 관광서비스는 아무리 표준적일지라도 서비스 생산자와 관광객 간 시간, 장소 그리고 상황에 따라 크게 달라질 수 있는 서비스의 불확정성 특징이 있다.

이러한 관광서비스의 본질로서 서비스품질에는 ① 생산품질(Production Quality), ② 지각품질(Perceived Quality)이 있다. 첫째, 관광서비스 생산품질은 레시피(Recipe)에 맞도록 생산하는 것을 의미하는 것(박중환, 1995; Garvin, 1987 등)으로 I.S.O.(International Standard Organization)에 의하면, 서비스의 표준화이다. 둘째, 관광서비스 지각품질은 '보는 사람(Beholders)의 관점'으로 서비스 인카운터에서의 경험의 총체이기 때문에 관광객 태도 변수의 하나라 할 수 있다(박중환, 1995; Czepiel, 1987). 특히 가빈(David Garvin)은 지각품질의 경우 "외적으로는 마케팅에 초점을 두고, 관광객의 욕구와 기대의 충족을 통한 관광객 만족을 달성시켜 준다"는 점을 강조하였다.

덧붙여 관광객의 만족 개념은 ① 거래중심적 만족(Transaction Specific Satisfaction), ② 누적적 만족(Cumulative Satisfaction)이 있다. 첫째, 거래중심적 만족은 올리버(1993) 등에 의하면, 개별거래에 대한 성과(Performance)와 기대(Expectation)의 비교에 의해 만족이 결정된다는 관점이다. 둘째, 누적적 만족은 앤더슨 등(1994)에 의하면, 개별거래 각각에 대한 경험들이 모여서 브랜드 또는 점포에 대한 전체적인 평가결과에 의해 만족이 결정된다는 관점이다. 따라서 관광객의 만족은 태도개념의 하나로서 특정 관광상품 이용과 관련된 불일치 경험(거래중심적만족 개념)에 따른 전반적인 감정적 반응(누적적 만족 개념)으로 정의할 수 있다. 또한 관광객 만족의 극대화를 위해서는 서비스 품질의 고도화 및 관광객 만족의 극대화도 매우 중요하지만 이러한 서비스를 생산하는 생산자(관광종사원 등)의 만족 역시 중요하다고 할 수 있다. 즉 관광기업의 내부마케팅(Internal Marketing)이 요구된다는 것이다. 관광기업의 내부고객인 관광종사원들의 욕구를 만족시키는 것은 결과적으로 관광객 서비스품질의 향상으로 이어지고, 관광객에 대한 서비스 지향성이 커지며, 나아가 관광객의 욕구를 충족시키는 것이라고 보는 것이다.

이러한 맥락에서 관광서비스 생산자로서 관광종사원들의 서비스 품질 및 생산성을 높이기 위해서는 업무에 대한 권한 위양(Committment)이 잘 이루어져야 한다. 즉, 관광객의 욕구에 부응하기 위해 관광종사원에게 재량권과 봉사권한을 부여하는 것이 매우 중요함을 알 수 있다.

표 7-1 종사원의 업무역량 결정요인

결정요소	설명력(%)
고객욕구에 부응하기 위해 주어진 재량권	36.6
고객에 대한 봉사 권한	19.2
고객에게 봉사하는 지식과 기술	12.9
고객서비스에 대한 보상	7.3
관리자들의 고객만족에 대한 높은 우선순위	4.2
생산 소요량과 고객 서비스의 합리적인 균형	3.1
만족스러운 전반적인 감독	2.8
만족스러운 교육훈련 비용	2.1
기타 결정요소	11.8
합계	100.0

자료: Schlesinger and Zornitsky.

관광서비스는 생산 및 배달과정에서의 서비스 인카운터, 예컨대 5박 6일의 관광의 경우 6일 동안의 서비스 인카운터(접점)에서 가끔 서비스 실패(Service Failure)가 발생하게 된다. 이는 서비스 과정이나 결과에서 무언가 잘못된 것을 말한다. 특히 관광서비스 실패는 관광객의 좌절로 귀결된다. 일반적으로 관광객은 불만을 이야기하지 않는 경우가 많다. 그 이유로는 ① 항의하기가 번거롭고 귀찮아서, ② 다음에 안 오면 되니까, ③ 항의해도 들어줄 것 같지 않아서, ④ 마음에 없는 서비스는 받고 싶지 않아서, ⑤ 동반객의 체면을 생각해서, ⑥ 다른 고객이 이상하게 볼 것 같아서, ⑦ 나의 품위를 생각해서 등의 이유인 것으로 나타났다(김천서, 2003의 내용을 응용함). 결국 관광서비스 실패는 관광객의 좌절로 이어지고, 불만과 불평행동을 야기한다. 관광기업은 이러한 관광객의 좌절을 극복하기 위해서는 서비스 회복 노력이 필요하다. 이때 서비스 회복(Service Recovery)은 관광서비스의 생산과 배달에서의 실패를 수정하려는 기업의 노력을 말한다. 선행연구들에 의하면, 관광객의 불평에 반응하는 시점이 늦을수록 관광객의 만족도와 애호도가 유의적으로 감소하는 것으로 나타났을 뿐만 아니라 불만족한 관광객의 경우 재구매의도가 줄어드는 것으로 나타났다.

제2절 관광서비스는 공정한가?

관광상품의 수익관리 모델과 서비스

관광상품의 수익관리(Yield Management) 모델은 원래 항공산업에서 개발된 것으로 최근에는 여행산업 및 호텔산업에서도 활용되고 있는 모델이다. 이는 컴퓨터 시스템을 이용하여 하루에 8만 번까지 가격이 변동되는 자동식 가격변동 기법이다. 수익관리에 대해 오킨(1988)은 "객실판매에 따른 수익발생을 위해 적용한 실무(Practices)와 정책의 효과성의 직접적인 측정"이라고 정의하였다.

결국 이러한 수익관리 시스템은 수요에 대응한 수익의 극대화 모델인 것이다. 즉 가능한 한 잠재수익에 가깝게 실질 수익을 획득하는 것이다.

여기서 잠재 수익(Potential Yield)과 관련하여, 과거 호텔의 호황기에는 범주(공표요금의 범주) 설정이 극히 적었으나 최근에는 시장세분화와 컴퓨터의 도입으로 범주 설정의 수가 확대되고 있는 실정이다. 예를 들어 100개의 객실이 있는 호텔이 있다고 가정할 때, 100$짜리 방이 50%, 90$짜리 방이 30%, 80$짜리 방이 15%, 그리고 70$짜리 방이 5% 해서 4개의 가격범주가 있을 수 있다.

이와 같이 컴퓨터를 이용한 호텔의 수익관리 시스템의 할인율은 수요의 변동 및 예약상황에 따라 다르게 적용되고 있다. 즉 호텔고객들은 자신의 예약시점에 따라 동일 서비스상품일지라도 다른 요금이 적용된다. 요금은 매일 시간단위별로 조정되어 객실의 경우 예정투숙일의 수요상황에 따라 요금이 변동된다. 또한 수요상황과 세분시장에 따라 예약 우선순위 및 가격이 다르게 책정된다.

표 7-2 수익관리 매트릭스

	관광시장	
	비세분화	고도 세분화
수요 많음	1. 전통적 수익관리: • 적은 할인 • 주로 개별고객거래(Walk-in Trade) • 가격정책 설정	2. 전형적인 수익관리: • 많은 수의 장기적 거래
수요 적음	3. 부적절한 수익관리: • 악순환을 초래할 수 있는 무리한 할인을 통한 수요 자극	4. 마케팅수단으로서 수익관리: • 장기간의 저가정책 • 많은 할인혜택

자료: Escoffier(1997).

수익관리 시스템은 판매수익의 증대, 이익의 극대화, 세분시장의 효율성 향상, 제품 포트폴리오(Portfolio) 전략 강화, 수요의 안정화 등 많은 장점이 있다.

한편 이러한 수익관리 모델은 해외여행 패키지상품 판매에서도 마찬가지로 적용되고 있다. 그러나 우리나라 국민의 특성상 끼리문화, 집단

취락문화, 정(情)의 문화 등에 의해 정보공유가 됨으로써 동일한 패키지 관광상품을 이용하면서 높은 가격을 지불하는 관광객과 낮은 가격을 지불한 관광객 간의 불평불만의 단초가 될 뿐만 아니라 관광객의 만족도 내지 애호도에 매우 부정적인 영향을 미칠 수 있는 단점도 있다.

제3절 관광서비스의 분배공정성과 대기행렬

소비자나 노동자는 상품의 가격 · 임금 · 이윤 등의 결정을 내리는 행동에서 무엇을 공정하다고 생각할까? '공정'에 대한 개념이나 사고방식은 상당히 다양하며, 결정적인 정의는 현재 존재하지 않는다.

그러나 카너먼 등(1990)은 공정성(Equity)에 관한 사고방식을 제시하면서 공정이 손실 회피(Loss Aversion)나 보유 효과(Endowment Effect)와 밀접한 관련이 있다는 사실을 밝혀냈다.

어떤 행위나 상태의 변화가 공정한지 불공정한지는 종종 준거점과 거기서부터의 이동 방향을 기초로 해서 판단된다. 따라서 무엇보다 준거점이 어디에서 결정되는지가 중요하다.

카너먼 등에 의하면, 기업의 다양한 거래관계에서는 시장 가격, 공표 가격, 과거의 거래 선례 등이 가격, 임금, 임대료 등에 관한 준거점이 된다. 그러나 이러한 준거점은 역사나 우연에 의해 결정되는 경우도 있지만 공정한 판단을 내릴 때 중요한 역할을 담당한다. 하나의 사례로 종사원의 시급 인하와 같은 근로조건의 악화는 종사원의 손실로 간주되므로 불공정하다고 판단된다. 즉 일종의 보유 효과가 작용하고 있는 것이다.

카너먼 등은 이와 같은 거래에서 공정성(Equity)의 원리는 '양면의 권리(Dual Entitlement)'로 특징지을 수 있다고 설명한다. 즉 이러한 양면은 고객 관점에서는 준거점인 이전의 거래 상태를 계속할 권리를, 기업 관점에서는 준거점인 이익을 유지할 권리를 각각 지니고 있다. 그러나 사람들은 기업이 거래 상대방의 준거점이 되는 가격이나 임대료, 임금 등에 대한 권리를 함부로 침해하여 이익을 높이는 것을 허락하지 않고 불공정하다고 판단한다. 단, 기업의 준거점인 이익이 위협받을 때에는 거래 상대방의 희생을 무릅쓰고라도 기업의 이익을 지키는 것이 결코 불공정하다고 여기지 않는다(도모노 노리오, 이명희 역, 2007).

결국 거래자 쌍방 간에 이해관계자가 다름에도 불구하고, 거의 모든 고용주들은 임금을 인하하면 종업원의 사기가 떨어져 회사의 실적이 악화되므로 이를 피하기 위해 임금 인하를 시행하지 않는다고 대답했다. 이는 관대함 내지 호혜성의 원리로 이때 공정성이 중요한 역할을 한다고 보는 것이다.

여기서 분배의 공정성은 분배와 재분배라는 두 가지 측면에서 판단해야 한다. 분배 측면에서는 재산의 크기 또는 부(富)의 수준에 따라 결정되는 효용(평가)의 크기가 공정성의 기준이 된다. 주류 경제학에서 분배의 공정성 개념은 이러한 측면에서만 초점을 맞추고 있다. 그러나 재분배 측면에서는 어떤 상태로부터의 변화를 고찰해야 한다. 이 경우 효용을 결정짓는 것은 '프로스펙트 이론(Prospect Theory)'이 시사하는 바와 같이 준거점으로부터의 이동이다. 특히 그 이동이 이익인지 손실인지에 따라 평가는 크게 달라진다. 공정성에 대한 판단이 준거점으로부터의 이동에 의

존하기 때문이다.

손실 회피성(Loss Aversion)은 분배 측면보다는 재분배 측면이 더 중요하다. 어느 개인에게나 분배, 즉 부의 수준에 대한 평가는 그 절대적 수준은 물론 비교 대상인 타인의 부(富) 수준에 따라 결정되는 어떤 기준에 의해 평가된다. 이 기준보다 낮은 수준의 분배를 받는 사람은 손실로 생각할 것이며, 반대일 경우는 이익으로 받아들일 것이다.

하지만 재분배에 있어서 준거점은 타인의 분배 수준이 아니라, 자신의 과거 경험치를 기준으로 한다. 부유한 상태를 준거점으로 하는 경우에 분배의 감소는 손실로 느껴지고, 증가는 이익으로 생각될 것이다. 결과적으로 손실 회피성에 따라 재분배 메리트가 달라진다.

카너먼 등은 이러한 손실 회피성을 기초로 분배와 재분배의 공정성에 대한 실험에서 이 분야의 행동경제학적 연구는 아직 만족할 만한 성과를 올리고 있지는 못하고 있다고 보았다. 그러나 사람들이 어떤 것을 공정하게 느끼는지에 따라 공공정책에 미치는 영향이 크기 때문에 이를 고찰할 때는 준거점 의존성과 손실 회피성 개념을 무시할 수 없다고 했다.

관광서비스의 분배공정성과 스웜문화

일반적으로 공정성 개념은 애덤스(S. Adams)의 공정성 이론(Equity Theory)에서 근거하는데, 초기연구는 조직으로부터 받는 처우의 공정성에 대한 개인 또는 집단의 지각에 대한 반응적 태도 및 행동에 초점을 두었다. 이러한 초기연구는 마케팅연구에까지 범위가 확장되어 서비스 공정성(Service Equity) 개념으로 이어졌다. 이 개념은 기본적으로 기업과 고객 간 상호 교환관계의 관점에서 서비스 공정성의 의미를 파악하고자 하였다.

즉 서비스 공정성은 사회적 교환이론 관점에서 관광객과 관광기업 간 교환과정에서 발생하는 공정성 지각 측면에서 설명할 수 있다. 따라서 관광객은 서비스를 얻기 위해 투입한 자신의 투입(Input)과 산출(Output)을 비교함으로써 공정성을 지각하게 되는데, 관광객이 받는 보상이 투입에 비해 충분하다고 판단되면 공정하다고 지각하는 반면 관광객이 투입한 비용이나 시간 및 노력 등이 결과보다 더 크다고 생각할 때는 해당 관광 서비스에 대해서 불공정성을 지각하게 되는 것이다.

대개의 연구들에 의하면, 고객들은 서비스 공정성에 대해서 유형적인 측면보다는 서비스 종사원의 행위적 측면을 중시하여 서비스 과정의 적절성으로 판단하는 경우가 많다. 이러한 맥락에서 올리브 등(1989)은 서비스 공정성을 거래상황에서 복합적이고 이질적인 투입과 결과 간의 관계라고 설명하였다. 또한 보웬 등(1999)은 서비스 전달과정상에 고객들이 지각하는 공정성은 서비스 업체가 고객들에게 약속한 서비스 결과와 서비스 제공의 의무를 제대로 잘 수행하였는지에 대한 것으로 파악하였다.

본 저서에서는 서비스 공정성을 분배공정성, 절차공정성, 상호작용 공정성의 3가지 차원으로 보고자 한다. 먼저 분배공정성은 고객들이 자신이 받은 서비스에 대한 최종적인 결과를 통하여 공정성 여부를 평가하는 것을 의미한다(Folger & Konovdky, 1989). 특히 정혜란(2007)은 핵심서비스 실패를 경험한 고객이 서비스 회복을 위한 서비스 접점에서 회복과정을 통해 얻은 최종적인 결과물이 만족할 수 있는지 지각하는 공정성을 분배공정성이라고 주장하였다. 또한 조영신(2007)은 서비스 실패에 대해 제공받는 보상 서비스결과에 대해 지각하는 공정성으로 정의하고, 개인 혹은 집단이 상호 관계가 있는 모든 상황에 존재하며, 투입을 변화하거나 성과를 변경하는 방법이 불만을 해소하는 방법이 될 수 있다고 하였다.

절차공정성은 결과를 산출하기 위한 과정, 사용하는 운영 정책 및 절차에 대한 평가라고 할 수 있으며(정희용, 2014), 서비스 실패 이후의 과정에 대한 공정성을 중심으로 신속한 회복시스템을 수행하는 데 적용되는 기준 혹은 절차라고 할 수 있다(최성환·김지흔, 2014).

상호작용 공정성은 과정을 통한 고객처리 방법과 밀접한 관련이 있는데, 이는 직원의 고객에 대한 태도와 관련이 있으며 문제를 바로 잡는 과정상에서 지각하는 공정성을 의미한다. 즉, 고객요구에 따른 신속한 처리시스템에 대한 서비스 지각인 것이다(Brashear, et. al., 2004). 예컨대 이준재 · 안성근(2010)의 연구 결과에서는 서비스 생산형태에 따라 관광기업 및 관광객의 회복 제기 여부가 지각되는 상호작용 공정성에 영향을 미쳤으나, 사과표시를 하지 않은 경우는 영향을 미치지 않는 것으로 나타났다. 권안용(2009)의 연구에서는 서비스 회복 공정성이 관광객 만족과 관광객 애호도에 영향을 미치며, 관광객의 긍정적인 반응이 서비스 회복과 관광객 애호도 관계를 조절하는 것으로 나타났다. 또한 상호작용 공정성을 높이기 위해서는 관광객 체험관리가 필요하기 때문에 관광객의 문화에 따라 개개인에게 인상적인 체험을 연출할 수 있는 관광객 체험관리 프로그램이 필요하다(유창·한진수, 2012)고 하였다.

이러한 맥락에서 특히 패키지 단체관광의 경우 관광서비스 생산자들은 관광서비스의 분배공정성에 좀 더 신경을 써야 한다는 것을 의미한다.

관광행동에서의 대기행렬과 스웜문화

관광객은 과연 줄서기(행렬)를 좋아할까? 관광서비스의 경우 근접효과(Neighborhood Effects)가 발생하는데 이러한 현상은 사람들이 모이기 때문에 여러 가지 편의성이 높아지며 그것 때문에 더욱 사람들이 모여드는 집중현상이 나타난다. 이는 일종의 중력 모델(Gravity Model)의 하나라 할 수 있다. 따라서 특정 관광지의 유명도가 높아지면 높아질수록 그 지명도가 전시효과(Demonstration Effects) 내지 컨벤션 효과(Convention Effect)를 발휘하여 더 많은 관광객들을 불러들이게 된다. 또한 서비스 공급에 대한 행렬(Queue)은 다수의 서비스 수요에 대해서 서비스를 제공하는 측이 한정되어 있으면 서비스의 수요대기가 발생한다. 이 서비스와 미리 약속하고 기다리는 행렬을 일반적으로 대기행렬(Waiting Line)이라고 한다.

일반적으로 행렬의 의미를 지니고 있는 영어단어에는 Queue, Procession, 그리고 Parade 등이 있다. 이들 중 쇼핑이나 영화관에서의 행렬(줄서기)을 가리킬 때는 보통 Line 혹은 Queue 등의 단어가 주로 사용된다(장희정, 1992). 이러한 행렬은 관광행동과 관련하여 크게 ① 즐거움을 위한 행렬, ② 목적지향을 위한 행렬로 나눌 수 있다. 즉 특정의 목적을 달성하기 위한 수단으로서 기능을 다하는 행렬과 행렬 그 자체가 시간의 새로운 소비형태로 하나의 즐거움의 대상이 되는 행렬을 의미한다. 특히 '즐거움을 위한 행렬'은 행렬을 구성하는 사람들의 동기에서 추정해 볼 때, 어떤 특정의 즐거움을 구하기 위한 수단으로서의 행렬이다. 관광행동에서 행렬의 특징은 관광객들이 일반 행렬과 달리 행렬 전체의 흐름에 매우 큰 관심을 가지고 있다는 것이다. 반대로 관광객들은 누군가가 자신의 앞으로 끼어들지나 않을까 하는 등의 관심보다는 오히려 뒤로 돌아보기도 하고 동행자끼리 나란히 옆으로 서기도 하는 것 등에 관심이 있다는 것이다. 이런 점으로 미루어 볼 때 이 행렬에서의 개체단위는 개개인 한 사람이 아니라 동행자 그룹 전체가 되는 것이다. 즉 관광행동 특징 중의 하나는 '나'의 순서가 아니라 '우리들'의 순서를 기다리는 것이다. 그러므로 관광행동의 행렬은 일종의 긍정적 측면의 밴드웨건 효과(Band Wagon Effect)로 나타나기도 한다. 또한 관광서비스나 관광지 등의 대기행렬 현상은 다른 관광객에게 역시 전시효과를 주기도 한다. 여러 형태의 행렬에는 무언가를 기다리고 있는 사람들의 열이라는 공통점이 있지만 우리들에게 각각의 행렬의 의미는 제각기 다르게 나타날 수 있다.

관광행동에서 행렬의 또 하나의 특징으로는 '동료의식의 소구'를 들 수 있는데, 행렬의 바깥에서도 동반자 그룹의 단락의 파악이 가능하다. 이것은 준거집단 내의 친밀감, 즉 앞서 논의된 동성사회성(Homosociality) 판타지를 다른 그룹에게 표현하기 위한 무의식적인 의미도 포함된다고 볼 수 있다. 이같이 단체관광에서 동성사회성이 어필되는 관광행동이 더욱더 잘 나타나는 경향이 있는데, 관광행동에서의 행렬의 두드러진 특징으로는 외부로 행렬 속의 자신이 노출된다는 점이다(장희정, 1992). 바로 이러한 행렬의 경우 젊은 관광객과 여성 관광객을 행렬로 불러들이게 된 결정적인 요인이 되기도 한다. 이러한 행렬은 짚라인(Zipline), 번지점프(Bungee Jump) 등과 같이 직접 '참가'할 수 있는 레저의 영역에서 그 역할이 더욱 돋보이게 되는 것이다.

결국 대기행렬(Waiting Line)은 서비스가 제공되는 곳이면 어디에서나 볼 수 있는 인간에게 있어 아주 보편화된 생활의 일부로서 여겨지고 있다. 관광기업은 관광객에게 즐거움과 편안한 휴식을 제공하기 위해 인적 서비스 품질과 물리적 서비스 품질의 향상에 힘써 왔다(엄서호, 1994). 그러나 오늘날 이 접근은 매우 불충분하다. 왜냐하면 관광객에게는 이러한 서비스 품질의 일반적 측면도 중요하지만 서비스 속도(Service Speed) 및 서비스 시간(Service Time)도 서비스 품질 평가에 있어서 중요 요소이기 때문이다. 여기서 대기시간에 대한 관광객 지각은 실제 관광객들에게 있어서 기다린 실제 대기 시간과 지각된 대기 시간에는 상황에 따라서 차이가 있을 수 있다. 앞서 언급된 바와 같이 실제 대기시간을 줄인다는 것은 관광기업에 있어서 시스템 비용의 상승을 의미하지만 관광객의 지각된 대기시간, 즉 심리적 대기 시간을 줄일 수 있다면 효과적인 대기행렬 관리가 될 수 있을 것이다.

호텔, 리조트, 테마파크 같은 특정 관광서비스 장소에서 줄을 서는 일 또한 대기행렬이다. 어떤 서비스 시스템에서나 현재 수요가 서비스 제공능력을 넘어설 때 대기행렬이 발생한다. 이러한 대기행렬의 가치는 공급자 입장에서는 경제적 비용이며, 관광객에게도 역시 화폐적 비용과도 같은 에너지 비용과 심리적 비용인 것이다. 관광객은 대기행렬의 길이로 서비스 품질을 판단하고 과다한 대기는 관광객에게 서비스에 대한 부정적 인상을 심어주기도 한다. 특히 관광서비스의 경우 다음과 같이 4가지 요인이 대기행렬 발생에 직접적인 영향을 주기 때문이다. 첫째, 서비스 수요가 원천적으로 관광서비스의 수용능력, 즉 공급을 초과하는 경우이다. 둘째, 서비스 수요의 쏠림으로 인하여 대기행렬이 발생하는 경우이다. 이는 서비스의 주요 특성의 하나인 수요의 변동성으로서 시간별, 주기별, 월별, 계절별로 수요가 변동함으로써 발생하는 현상이다. 셋째, 서비스 제공 시의 다양성으로 인하여 대기 행렬이 발생하는 경우이다. 넷째, 서비스 생산생산 공정상 부서별 업무 부과량의 차이로 인하여 병목현상이 발생하는 경우 대기 행렬이 발생하게 된다(Bennett, 1998).

이때 대기시간도 서비스를 받는 고객에게 필수적으로 느끼는 하나의 서비스 품질로 관광서비스 생산자는 서비스 설계에서 서비스 인카운터에서 대기시간이 어떻게 경험되는가를 고려하는 것은 필수적이다. 이때 서비스 품질(Service Quality)은 SERVQUAL 모델(일명 PZB 모델)에 의하면, 서비스 경험 내지 성과(Performance)에서 서비스 기대(Expectation)를 마이너스한 것과 같다고 하였다. 만일 관광객이 기대했던 서비스 수준보다 서비스 경험 수준이 높다면 관광객은 만족한 관광객이 될 것이다. 일반적으로 대기시간과 관광객이 느끼는 심리적 시간의 관계는 매우 흥미로우며, 대기행렬이 불가피한 관광서비스의 경우 이를 역이용하여 대기의 심리적 비용을 최소화할 수 있으며, 결과적으로는 관광기업 간의 경쟁에서 우위를 점할 수 있다고 한다. 특히 관광객의 대기시간과 유휴 서비스 능력은 항상 서비스의 커다란 문제가 되는데 관광서비스의 경우 특수한 경우를 제외하고는 서비스 능력은 평균 관광객 수요를 초과하게끔 설계된다. 또한 서비스 생산 능력이 평균수요를 초과해도 관광서비스에서 대기행렬은 외부 혹은 내부의 불확실성 때문에 발생하기도 한다. 이 불확실성의 원천은 두 가지로서 우선 관광객 수요 발생의 불규칙성, 다음은 서비스 시간의 불규칙성이다. 여기서 서비스 시간은 어느 정도 통제 가능한 변수지만 역시 관광객의 수요는 예측하기가 매우 어렵다.

이러한 대기행렬은 서비스 생산 인력과 시설장비의 이용률을 높여준다. 유휴시간 없이 능력을 생산적으로 이용할 수 있으므로 관광서비스 제공자는 이를 비용절감의 방편으로 활용할 수 있다. 그러므로 대기행렬은 높은 수준의 서비스를 제공해야 한다는 콘셉트와 원가를 적절하게 유지해야 한다는 콘셉트 간에 많은 영향을 미치기도 한다. 반대로 관광수요보다 관광서비스 생산능력이 적은 경우 대기행렬이 발생하지만 생산능력을 증가시키면 그 반대로 유휴능력이 더 생긴다. 관광서비스는 특히 관광객의 수요가 불규칙하고 예측할 수 없으므로 적정 능력을 결정하기가 매우 힘들다. 관광객의 도착에 따라 업무를 부과하는 주중, 월중, 심지어 하루 중에도 심한 기복을 보이기 때문이다(홍지연 · 조용현, 2014). 또한 관광지 대기행렬은 관광객의 국적별로도 많은 차이를 보인다.

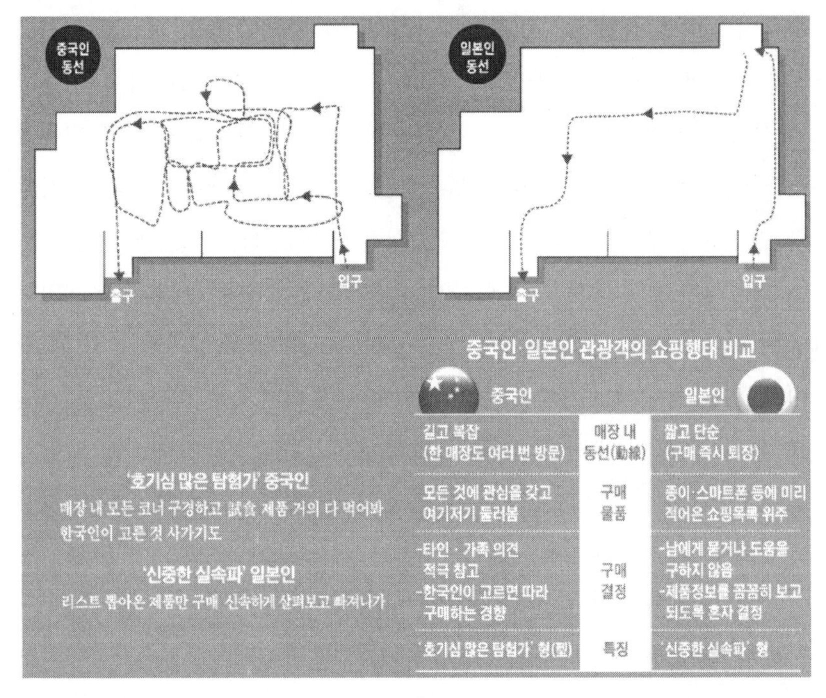

자료: 조선일보(2015.6.17.)

그림 7-2 중국인 관광객과 일본인 관광객의 대기행렬 비교

특히 관광서비스 중 뷔페(Buffet) 서비스, 케이블카 서비스, 연회 서비스 등 노동집약적이고, 서비스 시간이 길수록 이러한 수요패턴을 가지는 경우가 많다. 그러나 소위 맛집과 같은 레스토랑에서는 종종 그와 반대되는 행동들을 관찰할 수 있다. 대기행렬이 길게 늘어선 음식점과 한산한 음식점이 있을 때 사람들은 음식을 바로 먹을 수 있는 한산한 음식점을 피하고 오히려 줄을 서서 기다리는 것을 택하는 경향성이 있다. 이러한 현상은 대표성 휴리스틱(Representative Heuristic) 내지 인지 휴리스틱(Recognition Heuristic)과 같은 것으로 이는 우리들 일상의 경험법칙(Rule of Thumb)으로서 지각위험(Perceived Risk) 중 기능적 위험(예, 맛없음 등)이나 경제적 손실(Economical Loss)(예, 가성비 낮음 등)을 최소화하고자 하는 위험회피 휴리스틱의 작동이라 할 수 있다. 그 이유는 사람들이 많이 모여 있는 레스토랑을 선택함으로써 맛과 서비스에 대한 실패 확률이 낮기 때문이며, 또 남들과 같이 행동함으로써 선택지지(Decision Support)를 받을 수 있다는 점이다. 더욱이 이러한 선택은 자신이 선택한 레스토랑과 메뉴에 대해 선택 리스크를 최소화해 주는 간결한 휴리스틱, 즉 인지 휴리스틱(Recognition Heuristic)이기도 하다. 또한 이러한 혼잡지각은 상황에 따라 긍정적인 반응이나 부정적인 반응을 모두 보일 수 있다(이화인, 1993)는 점도 있다.

특히 관광서비스에서의 긍정적 반응으로서 즐거운 줄서기(대기행렬)의 사례로는 공항 VIP티켓팅 줄서기, 버킷리스트 관광목적지 줄서기, First Class 좌석 찾기, 호텔의 발레파킹(Valet Parking) 줄서기, 명품관 줄서기, 해외관광 줄서기 등이 있다. 한편 부정적 반응으로서 괴로운 줄서기(대기행렬)에는 장시간 줄서기, 지루한 줄서기 등이 있다. 이때 중간중간에 공연이나 문화관광해설 등을 제공함으로써 지루함과 대기시간(Waiting Time) 자각을 최소화할 수 있다.

대부분의 사람들은 일상에서 다수의 행동이나 의견은 옳은 것(Group Thinking)이라고 여기는 성향이 있는데 다른 사람들의 행동에 따라 어떤 행동의 옳고 그름을 결정하는 것을 사회적 증거(Social Evidence) 현상이라고 한다. 이는 다수의 방향으로 사람들의 의사결정이 움직인다는 것을 의미한다. 특히 낯선 관광지에서 맛있는 음식을 먹기 위해 레스토랑을 결정할 경우, 사람들은 많은 정보를 가지고 있지 않기 때문에 다양한 레스토랑에 더 많은 흥미를 가진다. 예컨대 줄의 길이 등 혼잡지각에 따른 사회적 증거의 확보는 레스토랑에 대한 정보가 충분하지 않을 때 방문의사 결정의 중요한 단서가 되는 경우이다.

이러한 현상은 앞에서 논의한 과연 우리는 합리적인가 하는 문제와 연결되는 것으로 대표성 휴리스틱 내지 간결한 휴리스틱, 즉 기존의 자신의 경험에 의한 인지 휴리스틱(Recognition Heuristic)의 작동이라 할 수 있다. 우리는 의식적이든 무의식적이든 간에 일상생활 속에서 사회적 증거 내지 경험법칙에 따라 의사결정을 하는 경향성이 있다. 따라서 우리는 대개 무엇인가를 판단함에 있어 판단할 대상을 미리 경험하여 어떤 기준을 가지고 판단할 수도 있지만, 많은 경우는 판단할 대상을 경험하지 않고 구전(Word of Mouth)이나 인터넷 정보를 수집하여 결정하는 경우가 많다. 주어진 상황이 애매모호하고 불확실성이 높아 어떻게 행동하는 것이 올바른 것인지 쉽게 알 수 없을 때 우리는 다른 사람들의 행동을 보고 그대로 따라 행동하는 즉, 사회적 증거에 따라 행동하는 경향이 매우 높다(Cialdini, 2001). 이와 같이 사람들이 어떤 의사결정을 할 때 다른 사람들의 행동을 따라 하는 것을 심리학에서는 사회적 증거의 원칙이라고 한다.

관광지 혹은 여가 활동 중에 사회적 증거의 법칙이 자주 나타나는 것을 볼 수 있다. 사람들은 관광지에서 레스토랑이나 숙박 장소를 정할 때나 새로운 여가 활동을 선택할 때 불확실성을 줄이기 위해 자신과 비슷한 상황의 사람들로부터 선택에 관한 정보를 얻으려 하는 성향이 있다.

우리는 불확실할 때 우리와 비슷한 사람의 행동을 관찰하여 결정을 내리고, 다른 사람의 행동을 관찰하는 것을 통해 불확실한 자신의 행동을 정당화한다.

결국 관광현상 중에서 친구 따라 강남가는 밴드웨건 효과도 종종 있지만 관광객은 무엇보다 공정한 관광서비스를 원한다.

제4절 단체관광 서비스 공정성과 스웜문화

영리한 코드 허들링과 단체관광에서 살아남기

여러분들은 가끔 단체관광에서 서비스의 불공정성을 눈에 띄게 느낀 적이 있을 것이다. 훌륭한 서비스를 받으려면, 서비스 생산자(활동자)보다는 내 스스로 훌륭한 참가자(경험자)가 되어야 한다. 따라서 단체관광에서 살아남기 위해서 또 가심비(價心費) 좋은 즐거운 여행을 위해서는 나름 개인적인 노력을 기울여야 한다는 것이다.

대표적인 참고 사례로 남극의 황제펭귄들의 영리한 코드 허들링(Huddling)이 있다. 지구의 가장 남쪽 끝, 남극의 연평균 온도는 영하 55℃로 더우면 영하 35℃, 추우면 영하 70℃를 밑돈다. 이렇게 상상도 못할 추위 속에서 살아가는 동물이 있으니, 바로 황제펭귄이다. 특히 황제펭귄이 1분만 알을 품고 있지 않아도 그대로 알이 얼어서 터져버리는데 이러한 현실에서 황제펭귄들이 이렇게 추운 남극에서 살고 있는 이유로는 여러 가지 의견이 있지만 그중에 가장 설득력이 있는 것은 천적이 없기 때문이라는 가설이다. 이렇게 추운 곳에는 황제펭귄을 해칠 만한 다른 동물이 없기 때문에 오히려 살기에 가장 안전한 장소라는 것이다.

이런 추위 속에서 황제펭귄은 도대체 어떻게 살아가는 것일까? 이들이 추위를 견디는 방법은 바로 '허들링(Huddling)'이다. 앞서 논의된 무리지능(Swarm Intelligence)의 하나라 할 수 있다. 허들링은 황제펭귄들이 추위를 견디기 위해 둥근 형태로 모여 선 후 한쪽 방향으로 천천히 움직이면서 서로의 위치를 바꾸는 것을 말한다. 바깥쪽에 있는 펭귄들의 체온이 떨어져 추위에 견디기 어려울 때 원 안에 있는 펭귄과 서로 위치를 바꾸는 것이다. 속도는 아주 느리지만 계속 움직이기 때문에 찬 바람을 지속적으로 맞지 않으며, 서로 몸을 바짝 맞대고 서 있기 때문에 서로의 체온이 전달되어 추위를 견딜 수 있는 것이다. 동물들이 살아남기 위해 이런 지혜, 스마트 스웜 내지 무리지능을 발휘한다는 것은 참 놀라운 일이다.

그림 7-3 황제펭귄의 허들링 이미지

예로부터 우리나라의 아름다운 전통으로 내려오는 '계(契)'도 결국 상부상조의 한 방법이다. 해외 패키지투어에서 우리는 결국 황제펭귄의 허들링이라는 스마트 스웜 지성, 즉 다중 상호작용을 배워야 한다. 그리고 그레이 스웜문화로서 밀러(2010)가 말한 군중의 어두운 면, 예컨대 메뚜기 떼나 성지순례(Pilgrim)에서 다리 위의 죽음을 극복하기 위해서는 레이놀즈(Reynolds) 모델을 응용할 필요가 있다. 관광가이드나 관광객의 경우

레이놀즈의 세 가지 법칙 중 '정렬성의 원칙'으로, 이웃한 동반자들이 향하는 방향의 가장 평균이 되는 방향, 즉 사회적 증거(Social Evidence)에 입각하여 움직이도록 하는 규칙을 따르는 것이다. 단체관광에서는 기회가 있을 때마다 무조건 화장실은 다녀오라는 것이다. 그렇게 함으로써 정렬성의 원칙을 지킬 수 있으며, 단체관광에서 민폐를 끼치지 않을 수 있다. 그럼으로써 패키지 투어에서 소외되지 않고 즐거운 여행을 경험할 수 있기 때문이다. 결국 관광객 자신은 스스로가 패스트 팔로어(Fast Follower)가 됨으로써 여행일정 및 전체의 시간을 아낄 수 있을 뿐만 아니라 병목현상으로 인한 대기행렬의 발생을 최소화할 수 있다는 것이다. 단체관광의 경우 우리들은 양자물리학에서 말하는 양자와 전자의 무질서도, 즉 엔트로피(Entropy S)가 늘 존재함을 한시도 잊어서는 안 된다. 특히 단체관광에서 우리 모두는 이러한 무리지능(Swarm Intelligence)을 발휘해야 한다. 그래야만 나로 인한 다른 동료들의 피해를 최소화할 수 있을 뿐만 아니라 새로운 래포(Rapport) 형성의 첫걸음이 될 수 있다.

결국 남의 수고나 희생은 작아 보이고, 나의 수고와 희생은 늘 커 보이는 것이 우리들의 춤추는 감정이지만 그래도 나의 작은 희생과 봉사를 통해 관광객들이 서로서로 공평하다고 느낌으로써 단체관광은 더욱 분위기 좋은 소확행이 될 수 있다.

레이놀즈 법칙을 활용한 단체관광에서의 화장실 사용수칙 단체관광에서 관광 동반자에 대한 매너와 배려심은 관광기간 동안 감정싸움을 하지 않아도 되는 중요한 요소이다. 우리들의 경험법칙에 의하면, 단체관광에서 가장 불편한 것이 화장실 사용 문제일 것이다. 또한 우리 모두가 경험했겠지만 단체관광에서 대개의 경우 아침시간은 짧을 뿐만 아니라 허둥댈 수밖에 없는 출발준비 과정이 늘 존재한다. 대개의 해외 단체관광의 경우 2인 1실로 사용하게 되는데, 이때 필요한 영리한 코드 허들링(huddling)은 바로 시간 안배를 잘 하는 것이다. 특히 단체관광에서 우리들 중 다수는 이미 실천하고 있겠지만 앞에서 언급된 바와 같이 레이놀즈(Craig Reynolds) 법칙을 활용하는 것이다. 첫째, 룸메이트나 단체와 충돌하거나 한 곳에 지나치게 모여 붐비는 현상을 피하도록 하는 분리성의 원칙과 수요분산 전략을 활용하라는 것이다. 예컨대 본인 스스로 샤워나 머리감기, 화장실 사용, 그리고 다음 날 패션 등을 저녁 시간에 준비함으로써 아침에 여유조차 없는 짧은 시간을 최대한 같은 방의 룸메이트에게 배려하는 것이다.

밴드웨건 효과로서 한류

한류(Korean Fever)와 관련된 개념들을 살펴보면, 첫째, 한류(韓流)는 중국, 동남아지역에서 유행하는 대중문화 열풍을 가리키는 말이다. 1999년 중반 중국 언론매체에서 처음 쓰기 시작한 신조어로, 다른 문화가 매섭게 파고든다는 뜻으로 통용되기 시작하면서 본격적으로 자리매김했다. 중국, 홍콩, 대만, 일본, 베트남 등지에서 청소년들을 중심으로 한국의 음악, 드라마, 패션, 게임, 음식, 헤어스타일 등 대중문화와 한국 인기연예인을 동경하고 추종하며 배우려고 하는 문화현상을 일컫는다. 둘째, 신한류로 이는 외국현지에서 불고 있는 한류열풍을 적극 활용, 보다 차원 높게 재가공하여 관광, 쇼핑, 패션 등 연관 산업 분야에서 실질적 성과를 창출하는 새로운 풍조를 말한다. 즉 한국 가수의 공연을 관람하거나, 패션, 쇼핑, 드라마 촬영지 관광 등을 위해 한국을 찾게 하는 프로모션을 뜻한다. 이는 한류열풍을 이용하여 범국가적으로 이익을 도모하자는 의지가 포함되어 있다.

결국 이러한 한류열풍의 밴드웨건 효과는 한국문화를 동경하는 '한국 팬 집단'에 의해 생겨났다. 이들은 한국의 음악을 따라 부르고 춤을 즐기며 한국풍을 따라하는 것을 최고의 가치로 여긴다.

한류의 변천은 KTO 자료에 의하면, 크게 태동기, 발전기, 그리고 확장기의 세 단계로 구분할 수 있다. 먼저 태동기는 1980년대 대중가요를 시작으로 1997년의 드라마로 이어진다. 둘째, 발전기(1998~2000년)로서 이 시기에는 1998년 드라마 「별은 내 가슴에」, 「해바라기」, 「안녕 내 사랑」 등이 연속으로 히트해서 드라마 속 한국 연예인의 인기가 급상승하고 드라마 주제곡이 큰 인기를 얻어 한국가요의 중국 진출 계기가 마련되었다. 특히 댄스 그룹 '클론'의 진출로 젊은 층 사이에서 한국 대중문화에 대한 시각이 완전하게 바뀌게 되었다. 또한 베트남은 1998년 드라마 「보고 또 보고」, 「애드버킷」 등을 시작으로 「의가형제」, 「별은 내 가슴에」 등이 인기몰이를 하면서 한류열풍이 끓어올랐다. 셋째, 확장기(2000~현재)로 이 시기에 2000년 2월 북경에서 H.O.T. 콘서트를 계기로 중국지역에서의 한류열풍이 심화되었다. H.O.T. 공연을 계기로 안재욱, NRG, S.E.S., 베이비복스, 신화 등이 지속적으로 중국시장에 진출하였다. 「가을동화」, 「겨울연가」 등 한국 드라마의 본격적인 진출과 더불어 심화된 한류열풍은 싱가포르, 말레이시아, 태국, 몽골, 러시아 등지로 확산되면서 드라마가 한류열풍을 주도하고 있다. 이와 더불어 가요, 영화, 게임, 패션, 한국음식, 한국 상품, 관광 상품 등 전체적인 한국관련 문화 및 상품에 대한 긍정적 영향을 미쳐 한국의 대외 이미지를 제고하고 해외진출을 강화하는 계기가 되었다. 그리고 2002년 월드컵 축구대회 성공적 개최와 붉은 악마의 새로운 이미지를 통해 한류의 확산에 기여하였다.

최근에는 영화 「기생충」 등과 드라마 「태양의 후예」 이후 연이어 크게 히트한 드라마 「도깨비」의 국내외 인기와 한류 호감도 상승 분위기에 힘입어, 관련 콘텐츠를 활용하여 한국관광 박람회 등 해외에서도 다양한 한류 연계 한국관광 홍보마케팅을 전개하였다. 특히 신규 방한수요 창출을 위해 2018년에는 한류스타 팬미팅 행사를 적극 추진하여, 총 18회에 걸쳐 6,500여 명을 모객하였다.

이러한 한류열풍은 K-pop의 세계화는 물론 우리나라 인바운드(Inbound) 관광산업 발전의 새로운 출구가 되고 있다. 특히 이러한 한류열풍은 관광수요 증대, 한국 호감도 확대, 관광 만족도, 애호도 증가로 이어지고 있다. 나아가 한국문화의 수출(예, BTS 공연, 영주호미, 한드 수출 등)로 확대되고 있다.

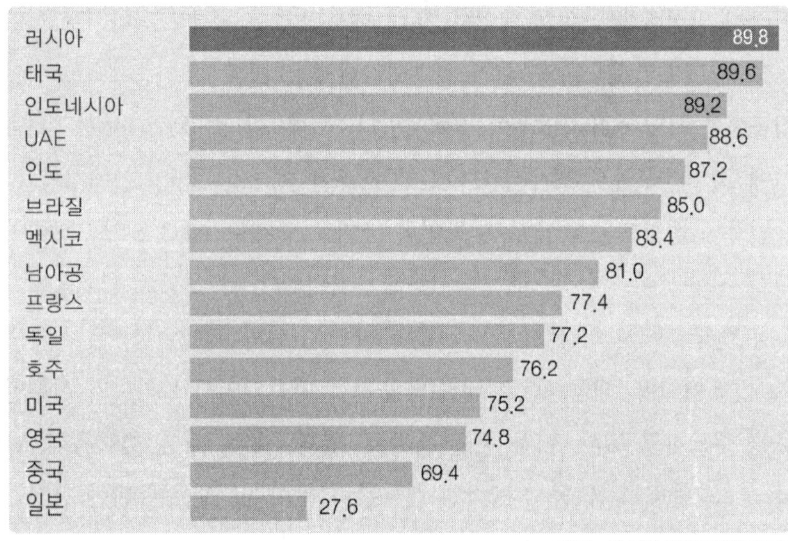

자료: 해외문화홍보원(2020).

그림 7-4 한국에 대한 국가별 호감도

문화체육관광부 산하 해외문화홍보원의 통계에 의하면, 2020년 전 세계 16개국 성인 남녀 8,000명(국가당 할당표본 각 500명)을 대상으로 한국의 국가이미지를 조사한 결과, 러시아를 비롯하여 태국, 인도네시아, UAE, 인도 순으로 우리나라를 긍정적으로 평가하는 것으로 나타났다.

한편 문화체육관광부 2019년 방한 인바운드(Inbound) 관광객 동향에 의하면, 한국방문 인바운드 관광객의 경우 여가/위락/휴가목적 비율은 대만 84.1%, 홍콩 82.0%, 그리고 평균 67.8%인 것으로 나타났다.

그리고 한국방문 순수 인바운드 관광객의 전반적인 만족도는 국적별로 필리핀 관광객은 98.8%, 인도 관광객은 98.4%인 것으로 나타났으며, 일본 관광객(88.8%)과 태국 관광객(92.5%)의 만족도는 상대적으로 낮은 것으로 나타났다. 또한 우리나라 재방문 의도의 경우 필리핀 관광객이 95.9%, 인도네시아 관광객이 93.4%로 가장 높게 나타났다. 타인 추천, 즉 일종의 구전(Word of Mouth)의 경우 역시 필리핀이 97.9%로서 가장 높은 것으로 나타났다.

결국 한류가 흘러가야 할 방향은 말레이시아, 필리핀, 베트남, 그리고 인도네시아 등을 비롯한 동남아 시장이 될 것이다.

관광객의 관광상품 선호성향과 스웜문화

CHAPTER

08

관광객의 관광상품 선호성향과 스윔문화

제1절 관광객의 선호 관광지와 스윔문화

아웃바운드 관광과 스윔문화

새해를 시작하며 올해에 하고 싶은 일을 적는 버킷리스트(Bucket List)에서 '관광'은 빠지는 법이 없다. 그만큼 휴가나 주말을 이용한 해외관광은 일상화되고, 사람들은 관광을 소확행의 최고의 수단으로 인식하고 있다. 관광의 형태도 다양해져 이제는 저마다의 개성 있고, 테마가 있는 관광을 추구하는 개별 자유관광이 일반적인 관광 형태가 되어가고 있다.

그림 8-1 수많은 관광객의 버킷리스트 산토리니 이미지

한국관광공사의 「해외여행 트렌드 조사보고서」에 따르면, 이미 개별 자유관광(40.4%)과 에어텔관광(12.5%)이 패키지관광(37.5%)을 크게 앞질렀다.

해외 인기 여행지	순위	순위 변동
오사카	1	=0
토쿄	2	▲1
방콕	3	▼1
후쿠오카	4	=0
다낭	5	▲1
홍콩	6	▲1
타이베이	7	▼2
세부	8	▲1
오키나와	9	▼1
괌	10	=0

자료: KTO(2019).

그림 8-2 우리나라 국민이 선호하는 해외 관광지

이는 우리나라 사람들이 해외관광을 할 때 여행사에서 만든 일정에 따라야 하는 '틀에 박힌' 패키지 투어가 아니라 스스로 계획하고 만드는 관광을 추구한다(교통신문, 2019.3.29.)는 것을 의미한다.

한편 우리나라 국민이 선호하는 관광목적지는 [그림 8-2]와 같다. 또한 우리나라 대표여행사 중 하나인 하나투어의 최근 5년간 1,200만 건의 해외관광 예약 데이터 분석(동아닷컴, 2019.1.22.)에 의하면, 영·유아부터 노년에 이르기까지 생애 주기(Life Cycle)에 따라 선호 해외관광지도 바뀌는 것으로 나타났다. 연령대별 세분시장(Market Segments)이 선호하는 해외 관광지는 다음과 같다.

미취학 아동 세분시장 생애 첫 해외관광으로 괌을 선택하는 경우가 17.4%로 가장 많았다. 그다음은 필리핀 세부, 보라카이 등(17.0%)이었다. 주로 비행시간 4시간 반 전후의 휴양지가 인기였던 셈이다. 해당 지역들은 아이의 안전과 동반가족의 편의에 초점을 맞출 수 있는 관광지이다. 괌 PIC 리조트는 4세 미만 영·유아도 이용 가능한 키즈클럽을 무료로 운영하고 있다.

초등학생 세분시장 필리핀은 초등학생 자녀와 함께 떠나는 관광지로도 주목받은 것으로 나타났다. 특히 세부는 휴양과 관광을 적절히 병행해 즐길 수 있고, 관광 중 아이의 영어회화 경험을 쌓을 수도 있어 인기이다. 세부에 위치한 제이파크 아일랜드는 대형 워터파크를 보유한 리조트로 초등학생 자녀가 있는 가족 관광객들의 방문 비중이 높은 것으로 나타났다.

중고등학생 및 사회초년생 세분시장 중고등학생과 사회초년생들은 일본을 선호하는 경향이 뚜렷했다. 스스로 설계하는 첫 해외관광을 일본으로 떠나는 경우가 그만큼 많은 것으로 보인다. 중고등학생 관광객 중에서는 38.3%가, 사회초년생 중에서는 43.2%가 각각 관광목적지로 일본을 선택했다. 이는 평균 25.2%에 그친 다른 연령대에 비해 높은 수치이다. 한편 중고등학생들과 사회초년생들이 일본 내에서 가장 선호하는 관광도시는 일본 오사카인 것으로 나타났다.

신혼기 및 자녀육아기 세분시장 신혼기와 자녀육아기에 접어든 관광객들은 다양한 관광목적지로 고르게 관광을 떠나는 양상을 보였다. 가장 선호하는 관광지는 필리핀, 태국, 일본 오사카, 홍콩 등이었으나 지역별 비중 차가 크지 않았다. 아울러 이들은 타 연령대보다 유럽 국가를 여행하는 비중도 높은 것으로 나타났다.

중년기 이후 세분시장 시니어 관광객들에게는 베트남이 가장 '핫'한 관광지였다. 40대와 50대는 주로 중부 휴양지인 다낭과 호이안 관광을 선택했고, 60대 이후부터는 북부 하노이와 하롱베이를 묶어 관광하는 경우가 더 많았다. 또 60대 이상 관광객들은 베이징(북경), 칭다오(청도), 장자제(장가계)를 비롯한 55개 민족의 색다른 문화가 있는 중국 본토나 백두산 관광을 다른 연령대보다 선호하는 경향을 보였다.

인바운드 관광과 스웜문화

우리나라를 방문하는 인바운드(Inbound) 관광객이 '선호하는 체험관광

50선'(KTO, 2016)에 따르면, 외국인 인바운드 관광객이 한국에서 가장 해보고 싶어하는 체험활동 1위는 '거리 음식체험'인 것으로 나타났다. 2위 '한옥 체험', 3위 '전통시장 체험', 4위 '찜질방 체험', 5위 '한복 체험'의 순으로 나타났다. 한편 한국관광에서의 독특한 문화로 '야식문화(배달) 체험' (18위), '치맥(치킨+맥주) 체험'(32위), '찜질방 체험'(4위) 등인 것으로 나타났다. 그리고 언어별 세분시장에서는 영어권 관광객의 경우 '길거리 음식', '고궁 체험', '전통시장 체험'을, 일본인 관광객의 경우 '한옥 체험', '일출 · 일몰 감상', '한방 검진 체험'을 선호하는 것으로 조사되었다. 중국인 관광객의 경우 '한복 체험', '길거리 음식', '한옥 체험'을, 홍콩 · 대만인 관광객의 경우 '한복 체험'과 함께 '겨울 스포츠', '찜질방 체험'의 순으로 선호하는 것으로 나타났다.

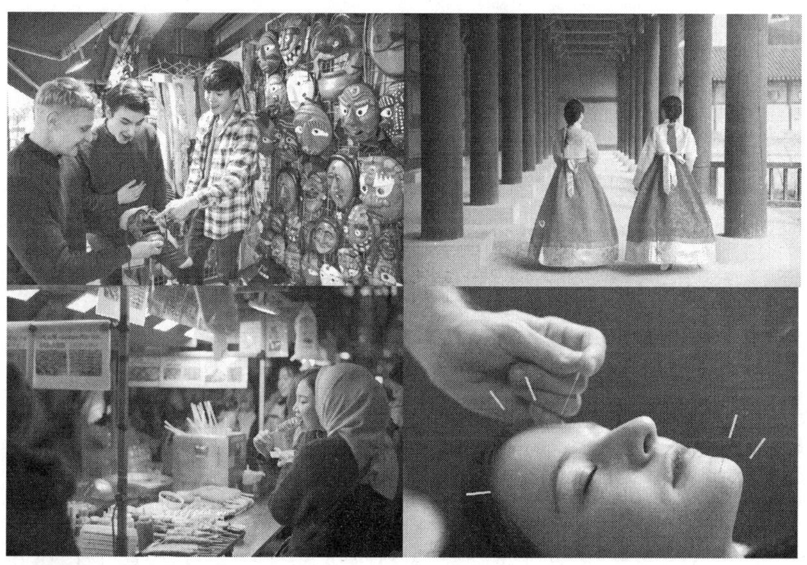

그림 8-3 한국관광 체험 이미지

한국 방문 외국인 관광객의 경우 기존의 관광행태와는 다른 모습으로 서울을 즐기는 것으로 나타났다. 개별관광객(FIT: Foreign Independent Tourist)으로 서울을 찾은 이들은 화장품뿐만이 아니라 옷과 신발 등 패션상품을 구매하고, 케이팝(K-pop) 스토어를 방문하며 한류 문화 전반을 몸소 체험하는 것으로 나타났다. 그리고 문화체육관광부(2020)에서 발표한 2019년 외래관광객의 특성을 분석한 결과에 의하면, 2019년 우리나라를 처음 방문한 외래관광객의 비율은 41.7%, 재방문율은 58.3% 로 나타났으며, 방한 시 고려요인으로서 쇼핑이 66.2%, 음식/미식 탐방 61.3%로 나타났다. 관광정보 입수경로는 친지 · 친구 · 동료가 50.9%였으며, 관광형태는 77.1%가 주로 개별관광이었다. 또한 주요 방문지는 서울(76.4%)이었으며, 이어서 경기(14.9%)였다. 그리고 1인당 지출경비는 2018년 $1,342.4에서 2019년 $1,239.2이었으며, 주요 쇼핑품목은 향수 · 화장품(64.4%), 식료품(54.1%), 그리고 의류(43.8%)인 것으로 나타났다.

서울특별시와 서울관광재단은 지난 상반기에 이어 2018 서울시 외래관광객 실태조사 3분기 결과를 발표했다. 2018년 7월부터 9월까지 서울을 방문한 외국인 관광객 1,500명을 대상으로 설문조사를 진행했다. 또한, 조사의 일환으로 10월 4일부터 11일까지 총 38명의 외국인 관광객을 대상으로 진행된 하반기 관광객 표적집단면접(FGI: Focus Group Interview) 결과에서도 이러한 트렌드가 나타났다.

조사결과, 서울을 찾는 개별관광객은 '다양한 한국 문화 체험'을 선호하는 것으로 나타났다. 이들은 단순한 관람보다는 직접 한국문화를 체험하며 현지에서의 체험관광을 즐기는 것으로 파악됐다. 특히 의류와 신발류 등 패션상품의 구입이 증가한 소비패턴 변화도 주목할 만하다. K-뷰티를 넘어 K-패션으로까지 관심분야가 확대되고 있는 것이다. 또한 K-pop

스타의 영향으로 한류스타 관련 상품의 구매 비중도 증가(10.3%→14.4%)한 것(레저신문, 2019.1.22.)으로 나타났다. 뿐만 아니라 전년 동기와 비교해 볼 때 체류일과 재방문율, 지출액, 만족도 등 서울관광 지표 전반이 향상된 것으로 나타났다. 외국인 관광객이 서울에서 체류하는 기간은 0.64일 확대(5.21일→5.85일), 다시 서울을 방문한 비율은 3.4%p 증가(44.5%→47.9%), 관광 지출액은 3만원 증가(195만 원→198만 원), 서울관광에 대한 만족도는 0.08점(4.16점→4.24점) 증가했다(레저신문, 2019.1.22.). 또한 국적별 세분시장의 크기에서는 중국 37만 명, 동남아 33만 명, 일본 23만 명 순으로 방문한 것으로 나타났다.

제2절 관광상품의 핵심은 '테마'이다

최근 관광객 욕구의 다양화 및 관광서비스 수요의 변화로 인한 테마관광(Special Interest Tourism)의 수요는 급속히 증가하고 있으며, 이러한 요구 변화는 관광객(관광주체)이 추구하는 주제, 즉 주된 목적이 무엇인가에 따라 테마(Interest)가 정의될 수 있다. 따라서 이러한 테마관광은 단일 목적성이라기보다 다목적성의 성격이 강하다. 즉 최근의 관광행태는 복합관광의 형태라 할 수 있다. 이러한 테마관광 역시 관광사업의 경영가치를 창출하고, 지역경제를 살리면서, 나아가 다목적성의 관광객의 욕구를 충족시킬 때 더 의의가 크다고 할 수 있다.

테마관광(S.I.T.: Special Interest Tourism) 테마관광에는 의료관광, 스포츠관광, 축제이벤트관광, 문화유산관광, 커피·와인관광, 문학관광, 섬·낚시·스쿠버관광, 슬로시티관광, 다크투어리즘, 템플스테이(Temple Stay), 한옥체험관광, 골프투어, 트레킹(Trekking), 농촌체험관광, 영화제·공연관광 등 아주 다양한 관광이 있다.

의료관광(Medical Tourism) 경제성장으로 개인의 소득이 증대됨에 따라 사람들은 삶의 질을 추구하게 되었으며 이로 인해 웰빙(Well-being)과 건강 추구형 라이프스타일(로하스)이 일반화되었다. 의료관광은 건강을 위한 의료서비스와 휴양과 관광활동이 결합된 것으로 관광과 의료서비스를 접목한 새로운 관광형태이다. 문화체육관광부 자료에 의하면, 한국의료관광시장은 2009년 5월 의료관광객 유치가 합법화된 이래 연평균 10%p 정도 성장해왔으며, 2017년에는 321,578명의 의료관광객을 유치하였다. 이러한 의료관광은 의료서비스와 휴양, 레저, 문화 체험 등의 관광활동이 결합된 새로운 관광형태로서, 질병의 전문적인 치료와 예방에서 미용성형에 이르기까지 포괄적인 서비스를 제공한다(전국경제인연합회, 2006). 국민경제적인 측면에서 보면, 의료관광은 의료서비스 산업뿐만 아니라 관광산업의 수지 불균형 문제를 해결할 수 있는 대안으로서 그 중요성이 높아지고 있는 것이다. 관광에서 부가가치 창출이 매우 큰 의료관광의 활성화 및 경영가치를 추구하기 위해서는 첫째, 의료관광인프라 구축이 필요하다. 즉 우수 의료인력 확보 및 선진의료 시스템과의 연계가 필요하다. 둘째, 법적 정비 및 규제완화, 그리고 사고 시의 의료보험제도 보완 등이 필요하다. 셋째, 국가적 관점에서의 전사적 마케팅(Total Marketing) 활동과 시장 확보, 그리고 복합의료관광상품 개발이 필요하다. 넷째, 의료관광목적지로서 경쟁력을 높이는 것이 매우 중요하다.

슬로시티 관광(Slowcity Tourism) 이는 1980년대 유럽에서 불게 된 패스트푸드에 반대하는 슬로푸드 운동에서 비롯되어 관광현상에 접목된 새로운 개념이자 하나의 관광문화라 할 수 있다. 좀 더디더라도 지역주민들의 자연스러운 전통과 생활의 속도에 맞추고, 일시적이나마 그 생활 속에 빠져드는 것이 슬로시티 관광의 매력이다. 그러나 이러한 슬로시티 관광문화는 맥캔널(D. MacCannell)이 말하는 '무대화된 고유성(Staged Authenticity)' 관점에서 보면, 관광객들이 실제는 경험하지 못하는 가짜사건(Pseudo-events)이라 할 수 있으며, 관광객이 보는 슬로라이프(Slow Life)는 실제로 지역주민의 일상으로서 생존을 위한 치열한 삶의 현장이라는 점이다. 따라서 최근에 시행되고 있는 슬로시티 인증제는 새로운 문제를 야기할 수 있는데, 특정 지역이 슬로시티로 인증되어 지역 인지도가 높아짐으로써 결국 패스트시티(Fast City)로 전이될 수 있다는 점이다. 이와 같은 사례로서 청산도의 경우 슬로시티 지정 후 2013년에만 37만 명의 관광객이 이 섬을 찾아 농로 포장, 팬션 등 숙박시설과 음식점, 쓰레기 소각장 등으로 인해 '느림의 멋'을 잃어가고 있다(Chosun.Com, 2014.1.13.). 이러한 문제들을 극복하기 위해서는 관광객 사전 예약제 및 관광객 총량제를 도입할 필요가 있다.

다크 투어리즘(Dark Tourism) 다크(Dark)를 뛰어넘는 평화관광(Peace Tourism)으로 역사적으로 비극적이거나 잔학무도한 사건이 일어났던 곳 또는 그런 사건과 관련이 있는 참사현장을 방문하여 반성과 교훈을 얻는 여행(한국관광학회, 2009)을 말한다. 이는 역사적으로 어두운 과거가 있는 장소, 특히 죽음과 관련된 장소를 순례하는 관광을 말한다. 한편 이와 같은 장소를 비극의 현장(Black Spot)이라 하는데, 이러한 대표적인 장소로는 그라운드 제로-뉴욕 세계무역센터가 있으며, 폴란드의 아우슈비츠(Auschwitz) 수용소, 캄보디아의 킬링필드, 그리고 우리나라 서대문형무소, DMZ 등이 있다. 관광객이 이러한 비극의 현장을 보고자 하는 관광동기 내지 목적은 결코 비극을 보기 위함이 아니라 이러한 비극을 교훈삼아 세계평화에 이르기를 바라는 마음이기 때문에 다크 투어리즘은 오히려 평화관광이라 칭하는 것이 맞다. 왜냐하면 관광의 본질로서 1967년 국제관광의 해를 맞아 내건 UN의 슬로건, 'Tourism Passport to Peace(관광은 세계평화의 수단)'에서도 잘 나타나 있기 때문이다. 특히 우리나라 정부에서 추진 중인 비무장지대(DMZ) 세계평화공원은 생태공원으로서뿐만 아니라 다크 투어리즘 명소로 거듭나게 될 것으로 전망된다.

실버관광(Silver Tourism) 일반적으로 경제력이 있는 노년인구 계층의 관광을 말한다. 여기서 말하는 실버의 기준은 경우에 따라 55세 이상/60세 이상/65세 이상으로 정의되기도 한다. 이러한 실버관광에는 ① 실버보건관광, ② 실버의료관광 등이 있다(한국관광학회, 2009). UN에서는 2050년에는 60대 이상의 시니어 세대가 20억 명이 될 것으로 추정하였다. 또한 미국의 경우 총인구 중 41%가 55세 이상이며, 총 해외여행자의 약 28%를 차지하고 있는 것(김용욱·김진·신정영, 2012)으로 나타났다. 우리나라의 경우 65세 이상의 인구가 2005년 9.1%에서 2050년에는 37.3%로 가파른 증가가 예상된다(한국관광학회, 2009)는 점에서 향후 지불능력이 있는 골드 실버관광시대가 도래할 것으로 예측된다.

크루즈 관광(Cruise Tourism) 최근 세계 크루즈 시장의 지속적 확대(2018년 2,690만 명 예측, 전년 동기 대비 6.7%p 증가) 및 방한 크루즈 관광객의 증가 추세에 따라, 방한 크루즈 산업 육성 사업을 적극 전개하고 있다.

그림 8-4 크루즈관광 이미지

문화체육관광부 자료에 의하면, 2014년에는 한국관광공사 해외지사와 공동으로 모객광고, 팸투어(Fam. Tour) 등 다양한 마케팅 활동을 통해 크루즈 462회 입항, 954,685명의 크루즈 관광객을 유치하였다. 2015년에는 메르스가 발생하여 크루즈 입항 횟수는 412회로 소폭 감소하였으나, 대형 선박 증가 등에 힘입어 입국객 수는 1,045,876명으로 증가하였다. 2016년에는 한류 등 우수 콘텐츠를 활용한 테마형 크루즈 상품 개발 및 해외 크루즈 설명회 등 홍보활동을 통해 크루즈 785회 입항, 2,258,334명이 입국

하였다. 2017년에는 한중관계 영향으로 중국발 크루즈의 입항이 취소되면서 크루즈 관광객은 505,283명으로 감소하였다.

이러한 크루즈 관광산업은 각 항구를 중심으로 소비가 일어난다는 점에서 지역경제에 미치는 효과가 상당하다. 기항지에서의 쇼핑, 관광지 방문 등의 관광소비와 선박 입출항료, 접안료 등의 항비 수입, 그리고 선박 운영 관련 서비스, 연료, 물품, 식자재 구매 등을 통한 국내 경제효과가 발생한다. 크루즈 관광객 1인당 국내 쇼핑금액은 2012년 US$512, 2013년 US$662이었다. 2014년에는 US$1,035로 큰 폭으로 증가하였으나 2017년에는 대략 US$800대로 약간 감소하였다.

문화체육관광부에서는 우리나라 크루즈 관광 활성화를 위해 해외 크루즈 관광 설명회, 국제 크루즈박람회 참가, 선사크루즈 전문 여행사 초청 트래블마트 개최, 크루즈 취항 환영행사 등 다양한 홍보마케팅 활동을 전개하고 있다. 또한 쇼핑 위주로 운영되는 기항지 관광의 다양화 및 품질 제고를 위해 지자체와 공동으로 기항지 대표 관광상품을 발굴하여 홍보 및 인센티브를 제공하고 있으며 한류 등 다양한 테마를 활용한 크루즈 유치를 강화하고 있다.

공연 관광(Performance Tourism) 문화체육관광부에서는 넌버벌(Non Verbal) 공연 및 뮤지컬 등 한국 공연콘텐츠가 강세를 보이고 있음에 주목하여, 무형의 문화관광 콘텐츠로서 공연관광 마케팅(Performance Tourism Marketing) 전략을 개발 육성하고 있다. 넌버벌 공연 및 전통공연, 태권도공연, 비보이, 뮤지컬 등의 타 장르를 한데 묶어 공연관광 통합마케팅을 추진하는 한편, 한국관광공사 VisitKorea 사이트를 통하여 한국 상설공연을 홍보하고 예약/결제 사이트와 연동하여 개별관광객들이 쉽게 공연을 관람할 수 있게 하였다. 넌버벌 공연, 뮤지컬 등을 중심으로 약 15개의 상설공연 콘텐츠가 소개되고 있으며 전 세계 FIT대상 4개 국어(영어, 일어, 중어 번체, 중어 간체)로 서비스 되고 있다. 이 외에도 공연관광 글로벌 온라인 캠페인 등을 추진하여 민감하게 변화하는 소비자 환경에 신속하게 대응하고 있다.

또한 '대학로 공연관광 페스티벌(웰컴 대학로)'를 개최하는 등 넌버벌 공연 중심의 기존 콘텐츠들에서 뮤지컬 공연 자막지원 등 외국인 관람이 가능한 양질의 공연관광 콘텐츠를 확보하여 공연관광 영역을 확대해 나가고 있다.

지역대표 글로컬 관광상품 육성

우리나라 문화체육관광부에서는 방한 인바운드 관광객의 수도권 집중, 쇼핑관광 위주의 획일화된 관광행태를 개선하고 지역 고유의 콘텐츠를 개발함으로써 지방관광을 활성화시키기 위해 지역대표 관광지인 '글로컬 관광지'를 선정하여 해외 홍보마케팅을 적극 추진하고 있다.

먼저 범정부 차원에서의 노력으로서 문화체육관광부에서는 지자체 대상 공모를 통해 총 10개 핵심관광 콘텐츠를 선정하였으며, 선정 콘텐츠 및 지역으로는 웰니스(부산), 올림픽(강원), 낭만, 웨딩(경남), 해양, 생태(전남), 근대문화(대구), 야경, 맛집(인천), 한류, 역사(경기), 한방(충북), 백제문화유산(대전), 한식(전북) 등이 있다. 또한 언론인 및 여행업자 초청지원, 해외 광고, 해외박람회 및 이벤트에 참가하여 홍보하는 등 다양한 채널을 활용하여 선정 콘텐츠를 집중적으로 홍보하였다. 이러한 홍보마케팅을 통해 해외에서 483개 상품화를 추진하여 73,899명을 모객하였다. 이때 지역 대표 글로컬 관광상품 육성의 기본 콘셉트는 지역의 다양한 문화 중 향토음식에 또 하나의 초점을 두어야 할 것이다.

오늘날 향토음식(Local Food)은 명확한 용어정의가 이루어지지 않은 상태에서 전통음식, 민속음식, 향토음식, 토속음식 등의 용어를 혼용하고 있다. 두산세계백과사전에서는 향토음식을 '그 지방에서만 생산되는 식료품으로 그 지방 특유의 방법으로 만드는 요리'라고 정의하고 있다. 이러한 향토음식의 특성을 살펴보면 다음과 같다. 첫째, 향토음식은 향토지역에서 자생한 토속음식이므로 분포권역이 동질적인 자연 · 문화 환경 특징을 가진 지역에 한정된다. 둘째, 향토음식은 지역사회에서 배태되어 축적되는 과정에서 정체성을 형성한다. 여기서 정체성이란 '우리 음식', '우리 고장(지역)의 음식', '우리 고장에서 만든 음식', '우리고장에서 만들어져 내려 오는 음식' 등의 이미지가 형성되는 것을 말한다. 향토음식 이미지에는 음식재료와 요리법, 맛의 차별화와 특성화를 담고 있다. 셋째, 향토음식의 정체성을 전승시키는 주체가 지역사회 주민들이다. 넷째, 향토음식은 식재료(주재료, 향신료, 양념 등 포함)의 생산기반을 지역에 두는 예가 많다. 여러 지역에서 생산되는 동일한 식재료라고 하더라도 토양과 토질, 수질 등에 영향을 받아 맛이 차별화 · 특성화되어 향토음식의 정체성을 갖는 경우도 많다. 다섯째, 향토음식은 같은 식재료를 사용하더라도 조리 가공법이 고유하여 맛과 모양이 차별화 · 특성화 되고, 그래서 향토 정체성을 갖는 특성이 있다.

나아가 향후 21세기 관광시장추세는 웰빙(Well-being)의 문화에서 로하스(LOHAS) 문화로 점차 변화할 것으로 판단된다. 한편 로하스 시장은 Market by Natural Marketing Institute(2005)의 「The LOHAS Consumer Trends Database」에 의하면, 크게 ① 지속가능한 경제(Sustainable Economy) 시장, ② 건강한 삶(Healthy Lifestyles) 시장, ③ 대체의학(Alterative Healthcare) 시장, ④ 자

기계발(Personal Development) 시장, ⑤ 생태학적 라이프스타일(Ecological Lifestyles) 시장이 있다(주현식, 2008에서 재인용함). 이들 중 건강한 삶(Healthy Lifestyle) 시장은 $300억 규모로 유기농, 영양을 고려한 제품, 자연적 퍼스널 케어 제품, 다이어트 제품 등이 있으며, 관광산업으로 확대해 보면, 의료관광, K-Beauty의 에스테틱(Aesthetic) 관광, 스파 관광 등이 있다.

제3절 관광상품에 스토리 입히기와 PPL 전략

인바운드 관광객의 선호와 스토리텔링

앞에서 논의된 바와 같이 관광상품이란 관광시장의 욕구를 충족시켜 주기 위해 제공되는 것으로서 유형재(Tangible Goods), 서비스, 이벤트, 사람, 장소, 조직, 아이디어 혹은 이들의 결합물 등을 말한다. 이는 서비스 등을 포함하는 광의의 포괄적인 개념이다. 특히 관광상품은 모방성의 특성이 매우 강하기 때문에 확장상품으로서 상품 이미지, 안전, 서비스 보증 등이 관광서비스 차별화와 경쟁적 이점(Competitive Advantage)을 확보할 수 있는 매우 중요한 요소라 할 수 있다.

나아가 우리나라를 찾는 인바운드 관광객들이 선호하는 쇼핑품목은 어떤 것일까? 특히 우리나라를 찾는 인바운드 관광객들의 쇼핑품목은 다음 [그림 8-5]와 같다.

인바운드 관광객들은 향수·화장품과 식료품을 많이 구입하는 것으로 나타났다. 그러나 2018년에 비해 2019년에는 식료품 구매는 상대적으로 줄고, 향수·화장품과 한류스타 관련 상품은 늘어났다.

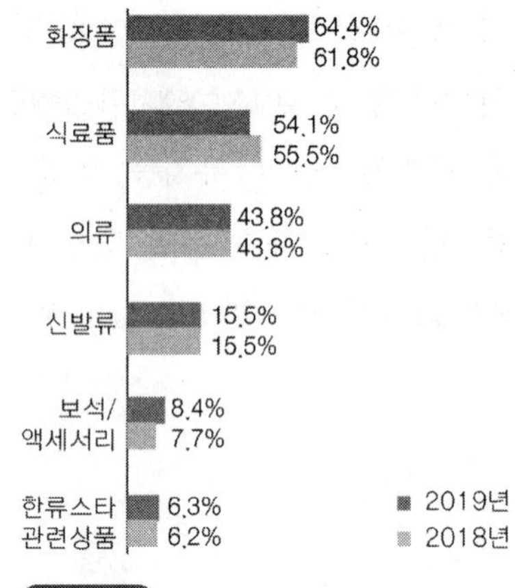

그림 8-5 인바운드 관광객 쇼핑품목

한편 관광상품이 비교우위 경쟁력을 갖기 위해서는 무엇보다도 스토리텔링(Storytelling)이 중요하다고 할 수 있다. 이러한 스토리텔링은 시간의 흐름 속에서 전설(Legend)이 되기 때문이다.

일반적으로 스토리텔링의 개념은 스토리(Story) + 텔링(Telling)의 합성어로서 말 그대로 '이야기하다'라는 의미이다. 또한 사건에 대한 진술이 지배적인 담화 양식이며 스토리, 담화, 이야기가 담화로 변하는 과정 세 가지를 모두 포괄한다.

이러한 스토리텔링의 개념은 해당 문화권, 창작의 주체, 적용 분야 및 장르, 최종 콘텐츠의 형태 등에 따라서 다소 차별적으로 설정·활용되고 있는 편이다. 가령 북미 및 유럽에서 '스토리텔링'을 지칭할 경우에는 '텔링'의 전달 방법에 중심을 둔다. 따라서 스토리텔링을 일종의 '구비문학(Oral Literature)' 영역과 연계된 학문으로 전제한다. 학문적으로도 자연히 지역문화의 전승방법, 설화의 전승방법 등에 대한 학문적 고찰이 주를 이루는 편이다.

대부분 연구자들의 견해로 스토리텔링은 커뮤니케이션 수단으로서 이야기 참여자들이 종합적이고 조직적으로 참여하여 이야기함으로써 대중적으로 유사한 감정을 불러일으킬 수 있는 점에서 스토리를 연속적으로 구성하는 것이 매우 중요하다고 말한다. 틸든(1997)은 관광지 스토리텔링의 대표적인 구성요인을 테마성, 교육성, 이해성, 흥미성, 정보성, 예술성, 다양성, 전체성의 8가지 요인으로 구분하였다. 또한 관광지 스토리텔링은 조직사회의 의미와 삶의 모습을 총체적으로 생성시킨 스토리로서 관광분야에서는 관광지에 관한 상징적이고 물리적인 배경 하에 논리적으로 구성되고 개발된 실체를 의미한다(Dann, 1996). 이러한 스토리텔링은 앞서 언급한 트라이스 모델에서와 같이 언제나 사실인 것은 아니며, 사실성에서 벗어나거나 어느 정도 왜곡된 것도 있는데, 이는 관광객과 관광지, 그리고 지역주민이 함께하는 문화접변과 문화동화의 하나로서 정서적 몰입과 공감을 이끌어내는 가장 효과적인 방법이다. 결국 관광객에게 관광상품을 감성적으로 포지셔닝을 하는 데 중요한 기능콘텐츠 생산을 위해 전개되는 이야기인 것이다.

국내에서 스토리텔링에 관한 관심이 새롭게 진작된 계기는, 인터넷 공간의 확장과 디지털 기술을 넘어 4차 산업혁명이라 할 수 있는 IOT (Internet of Thing) 기술의 급속한 발전에 기인한 것으로 보인다. 구체적인 현상을 중심으로 파악하자면, 영상 세대의 전면화, 감성 문화의 확장, 상호작용성이 특화된 전자공간의 점증, 사용자의 참여에 의해 구축되는 증강현실(Augmented Reality)의 일상화, 가상현실(Virtual Reality)의 일반화 등과 긴밀한 연관관계에 있는 것으로 파악된다. 즉 문화콘텐츠 산업 전 영역, 이를테면 관광, 영화, 방송, 드라마, 애니메이션, 게임, 캐릭터 콘텐츠 분야의 창작 방법론이자, One Source Multi Use를 위한 전략적 기술이라 할 수 있을 것이다. 특히 관광객은 관광지에서 상품이나 서비스를 구매하는 것에 그치지 않고 관광지환경에서의 즐거움과 문화적 자극, 감성적 체험을 원하기 때문에 오늘날 관광자원이나 관광대상의 가치를 높이기 위해 스토리텔링 기법이 적용되고 있다. 관광객들은 관광목적지를 선택할 때 이성적 판단보다는 감성적 판단에 주로 의지한다. 따라서 관광지 가치 및 상징성을 높이기 위한 방안으로 스토리텔링이 사용되고 있는데, 이러한 스토리텔링은 관광객에게 특별한 경험을 제공하고 있으며 이를 통해 관광태도에 영향을 미치는 것으로 나타났다.

최근 들어 관광에 스토리텔링 기법을 도입한 관광해설이나 관광마케팅이 증가하고 있다. 과거의 관광행태가 주유형 관광(Sightseeing)의 1차원적인 것이라고 한다면 현재는 감성 및 감각 욕구를 만족시켜줄 체험이 중요시되는데, 이러한 감성체험은 스토리텔링을 통하여 더욱 극대화 될 수 있기 때문이다. 관광분야의 스토리텔링은 투어가이드의 설명과 해설이며 관광지에 대한 개발된 담론에 의해 만들어지는 물리적, 상징적 경관에 의해 구성된 실체이다(Dann, 1996; Saarinen, 2004). 관광지 스토리텔링은 관광지, 관광시설, 관광프로그램 등에 스토리를 부여하고 관광객으로 하여금 흥미를 일으키게 하며, 나아가 관광에서의 스토리텔링은 관광지와 관광객이 정보와 체험을 공유하면서 하나의 공동스토리를 만들어가는 과정이라고 정의된다(최인호, 2008). 이는 관광자원에 관련된 이야기의 소재를 발굴하거나 의미를 찾아 관광지의 정체성을 부여하는 작업이며, 스토리 발굴, 체험, 공유의 과정을 통해 상호작용을 하면서 공유가치를 만드는 과정으로 정의될 수 있다. 관광지와 관련된 이야기를 중심으로 한 관광지 스토리텔링은 관광지에 흥미를 일으킬 수 있는 마케팅기법으로 사용되고 있다. 관광지 스토리텔링은 전달방법의 기술적 방법을 의미하는 것이 아니라 관광지에서 관광객들로 하여금 교감을 느끼게 하며 감성체계를 만드는 것, 즉, 관광객의 체험과 추억의 관리를 통해 관광객, 관광지, 지역주민이 공동의 감성체계를 만들어가는 과정이다. 따라서 관광자원에 관련된 이야기의 소재를 발굴하거나 의미를 찾아 관광지의 정체성

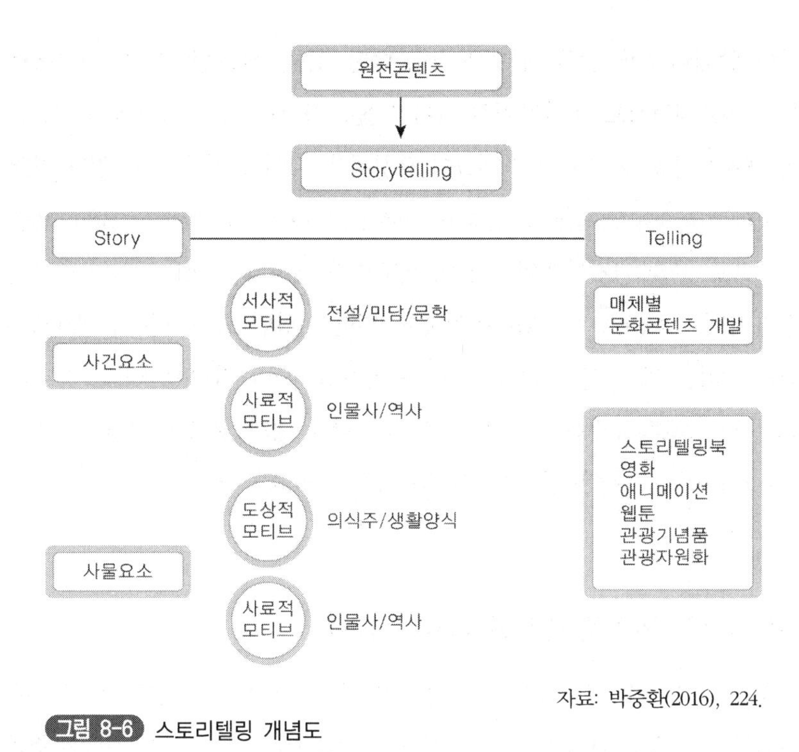

자료: 박중환(2016), 224.

그림 8-6 스토리텔링 개념도

을 부여하는 작업이며, 관광자원의 보조수단으로 양질의 관광활동을 경험하여 이용의 효율성을 증대시키는 것이라 할 수 있다. 외국에서는 오래 전부터 스토리텔링을 이용하여 세계적인 관광지화를 도모하고 있다. 예컨대 외국의 경우 벨기에 브뤼셀의 '오줌싸개 소년' 동상과 영화 「로마의 휴일」의 배경이 되었던 이탈리아 로마의 '진실의 입', '트레비 분수' 등이 대표적이다(오상훈·이유라, 2014).

향후 전개해야 할 주요 영화 촬영지를 대상으로 한 한류마케팅의 전략을 요약하면, 다음과 같다. 먼저 앞의 한류 열풍 강도 분석 결과에서와 같이 말레이시아, 중국, 인도네시아, 대만, 몽골, 베트남, 홍콩, 싱가포르 등을 목표시장으로 관광자원적 가치가 높은 명동, 자갈치시장을 중심으로 한 포지셔닝(Positioning) 전략 개발이 요청된다. 나아가 이들 주요 영화 촬영지(자갈치 시장, 국제시장, 금정산성, 낙동강 하구, 태종대, 용두산공원, 해운대해수욕장, UN기념공원)를 바탕으로 한 패키지상품의 개발이 필요하다(박중환, 2007; 2003). 특히 중국시장의 경우(KTO 설문조사) 여행비용이 6,000위안 이상인 고가 상품이 선호되는 점을 고려할 때, 고가패키지상품의 상층흡수(Skimming) 가격전략이 요청된다. 또한 직접모객과 같은 푸시(Push) 전략과 함께 영화 및 드라마촬영지 PPL (Product Placement) 같은 풀(Pull) 전략의 믹스가 필요하다.

아웃바운드 관광객 범주와 목표시장전략

현재 우리나라 아웃바운드 관광객의 계층은 어디에 포함될까? 결론은 우리나라의 경우 아직까지는 해외여행을 하는 국민의 계층은 사회계층적 특성으로 볼 때 일부를 제외하고는 중산층(Middle Class) 이상이라고 볼 수 있다. 참고로 우리나라를 방문하는 외국인 인바운드 관광객은 사회계층

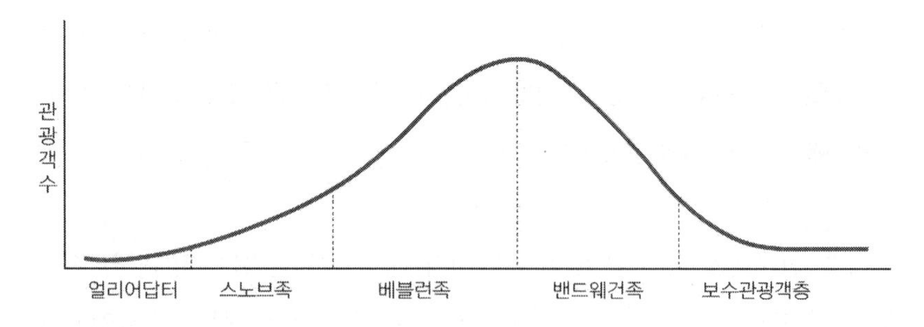

그림 8-7 아웃바운드 관광객 범주

적으로 보면, 일반 대중들(Upper Class, Middle Class, Lower Class)이라고 할 수 있다.

우리나라 아웃바운드 관광객을 중심으로 범주화해 보면, 다음 [그림 8-7]에서와 같이 새로운 관광지나 관광상품을 남들보다 빨리 수용하는 얼리어답터부터 가장 나중에 수용하는 보수관광객층으로 분류할 수 있다.

관광시장(관광객) 전체를 여러 가지 기준에 의해서 세분화한 후 어느 세분시장(Market Segments)을 관광기업이 공략의 대상으로 삼아야 할 것인지를 결정하는 과정을 시장표적화(Market Targeting)라 한다. 다시 말해 시장세분화를 통해 파악된 각 세분시장에서 관광기업이 주 고객으로 삼을 시장을 확인하고 선정하는 과정이다. 이렇게 선정된 시장을 목표시장 또는 표적시장이라 한다. 표적시장은 관광기업이 차별적 경쟁우위를 발휘할 수 있다고 판단하여 선정한 관광객 집단이다.

따라서 표적시장을 선정함에 있어 관광기업은 표적시장의 규모와 시장의 성장성, 수익 창출의 전망, 현재의 경쟁 상황과 잠재 경쟁자의 진출 가능성, 그리고 표적시장에서 자신들이 경쟁기업보다 확실한 우위를 차지할 만한 인적·물적 자원과 노하우(Know-how)를 갖고 있는지 세밀하게 분석해 보아야 한다. 특히 표적시장에서 관광기업이 추구하는 장기목표를 과연 실현할 수 있을지 여부도 검토해야 한다.

관광상품의 PPL 전략

PPL(product placement)은 바라수브라마니안(1994)에 의하면, "영화나 텔레비전 프로그램 속에 브랜드제품의 등장을 계획적으로 그리고 눈에 띄지 않게 하여 영화나 텔레비전 오디언스(Audience)에게 영향을 줄 목적으로 하는 대가성의 제품메시지"로 정의하였다. 한편 일부 학자들(Nebenzahl & Secunda,

1993; Cuperfain & Clarke, 1985)은 PPL을 역하 커뮤니케이션(Subliminal Communication)의 한 형태로 보았다. 그리고 전략(Strategy)이란 조직의 목적을 달성하기 위한 광범위한 원리나 원칙을 말한다.

이러한 PPL의 역사는 문제사적으로 볼 때, 1945년 미국 할리우드 영화인 「Mildred Pierce」에서 Joan Crawford가 버번 위스키를 마시는 장면(Nebenzahl & Secunda, 1993)에서 시작된 이후로 오늘날에는 IMC(Integrated Marketing Communication)의 한 수단으로 발전하고 있다. 그러나 우리나라의 경우 '간접광고'로 간주하여 엄격히 규제(방송심의규정 제63조: 간접광고 등 금지)하고 있다. 이에 대한 찬반양론이 있는 것도 사실이나 본 연구에서의 연구대상인 특정 영화촬영 장소는 '장소협찬 PPL'로서 이는 방송심의규정에서 말하는 "경쟁상품 관계"가 아니므로 특별한 문제의 소지가 없다는 측면에서 연구가치가 있다. 이러한 맥락에서 영화와 관련된 장소협찬 PPL을 살펴보기로 한다.

영화와 관련된 PPL 사례로 강제규필름이 제작한 영화 「쉬리」는 장소 PPL의 대표적 사례라 할 수 있다. 「쉬리」는 제주신라호텔과 공동마케팅을 펼치기로 하고 제주신라호텔의 벤치를 PPL하여 이곳을 관광명소로 만들었다. 호텔 측은 '쉬리의 촬영장소로 쓰였던 벤치'라는 안내 표지판을 세우고, 심지어 '쉬리 패키지' 상품을 내놓기도 하였다. 영화와 다른 드라마 PPL로서 하나의 사례로 KBS2-TV의 「가을동화」의 경우 강원도 속초시 청호동의 '아바이마을'이 드라마의 인기에 힘입어 새로운 관광명소로 부상하기도 했다. 최근에는 1,600만 명이라는 역대 한국영화 흥행 2위에 등극한 영화 「극한직업」 열풍 덕에 수원 통닭 거리가 호황을 맞고 있는 것이 대표적인 사례이다.

현재 부산광역시는 자연적 · 문화적 도시특성과 함께 영상산업 육성이라는 시의 정책이 맞물려 국내외로부터 영화 촬영지로서 각광을 받고 있다. 부산은 과거 오래 동안 '문화 불모지'라는 오명을 감수하다 1996년 부산국제영화제(BIFF)를 성공적으로 개최하면서 영화도시로 발전하기 시작했다. 지금은 아시아를 대표하는 영화도시를 넘어, 영화·영상산업의 메카로 도약하고 있다. 부산을 배경으로 촬영된 영화는 1924년 「해의 비곡」을 시작으로 2018년 현재 장편극영화 국내 100여 편, 국외 40여 편을 포함하여 총 140여 편이 촬영되었거나 협의 중에 있으며, 기타 영상물 100여 편을 합치면, 240여 편의 촬영이 이루어졌거나, 이루어질 예정이다. 이러한 현상은 관광산업 발전과 새로운 관광자원 개발의 새로운 전기를 마련할 수 있는 좋은 계기라 할 수 있다. 즉 영화 속의 촬영지들은 관광자원으로서의 다양한 가치뿐만 아니라 부산의 이미지 제고에도 큰 역할을 할 수 있는 간접광고의 좋은 대상이 될 수 있다는 것이다. 또한 1980년대 대중가요를 시작으로 해서 영화로 인해 불어 닥친 한류(韓流) 열풍을 활용한다면, 주요 영화 촬영지의 관광자원 가치는 충분히 시너지 효과가 극대화될 것으로 판단된다.

이러한 영화나 드라마를 통해 PPL된 장소들이 새로운 한류의 명소로 등장하고 있다. 글로컬(Glocal) 시대를 맞아 지방정부나 관광기업 등은 영화나 드라마 촬영지 노출을 통해 관광지를 명소화하는 전략에 관심을 기울여야 한다.

팸투어를 통한 팬덤화

팬덤(Fandom)이란 산업사회의 대중문화에서 일반적으로 나타나는 현상으로서 자발적으로 모인 사람들이 대량 생산되어 대량 분배된 오락의 레퍼토리 가운데서 특정 연기자나 서사체 혹은 장르를 선택하여 자신들의 문화 속에 수용하는 현상을 의미한다(김형곤, 2002). 팬덤(Fandom)이란 영어 'Fan'과 'dom'의 합성어로서 'Fanatic'의 줄임말인 팬(Fan)에서 유래된 것으로 특히 19세기 후반 이후에 대중매체가 발달하면서 '팬'의 의미는 급속히 확장되어 스포츠나 상업적 오락에 대해 열정적인 사람들을 지칭하게 되었다(Jenkins, 1992).

결국 이러한 팬들은 일반 수용자에 비해 자기의 취향을 보다 적극적으로 추구하는 집단이라 할 수 있다. 예컨대 팬덤 대상에 대한 정보를 수집하고 이를 즐길 수 있는 공간을 쫓아다니며, 공공연하게 열광적인 애정을 표시하는 행동들이 그러하다. 다시 말해 포괄적으로 팬이라는 현상과 팬으로서의 의식을 포괄적으로 지칭하는 개념으로 사용되고 있다(김창남, 1998). 따라서 팬덤(Fandom)화 전략으로 최근 중국인 유학생들과 베트남 유학생, 그리고 인도네시아 및 말레이시아 관광객들이 급증하고 있는 점을 고려하여 이들을 중심으로 이들 영화·드라마 촬영지에 대한 지속적인 팸투어를 실시하여 동남아 시장 확대 및 한국문화의 접변·확산을 도모하는 것이 필요하다.

TOURISM & SWARM CULTURE

지역관광개발 · 관광 축제와 스웜문화

묵상제목

묵상	기도	통독	암송	전도

묵상 기록 하기 묵상한(주신, 깨닫게 하신) 내용을 기록으로 남기십시오.

적용 하기 지켜 인내로 결실해야 할 것을 적용하십시오.
좋은 땅에 있다는 것은 착하고 좋은 마음으로 말씀을 듣고 지키어 인내로 결실하는 자니라(눅 8:15)

정리 하기 하나님은 어떤 분이십니까?

내가 받은 은혜와 감사

내게 주시는 교훈

기도 하기 간절히 부르짖는 기도하십시오.(기도하지 않으면 무용지물이 됩니다)
너는 내게 부르짖으라 내가 네게 응답하겠고 네가 알지 못하는 크고 은밀한 일을 네게 보이리라(렘 33:3)

CHAPTER

09

지역관광개발·관광축제와 스윔문화

제1절 지역관광개발과 스윔문화

우리나라 산업연구원의 25년간의 지역 성장률 분석결과에 의하면, 서울·부산·대구는 생산가능인구(15~64세)가 줄고, 고령화 속도가 빠를 뿐만 아니라 제조업 시설이 인근 도시로 빠져나가 소득·인구 증가율 역시 전국 평균을 밑돌아 주변의 신도시에 성장 주도권을 빼앗겼을 뿐만 아니라 도시의 쇠락 속도가 빨라지고 있는 것으로 나타났다. 한편 경기·충남 등은 성장지역으로 도약하고 있을 뿐만 아니라 산업단지 들어서면서 일자리가 늘어났으며, 제주특별자치도의 경우 귀촌 인구 유입으로 고성장을 이루고 있는 것으로 나타났다.

최근의 산업연구원이 최근 펴낸 「고령화 시대의 생산인구 변화와 지역성장 변동경로」 보고서는 우리나라의 지역경쟁력이 변한다는 메시지를 던진다. 이 보고서는 1990년부터 2015년까지 지역의 성장 경로를 분석했다. 1인당 지역내총생산(GRDP)과 생산가능 인구 증가율을 지역순환가설에 적용하는 방식이다.

여기서 지역순환가설은 지역의 발전단계가 '성장지역→정체지역→쇠퇴지역→잠재적 성장지역→성장지역'으로 순환한다는 내용이다. 소득과 인구 증가율이 모두 높으면 성장지역, 모두 낮으면 쇠퇴지역이다. 인구 증가율은 높으나 소득 증가율이 낮으면 정체지역, 인구증가율이 낮고 소득 증가율이 높으면 잠재적 성장지역이다. 기간은 1990년부터 외환위기에 직면한 1997년(1기), 1998년부터 금융위기 때인 2008년(2기), 2009년부터 2015년(3기)으로 나눠서 분석했다(중앙일보, 2018.1.3.).

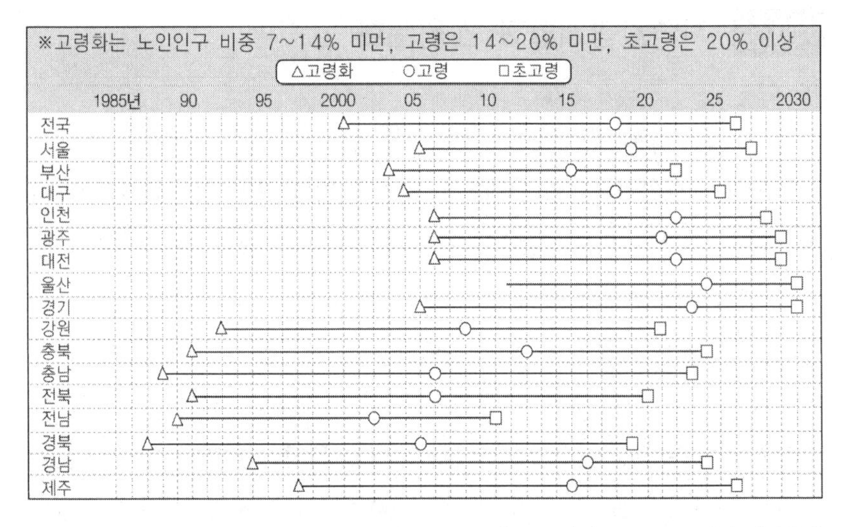

자료: 중앙일보(2018.1.3.)에서 재인용함.

그림 9-1 초고령사회 진입 연도

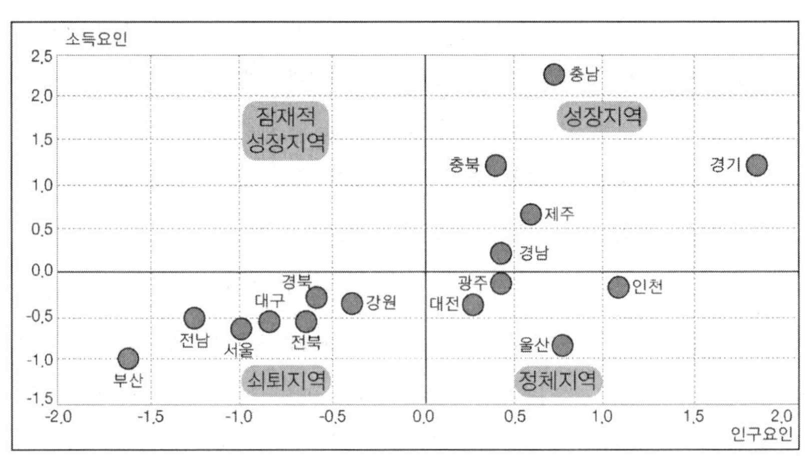

자료: 중앙일보(2018.1.3.).

그림 9-2 인구 및 소득 중심 지역경쟁력

이러한 초고령화 시대의 도래 시점에서 생산인구 변화에 대응하고 지역경쟁력을 키우기 위해서는 정부 차원의 종합적이고 체계적인 관광정책 수립과 함께 지역균형발전의 새로운 동력으로서 지방 내지 지역 관광개발이 필수적이라는 정부와 지역주민의 인식 전환이 매우 시급하다. 왜냐하면, 관광산업은 노동집약산업으로서 새로운 일자리 창출을 가장 효과적이고 효율적으로 달성할 수 있기 때문이다. 이를 구체적으로 살펴보면, 인바운드(Inbound) 관광은 국가 간의 무역외 수지(Invisible Export)의 하나로서 통계에 의하면, 세계상품 총수출액의 10%를 앞지르는 것으로 나타났으며, 세계서비스 교역량 중에서는 대략 35%를 초과하는 것으로 나타났다. 세계상품 총수출액 중 관광이 차지하는 비중으로 볼 때 특정 국가의 국제관광수지와 해외여행수지는 무역외수지로서 서비스무역 중에서 해운수지, 기술수지 등과 함께 매우 큰 비중을 차지하고 있다. 국제관광의 외화획득 효과로 인해 후진국, 개발도상국, 선진국 할 것 없이 모든

나라에서 인바운드 관광객 유치를 위해 노력하고 있다는 점에서 외화가득은 국민경제의 확대에 절대적 영향을 미친다고 할 수 있다. 즉 관광의 경제적 효과로서 무역외수지 증대 효과가 나타난다는 것이다. 즉 관광으로 인한 외화가득률은 대략 90% 이상으로, 이는 여타 상품수출의 외화수입이 대략 82%인 데 비해 높은 수준이다. 따라서 관광은 국제친선이나 문화교류에 기여하면서 외화를 획득하면서도 관세장벽이나 보호무역주의가 없다는 산업적 이점이 있다. 또한 외국인 관광객의 유입은 한 나라에 외화수입을 가져와 국제수지개선에 기여할 뿐만 아니라, 관광객이 입국하여 국내에서 소비하는 외화는 그 나라의 경제활동을 확대시키고 연관산업을 번창하게 하여 국민경제 발전에 크게 기여한다. 이를 관광승수효과(Tourist Multiplier)라 하며, 이러한 관광승수효과에는 산출(Output)승수효과, 판매승수효과, 소득승수효과, 고용승수효과, 외환금융시스템 안정 승수효과 등이 있다.

이러한 관광승수효과는 첫째, 국제관광, 특히 인바운드 관광을 통한 국내관광산업의 진흥이다. 외래 관광객의 소비는 숙박비, 식음료비, 교통비, 쇼핑비, 관광비용, 미용관광비, 겜블링비, 문화 및 스포츠 관련 비용, 유흥/오락비 등의 여러 형태로 지출된다. 그리고 최초의 소비는 점차적으로 회전 및 순환하여 이른바 소비의 승수효과를 낳게 하여 여러 관련 부문으로 파급된다. 이에 관한 실증적 연구는 미국의 상무부와 태평양지역 관광협회(PATA)가 공동으로 17개 가입국에 대하여 실시한 관광조사보고서(태평양·극동지역에 있어서 관광사업의 장래)에서 잘 나타났다. 즉 관광으로 소비한 화폐의 회전 또는 승수효과를 정밀한 모델분석을 통하여 관찰한 결과, 경제외적 제수요에 따라 일정하지는 않지만, 경제사정에 관계없이 그 금액은 당초 지출된 이후 1년에 3.2회 내지 4.3회 정도 회전하는 것으로 나타났다. 따라서 당초 소비한 금액의 3~4배의 경제활동을 유발한다는 것을 보여준다. 이와 같이 관광객의 소비는 국내 경제활동을 촉진시키는 원천이 된다. 둘째, 관광산업 발전을 통한 고용효과의 증대이다. 관광사업은 노동집약적이면서 미래의 성장산업이기 때문에 고용효과가 높은 사업이다. 관광사업이 유발하는 고용효과는 직접효과, 간접효과 그리고 유발효과의 세 가지 형태로 분류된다. 직접고용은 관광객의 직접적인 소비로부터 발생되는 관광기업의 고용이며, 관광수입 1억 원 당 약 6명의 고용창출 효과(제조업은 대략 3명 정도)가 있는 것으로 나타났다. 간접고용은 관광기업이 필요로 하는 재화와 서비스를 타 산업으로부터 구입함으로써 간접적인 영향을 받아 발생되는 산업의 고용이다. 유발고용은 직접고용 또는 간접고용 부문이 관광으로부터 가득한 소득을 재소비함으로써 발생하는 추가고용이다. 스페인의 경우, 전체 취업인구의 약 20% 정도가 각종 관광 관련 산업에 종사하고 있다. 이를 감안할 때, 관광기업활동의 확대가 고용증대에 얼마나 기여하고 있는가를 잘 이해할 수 있다. 셋째, 국민경제의 발전 효과로서 관광 관련 산업의 확대이다. 인바운드 의료관광객의 증가는 우리나라 의료산업의 새로운 시장으로 개발됨으로써 의료산업의 발전과 의료기술의 진전을 이루는 계기가 될 수 있다. 또한 스키와 같은 취미 스포츠 관광 역시 스키장의 새로운 수요가 창출되는 효과가 있다. 넷째, 관광을 통한 조세효과이다. 관광산업이 발전함으로써 다양한 조세원천이 생겨난다는 점이다.

나아가 인바운드 관광객의 유입은 지역의 판매승수효과, 소득승수효과 및 고용승수효과로 인해 지역경제 발전을 촉진시킨다. 관광객의 증가와 관광소비는 직·간접으로 지역의 관광수입이 될 뿐만 아니라 새로운 관광개발도 유발한다. 이러한 관광개발은 지역의 토지를 이용하며, 노동력의 필요와 자본의 유입 등으로 지역의 관련 사업이 번영하고 지역주민들에게 취업의 기회를 주게 된다. 지방화 시대에 있어서 외래관광객 유입과 관광소비는 규모가 작은 지역 같은 제로섬 사회(Zero Sum Society)의 관점에서 보면, 지역 경제의 확대에 절대적인 영향을 미친다고 할 수 있다. 최근에 여러 지방자치단체들이 앞다퉈 축제이벤트 등을 관광상품화하고 있는 것도 이러한 맥락이라 할 수 있다.

결과적으로 특정 지역에서 관광소비의 증대는 관광과 관련된 여러 가지 관광사업을 활성화시키고, 이를 통해 지역경제발전에 기여하는 지역경제의 선순환구조화에 공헌하는 역할을 한다. 또한 관광을 통해 지역 관광인프라(Infrastructure)가 조성되는 효과가 있다. 특히 메가 이벤트와 대형 컨벤션행사 등은 사회간접자본(Social Overhead Capital)으로서 관광인프라 조성이 필요하기 때문이다. 즉 하드웨어로서 관광인프라는 교통시설, 상·하수도시설, 통신시설, 관광지 화장실, 관광지 조경 및 환경, 관광지 및 관광자원 안내표지판, 기념품 및 쇼핑시설, 숙박 인프라, 관광 F&B (Food & Beverage) 인프라, 관광지의 편의 및 안전시설 등이 있다. 소프트웨어로서 관광인프라에는 숙박서비스, 관광 F&B 서비스, 관광지 지원서비스, 관광스마트 앱을 비롯한 관광안내·정보서비스, 교통서비스, 쇼핑 및 기념품 서비스 등이 있다.

또한 관광은 지역 고용창출효과가 있다. 관광산업은 노동집약산업으로서 인적 서비스 의존성이 크기 때문에 많은 인력이 필요하다. 이런 점에서 관광은 앞서 논의된 바와 같이 다른 산업보다 고용창출의 직접적인 유효성을 가지고 있다. 그리고 관광은 지역소득승수 효과와 판매승수 효과가 큰 특징이 있다. 그리고 관광의 효과 중 가장 두드러지는 것이 경제적 효과이지만, 대중 및 대량 관광시대에 들어와서는 사회문화적 효과가 경제적 효과 이상으로 많은 관심을 받고 있다. 관광의 사회 · 문화적 효과는 관광객의 관광활동이 생산과 소비라는 사상(Events)만을 발생시키는 것이 아니라 지역주민과의 접촉을 통해 서로 영향을 주고받게 됨으로써 사회 변화 효과 및 문화 교류 효과를 발생시킨다는 점이다.

지역균형 발전이라는 목표 아래 우리나라 문화체육관광부가 수립하는 관광개발기본계획은 관광지, 관광단지 등 관광자원 개발을 추진함에 있어 전국적이고 장기적인 안목에서 개발계획을 수립하여 국제관광의 여

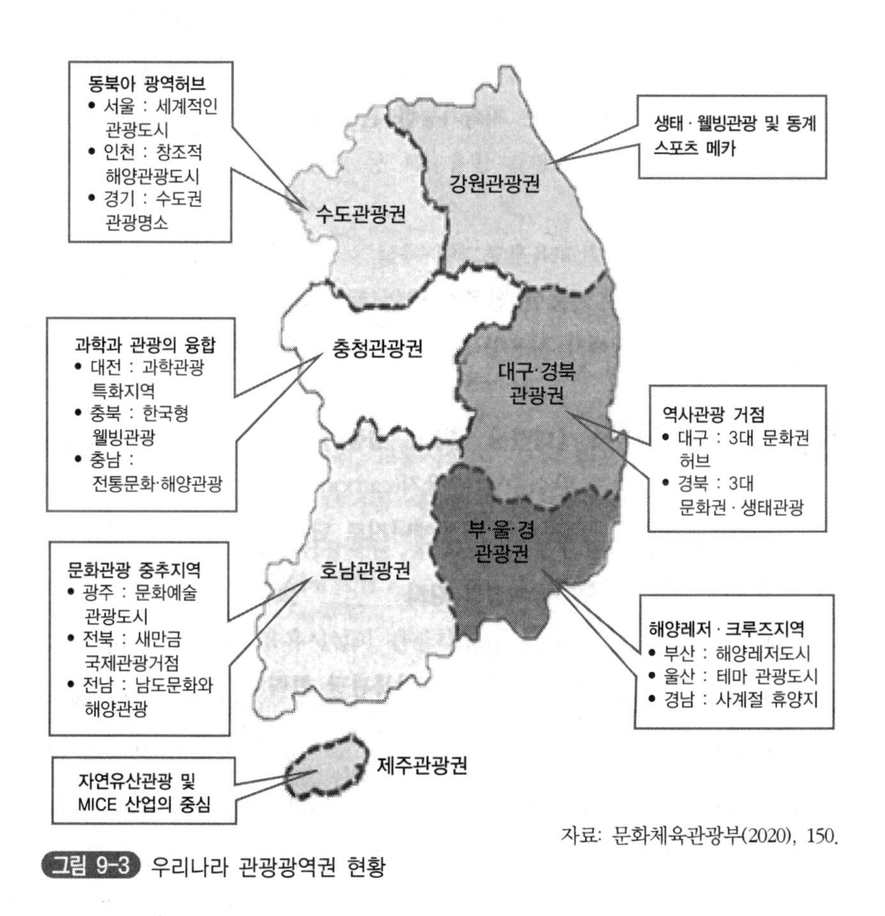

자료: 문화체육관광부(2020), 150.

그림 9-3 우리나라 관광광역권 현황

건변화, 국민관광의 질적 · 양적 성숙 등에 원활히 대응할 수 있도록 하기 위함이다.

우리나라는 제1차 관광개발기본계획(1992~2001)에 따른 제1차 권역별 관광개발계획 (1992~1996)과 제2차 권역별 관광개발계획(1997~2001)을 시행하였고, 제2차 관광개발기본계획(2002~2011)에 따른 제3차 권역별 관광개발계획(2002~2006)과 제4차 권역별 관광개발계획(2007~2011), 제5차 권역별 관광개발계획(2012~2016)을 시행하였으며 제6차 권역별 관광개발계획(2017~2021)을 각 시 · 도별로 수립하여 시행할 예정이다. 특히 제6차 권역별 관광개발계획(2017~2021)의 핵심 콘셉트는 지역사회 주도의 지속가능한 관광자원개발 방안 정립과 지역관광경쟁력 강화와 국제관광시대의 기틀 마련이다.

제2절 관광축제와 스웜문화

지역 관광축제와 관광지 이미지

축제는 일반적으로 영어로 페스티벌(Festival)이라고 한다. 이는 바로 문화 및 예술적 요소가 가미된 제례를 일컫는다. 게츠(1997)는 축제를 "대중적이며 테마화된 축하행사"라고 정의하였다. 이러한 축제에는 우리의 잔치나 연회에 가까운 피스트(Feast), 사순절에 앞서서 3일 또는 일주일 동안 즐기는 명절인 카니발(Canival) 등이 있다. 이러한 축제는 제축(Festivity)과

그림 9-4 브라질 리우 카니발(Rio Carnival) 이미지

환상(Fantasy)의 기능(민양기, 2005)이 있는데, 특히 우리들은 축제의 초자연적·신비적인 힘(Mana)을 통한 몽환적 상태를 즐기기 위해 참가하게 된다. 이러한 축제의 기능들은 앞에서 언급한 관광객의 다양한 감각욕구와 끼리문화, 그리고 동성사회성(Homosociality) 판타지와 연결된다.

이러한 지역축제는 그 지역의 특성에 기반한 독창성과 지역만의 개성, 그리고 테마를 통해 지역 주민들의 참여와 지역문화 창달은 물론 지역의 정체성(Identity) 고양의 새로운 동력이 될 수 있다.

성현선·임재국(2008)은 지역축제를 "지역의 역사와 전통과의 직접적인 관련성 속에서 공감대가 설정되어 지역민과 함께 호흡하는 순간"이라고 정의하였다.

이러한 지역축제는 지역문화의 한 부분이다. 지역축제가 지역문화의 개념 속에서 논의되어야 올바르게 이해될 수 있다. 지역민이 참여하고 지역주민이 주인이 되는 생동하는 지역문화가 이루어졌을 때, 지역축제는 그 성공적 개최를 기약할 수 있고 무한한 생명력을 가질 수 있다.

한편 종합적인 축제를 기획하기 위해서 중장기 '마스터 플랜'을 마련해야 하는데 그 이유는 이상적인 축제를 계획, 탄생, 홍보하는 데 소요되는 기간을 최소 3년으로 보기 때문이다(Richards, 1992). 그러므로 몇 가지 축제를 계획하더라도 동시에 하기보다는 시범적으로 시행해 보는 신중성이 필요하다. 그러나 축제는 개발기획 전략의 부족으로 자칫 잘못하면 돈만 낭비하고 마는 위험성이 있으므로 주민과 자치단체 그리고 기업과 방문자 등의 4자 간의 협력과 조화가 잘 이루어져야 한다. 지역사회와 관광지의 이미지 고양 수단으로서 축제는 가능성을 지니고 있으므로, 가능한 관광지와 축제의 이미지 연계를 담보할 검증된 이벤트(Hallmark Event)를 개최하는 것이 바람직하다(Getz, 1997).

최근 여러 지역에서 개최되고 있는 지역축제를 보면, 그 구성과 내용에 유사한 점이 많다. 성공적인 축제 개최를 위한 프로그램 구성에서 가장 중요한 것은 개최하고자 하는 축제의 독특성을 잘 반영할 수 있는 프로그램을 구성하는 것이다. 매년 축제의 구성 및 내용에 전혀 변화가 없이 똑같은 내용을 반복한다는 것은 축제 방문객들의 만족도를 낮추는 지름길이자 그레이 관광 스웜문화 중 하나라 할 수 있다. 우리나라는 종래 축제에 대한 개념을 잘 알지 못하여 전국 어디서나 거의 유사한 종목들을 서로 모방해 오면서 짧은 시간에 행사를 치르기에 급급했다. 결국은 축제이름은 다르나, 대동소이한 프로그램 구성 면에서 심각한 수준이 되었다. 이러한 그레이 관광 스웜문화는 지방화 시대를 맞아 지방자치단체장들의 한건주의도 한 몫을 하고 있다고 할 수 있다. 지자체들은 예산

사정으로 새로운 행사종목을 개발하지 못하고 예년 행사를 거의 그대로 답습하는 실정이라는 재정적 한계도 있지만, 정강환(2007)은 다른 지역축제들과는 차별성을 둘 수 있는 프로그램에 더 많은 비중을 두는 것이 장기적인 발전전략으로서 중요하다는 점을 강조하였다. 이러한 지역축제는 새로운 볼거리와 체험활동을 제공하여 방문객을 유치하고, 방문객의 소비지출로 지역경제에 기여하고 있다. 세계 각국에서도 경제 활성화를 위하여 이벤트 전략 및 지역개발계획에 비중 있는 형태로 변화하여 방문객 유치를 통해 지역경제 활성화를 지향하고 있다(이애리 · 박정하 · 송래헌, 2010).

한편 축제 서비스품질은 축제와 관련된 주변 서비스로 행사 안내, 일정별 진행 사항, 진행요원의 대응, 주차시설, 접근성 등과 핵심 서비스로 프로그램 품질과 다양성, 문화적 체험 및 이색적 경험 등을 포함하며 방문객들이 지각한 성과에 대한 평가라고 할 수 있다(하정용, 2012). 이러한 축제 서비스 품질은 이미지로 연결되는데, 결국 관광객들이 축제 참여 중에 얻는 이미지나 가보지 않았으나 인지하고 있는 이미지, 마음속에 있는 이미지 등이 추후 축제 참여행동에 영향을 미친다.

축제 이미지는 축제를 구성하는 요인으로서 관광객들의 축제에 대한 참여 동기를 유발한다고 볼 수 있으며, 이러한 이미지는 축제에 참여하는 참가자 개인마다 지각차이가 존재하게 된다. 이를 통하여 형성된 축제 이미지는 긍정적이든 부정적이든 상당기간 동안 지속되고 축제에 참여할 것을 결정하는 데 있어 상당한 영향력을 행사하게 된다. 왜냐하면 축제참가를 선택하는 의사결정자들이 축제에 대한 객관적 실체가 아니라 축제에 대한 주관적인 이미지나 그들의 신념과 지각에 의하여 결정하기 때문(이태희, 1997)이다. 덧붙여 대부분의 학자들은 축제 이미지가 정감적 측면과 인지적 측면으로 구성된다고 주장하였다. 여기서 축제의 정감적 이미지는 전체적이거나 구체적인 속성을 평가함으로써 얻게 되는 정서적 반응이므로 대상에 대한 좋고 싫음의 가치적 측면이 되며, 인지적 이미지는 특정 대상이 가지고 있는 경관과 시설 등의 기능적 요소에 대한 속성을 평가하고 이해하는 것이다(김경희, 2010).

우리가 알고 있는 대표적인 축제에는 브라질 리우 카니발 축제가 있다. 이 축제는 브라질의 리우데자네이루(Rio de Janeiro)에서 매년 2월 말부터 3월 초 사이의 4일 동안 열린다. 그리고 독일 뮌헨의 옥토버페스트는 음악과 춤, 그리고 독일의 전통 맥주가 어우러진 축제이다. 뮌헨 시내의 맥주집과 관광에 수천 명이 들어갈 수 있는 천막촌이 들어서서 관광객이 어울리는데, 이곳은 유럽에서 가장 즐거운 맥주 축제의 장소로 거듭나게 된다.

우리나라의 대표 지역 관광축제

(사)한국축제콘텐츠협회가 선정하는 2019년 대한민국축제콘텐츠대상 20선에는 ① 축제콘텐츠 부문에서는 울산옹기축제, 해운대모래축제 등이 선정되었다. ② 축제관광 부문에는 서울장미축제, 순천푸드 · 아트페스티벌, 영등포여의도봄꽃축제, 제주들불축제 등이 선정되었다. ③ 축제경제 부문에는 고양국제꽃박람회, 지리산산청곶감축제, 진안홍삼축제, 함평나비대축제 등이 선정되었다. ④ 축제예술/전통부문에는 동래읍성역사축제, 영동난계국악축제, 한성백제문화제 등이 선정되었다.

한국에서 축제는 모두 몇 개나 될까? 우선 고려해야 할 것은 영혼 없는 짝퉁 축제 남발과 범람이다. 문화체육관광부 통계에 의하면, 우리나라 축제의 수가 대략 555개라고 하지만 서울, 지역 다 합치고 특정 테마

그림 9-5 부산불꽃축제 이미지

를 지닌 축제까지 모두 헤아리면 2,000여 개쯤 될 것으로 추산한다. 각종 영화제만 100개가 넘는다고 한다. 지방정부끼리의 과열 경쟁과 지자체장의 다음 선거를 위한 전시성 행정과 실적 쌓기 수단으로서 유사한 축제 투성이의 축제 과잉시대이다. 결국 '축제가 점차 한탕주의 이벤트로 흐르고 있다'는 것이다. 그것도 만드는 축제, 인조나 인공 관제 바람이 대부분이다. 좋은 콘텐츠를 내놓아 사람들에게 선사한다는 본질을 잊고 더 많이 튀기고 부풀려 세를 과시하려고만 한다는 것이다. 그러나 프랑스, 이탈리아, 스페인 같은 나라에는 동네 골목 중심의 10만 개가 되는 축제가 있다고 한다. 심상민(2014)에 의하면, "한국에서는 놀이 없는 노동, 여유 없는 일중독이 극심하기에 온갖 인위적인 이벤트 축제 없이는 배설도 분출도 못 하기 때문이다"라고 분석을 내놓았다. 이러한 분석은 워라밸(Work and Life Balance)을 뛰어넘어 삶과 여가의 균형 개념인 라레밸(Life & Leisure Balance)이 필요함을 시사한다.

그레이 스웜문화로서 동물학살 축제 단상 YTN Science(2019.1.28.) 보도에 의하면, 얼음나라 화천 산천어축제는 올해로 17회를 맞이한 우리가 잘 아는 대표적인 국내 축제 중 하나로, 해마다 동물학살 축제라는 논란이 반복되고 있다. 생태학자들에 의하면, 산천어들에게는 집단학살일 뿐이며 그에 따른 환경문제도 심각하다. 더욱이 화천에는 산천어가 전혀 살고 있지 않다. 영동 지역에만 있는 산천어 76만여 마리를 가져다가 인공적으로 영서 지방에 풀어놓는 것이다. 특히 축제 때 입질이 좋아야 하므로 산천어를 3일에서 5일간 아예 굶긴다. 또한 우리에게 잘 알려진 함평 나비 축제도 현지 생태에 있는 곤충이 풍부해서 하는 것이 아니라 농업기술센터에서 인공적으로 부화한 나비들을 푸는 것이다. 나비들은 갑작스럽게 바뀌는 환경에 적응을 못해서 대개 축제 기간만 살다 죽는다. 게다가 축제를 너무 이른 시기에 하는 바람에 축제 중에 죽는 나비가 태반이다. 또한, 나비 생태관은 한번 축제가 끝나면 전부 폐기된다고 한다. 그리고 대하 축제, 주꾸미 축제 등 많은 동물축제들도 마찬가지다. 이런 전국의 어류 축제는 거의 산란기에 이루어지기 때문에 산란기에는 적어도 이런 축제를 금해야만 어장이 그대로 유지되는데, 이러한 생태적 고려가 없이 단순히 먹는 것으로만 치부되는 축제가 많다.

그럼에도 불구하고 산천어축제는 매년 수많은 국내외 관광객이 찾는 대표적인 지역 축제로 발돋움하고 있고, 실제로 문화체육관광부에서는 전국 지방자치단체 축제 중 최고 등급인 '글로벌 육성 축제'로 지정하기도 하였다. 미국 CNN 방송에서는 '세계 겨울의 7대 불가사의', '세계 4대 겨울축제'

로 꼽을 만큼 해외 여러 나라에서도 자주 소개되면서 대한민국을 대표하는 축제로 자리 잡았다는 것이 아이러니하다.

한편 YTN Science(2019.1.28.) 보도에 의하면, 무주 반딧불축제라든지, 군산 철새 축제 같은 경우에는 동물에게 해를 끼치지 않는 축제로서 동물을 오락의 행위가 아닌, 생명적이고 생태적으로 바라보는 축제라는 점에서 향후 동물축제가 나아가야 할 방향을 제시하고 있다고 할 수 있다.

제3절 메가이벤트 후폭풍과 지역 상생협력 네트워킹

지방정부 간의 중복투자와 스웜문화

평창올림픽플라자는 2018년 평창동계올림픽 · 패럴림픽과 관련된 시설을 모아 놓은 복합시설로 부지 면적이 24만㎡이다. 그중 스타디움은 총면적 5만 8,790㎡에 건설비용 635억 원을 들여 지하 1층 · 지상 7층 규모로 만들어졌으며 수용 인원은 3만 5,000명이다.

2018 평창동계올림픽 개막 이후 최근 평창올림픽 스타디움은 달항아리 성화대 외엔 올림픽 현장임을 알 수 있는 흔적이 남아 있지 않다. 철거된 올림픽스타디움 주변에는 고랭지 채소밭과 비닐하우스 철골이 자리하고 있다(경향신문, 2019.2.7.). 또한 보도(TV조선, 2019.2)에 의하면, 평창동계올림픽은 시설비만 2조 원, 알펜시아 리조트에는 1조 7,000억 원이 투입되었다. 가리왕산 알파인스키장에는 시설비가 1,700억 원가량 들었고 삼

그림 9-6 평창올림픽스타디움 개막식 이미지

림 복구를 전제로 허가가 이루어져 현재 복구를 준비하고 있으나 지역 주민과의 첨예한 갈등으로 복구 진행이 미루어지고 있다. 스켈레톤에서 금메달의 기쁨을 안겨주었던 슬라이딩 코스와 센터 역시 건설비용이 대략 1,340억 원이 소요되었음에도 불구하고 현재는 용처를 찾지 못하고 있다. 강릉 아이스아레나 등 강릉에 위치한 대부분의 시설 역시 사용하지 않고 있다. 현재는 평창동계올림픽 시설 유지와 관련하여 비용부담으로 인해 문화체육관광부와 강원도가 서로 등 떠밀기를 하고 있는 실정이며, 특히 12개 경기장 중 강릉 하키센터를 제외한 대부분 경기장이 문을 걸어 잠그고 있다. 대회 운영을 맡았던 평창올림픽조직위는 3월 말로 그 임무가 끝이 난다. 이제는 기구 축소로 50여 명만이 남아 있다는 것이다.

우리나라 축제들이 지역이기주의와 지자체의 전시행정으로 인해 점차 한탕주의 이벤트로 흐르고 있다. 그것도 만드는 축제, 인조나 인공 관제 바람이 대부분이다. 좋은 콘텐츠를 내놓아 사람들에게 선사한다는 본질을 잊고 더 많이 튀기고 부풀려 세를 과시하려고만 한다.

우선 체크해야할 것은 영혼 없는 짝퉁 축제 남발과 범람이다. 한국에서 축제는 모두 몇 개나 될까? 지역축제의 경우 문화체육관광부 집계가 555개라고 하지만 서울, 지역 다 합치고 특정 테마를 지닌 축제까지 모두 헤아리면 2,000개쯤으로 추산된다는 점에서 매우 중복될 뿐만 아니라 지자체끼리 과열 경쟁에 돌입한 비엔날레는 또 어떤가? 1년 52주 내내 축제를 만날 수 있고 겹치고 유사한 축제 투성이, 축제 과잉 시대임이 분명하다(심상민).

예를 들어 서울시의 하이서울페스티벌에서 나타난 행위자들의 참여와 협력, 그들 간의 네트워크 관계를 네트워크 분석을 활용하여 축제의 발달 시기별, 즉 형성기, 성장기, 혼란기로 구분하여 실증분석한 결과(황설화·이영미·이병량, 2014), 여전히 정부주도의 축제에 머무르고 있다는 점을 밝혔다.

형성기의 네트워크를 보면 하이서울페스티벌의 중심에는 서울시(정부)가 있었다. 연결중심성도 서울시가 다른 행위자들보다 두드러지게 높아 정부주도의 모습을 보였다. 성장기에는 축제가 대규모화 되면서 예술인(전문가)의 참여가 확대되었으나, 정부는 여전히 네트워크의 중심에 있었으며 연결중심성도 가장 높았다. 혼란기에는 성장기에 비해 행위자의 수가 감소하였으나, 여전히 정부의 연결중심성은 높은 것을 확인할 수 있었다. 그러나 이 시기에는 시민단체의 참여도 부각되는 모습도 나타났다. 이와 같은 결과는 지역축제에서 '참여'는 정부가 만들어 놓은 틀에 시민들이 끼어드는 것이 아니라 시민들의 자발성에 근거하여 이루어질 때 의미가 있으며 진정한 지역축제가 가능하다는 점을 확인시켜주었다.

지역축제의 활성화와 더불어 지역축제의 성공을 위한 요인을 발견하기 위한 시도들도 다양하게 이루어져 왔다. 그 가운데 눈에 띄는 경향은 지역축제에서 거버넌스의 중요성을 강조하는 것이다. 지역축제가 활성화되기 시작할 무렵부터 강형기(1999)는 성공적인 축제의 기본요건으로 축제의 테마, 주민참여, 주민교육과 인재개발을 들었다. 그는 축제가 성공하기 위해서는 지역의 비전과 개발정책을 바탕으로 주민의 이해를 뛰어넘는 새로운 도전이 필요하고, 이를 위해서는 자원봉사자들의 헌신적인 참여를 이끌어낼 수 있어야 한다는 점을 지적하였다. 특히 최영준·박대환(2008)은 축제의 경쟁력 강화 및 육성을 위해서는 로컬 거버넌스와 문화관광축제의 접목을 통해 지역주민과 지역사회 및 관련단체의 적극적이고 능동적인 참여와 공공분야의 수평적이고, 적극적인 상호교류와 참여 및 협력이 필요하다고 주장하였다.

결국 지역관광개발과 축제이벤트를 통한 지역경제 활성화를 위해서는 무엇보다도 상호협력적인 관계를 바탕으로 한 시민과 정부의 협력과 참여는 물론 정부, 민간단체, 기업 등이 지위를 공유하는 로컬 거버넌스(Local Governance) 구축과 더불어 사회책임 거버넌스(Environment Social Governance) 개념이 매우 필요한 시점이다.

지역 상생협력 네트워크

지역 상생협력을 위한 네트워킹의 하나로 지방정부 간의 거버넌스(Governance) 개념이 있다. 이러한 거버넌스는 1980년대에 접어들면서 전통적 국가의 다양한 문제점이 노출되면서 이에 중앙정부가 기존의 정부운영을 보완, 대체하려는 노력을 기울이게 되면서 등장하였다. 거버넌스는 행정행위 주체 및 정책연합의 다양성, 파트너십과 네트워크의 결합성 등에 있어서 국가 간, 지역 간 차별성이 크게 나타나기 때문에 개념을 일반화하기 어렵지만, 기본적으로 강조되는 것이 정부실패와 시장실패에 대한 대응으로서 시장과 정부라는 이분법적 사고방식을 지양하고 시장, 정부, 시민사회 등 상호의존적 행위주체들 간의 수평적 · 협력적 조직으로 이해하려는 것이다. 또, 정부의 직접 개입을 지양하고 사회적 하위체계 간의 의사소통을 중시하는 분권화되고 다중심화된 네트워크로 이해하는 입장, 관리 · 정책 · 체계의 차원을 포괄하는 대안적 국정관리패턴, 정책결정과 서비스전달체계에서의 공공부문, 민간부문, 자원봉사조직 등의 네트워크로 이해하는 입장(Rhodes, 1996) 등 다양하게 전개되고 있다. 거버넌스를 통일된 개념으로 표현하기보다는 크게 ① 글로벌 거버넌스(Global Governance), ② 국가 거버넌스(National Governance), ③ 지방 거버넌스(Local Governance), ④ 지역 거버넌스(Regional Governance), ⑤ 사이버 거버넌스(Cyber Governance)의 유형이 있다(김정희, 2012).

이러한 거버넌스의 다양한 형태 중에서 지방 거버넌스는 주로 지역공동체 수준의 공사협력 체계와 네트워킹에 집중하는 것으로 이해관계집단의 규모가 보다 한정적이고, 주민이나 NGO 단체와의 접촉성이 상대적으로 높은 것이 특징이다. 특히 협력적 지방 거버넌스(Collaborative Local Governance)가 되기 위해서는 첫째, 지방자치단체는 주민들에게 행정정보를 투명하게 공개해야 한다. 둘째, 거버넌스 기구에 이해당사자들을 폭넓게 참여시키고 결정권한을 부여해야 한다. 셋째, 지방 거버넌스가 안정적으로 운영되기 위해서는 제도적인 장치가 마련되어야 한다. 지방정부의 조례나 규칙 등 자치법규를 통해 단체장의 교체나 정치적인 환경변화 등 여타 변화에도 안정적으로 운영될 수 있는 법적 근거를 확보, 거버넌스 기구의 위상을 분명히 해야 한다. 그리고 지속가능한 지방 거버넌스가 되기 위해서는 탈중앙화, 시민사회와 미디어 관계, 정치적 책무성, 제도 간 균형, 그리고 민간부문과의 관계 등이 포괄적이고 균형적으로 반영되어야 한다.

B2B 전략적 제휴와 공동 마케팅전략

전략적 제휴(Strategic Alliance)의 일반적 의미는 경쟁관계에 놓여 있는 기업이 일부 사업 혹은 경영기능에서 경쟁기업과 일정 기간에 걸쳐 상호이익을 창출하기 위해 협조 및 동반관계를 체결하는 것을 말한다. 전략적 제휴의 근본적인 원리는 상호성(Reciprocity)이다. 즉 사업파트너끼리 상호이익을 위해 각자 보유한 경영자원들을 공유, 교환, 통합하는 조직적 접근을 일컫는다. 전략적 제휴의 예를 들면 미국의 Hilton Hotels Corporation과 영

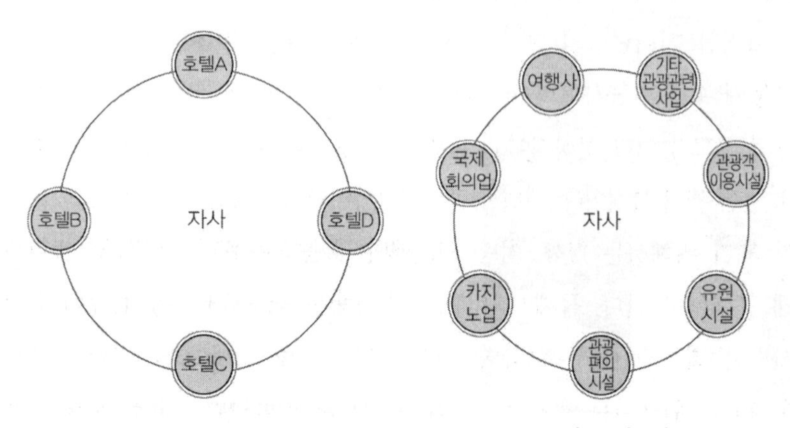

자료: 박중환(2016), 292.

그림 9-7 관광사업의 전략적 제휴 모델

국의 Hilton International은 Hilton Hotels & Resorts 브랜드의 가치를 극대화하고 영업효율성 및 효과성을 향상하기 위해 마케팅 및 광고홍보, 객실예약시스템 등에 대한 전략적 제휴를 체결하여 현재 큰 효과를 거두고 있다.

현재 우리나라 여행사는 일반여행사가 5,863개사(2019년 말) 및 국외여행사가 9,187개사(2019년 말)를 포함하여 21,776개사이다(문화체육관광부, 2020). 2020년 코로나19로 하늘길이 막히면서 심각한 상황에 봉착하고 있지만 그동안 우리나라 여행사들이 직면하고 있던 현실적인 문제는 영세성과 과당

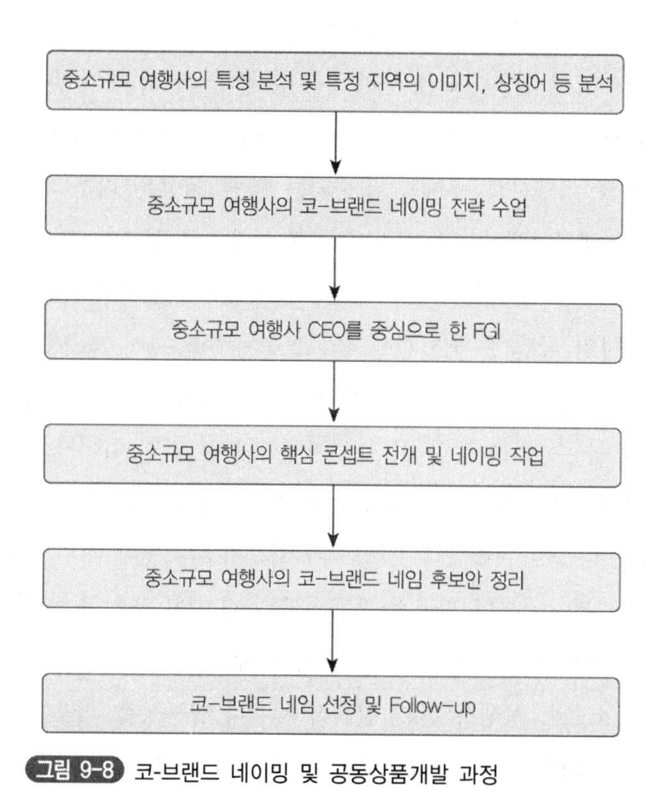

그림 9-8 코-브랜드 네이밍 및 공동상품개발 과정

경쟁이다. 새로이 하늘길이 열린다면, 특히 국외여행사들의 신성장동력화를 위해서는 새로운 플랫폼의 공동 마케팅전략 대안 모색이 필요하다. 특히 공동 브랜드 개발과 함께 전략적 제휴(Strategic Alliance)와 기업의 사이버 거버넌스(Cyber Governance)를 통한 공동 관광상품 개발 필요한 시점이다.

1990년대부터 제조기업을 중심으로 시작된 전략적 제휴는 2000년대 들어서는 서비스산업으로 확대되어 최근 항공사를 중심으로 새로운 패러다임으로 자리 잡고 있다. 구체적으로 스타얼라이언스(Star Alliance)의 경우 연간 수송승객 4억 6,000만 명을 비롯하여 스카이팀(Sky Team) 3억 7,300만 명을 운송하였다. 이는 관광산업에서도 전략적 제휴와 같은 새로운 개념의 비즈니스 모델이 필요함을 시사한다.

세계 경기침체 심화에도 불구하고 우리나라 국민의 해외 관광객 수는 2019년에 대략 2,871만 명(KTO, 2020)으로 관광수요가 폭발적으로 증가하였지만 대형 여행사로 구매가 집중되는 쏠림 현상은 더욱 가속화되고 있다. 특히 해외여행상품 구매자가 대형 여행사로 몰리는 것은 상품 구색과 가격 우위, 그리고 여행사 신뢰성 문제에서 기인한다고 볼 수 있다. 최근 우리나라 국민 중 해외관광객의 28.0%(문화체육관광부, 2020)가 여행사를 통해 해외여행을 한다. 특히 여행사의 해외여행상품을 구매할 때는 제품의 실체를 볼 수 없을 뿐만 아니라 여행사 상품 간의 차이가 크지 않기 때문에 여행사의 브랜드 가치가 중요한 역할을 한다(박중환, 2009; 윤장렬·조효연·최종률, 2009). 따라서 여행사의 브랜드 가치를 키우는 것이 매우 중요하다.

한편 관광분야에서의 전략적 제휴연구는 김성혁 · 조인환(1999), 항공사의 전략적 제휴에 의한 영업성과 차이분석에 대한 연구 정도가 있는 실정이며, 중소규모 여행사 간의 전략적 제휴나 공동상품 개발에 대한 새로운 비즈니스모델 연구는 현재로서는 전무한 실정이다.

관광산업, 특히 여행산업에 공동 브랜드 개발 및 공동상품 개발 등을 적용하여 산업의 국제경쟁력과 관광서비스 품질 제고 측면에서 고려해 볼 필요가 있다. 결과적으로 중소규모 여행사의 경우 공동 개발한 해외 관광상품을 마케팅 함으로써 규모의 경제(Economy of Scale)는 물론 지나친 과당경쟁을 억제할 수 있다는 점이다. 한편 소비자 관점에서 보면, 해외 관광상품에 대한 신뢰성을 확보할 수 있다는 점과 해외관광 소비자 피해를 최소화할 수 있다는 점이다. 따라서 이러한 코-마케팅 전략 개념을 지역 중소규모 여행사가 도입함으로써 관광산업 전반에 새로운 바람을 일으킬 수 있는 새로운 성장동력 플랫폼이 될 수 있다.

제3섹터 관광사업화 전략

제3섹터라는 용어는 원래 1970년대 초부터 미국과 일본에서 사용되기 시작하였는데, 미국에서는 공공부문과 민간부문의 어디에도 속하지 않는 교육 · 종교 · 자선 등의 비영리 자원봉사조직의 집합체(Levitt, 1973)를 제3섹터라고 부르고 있다. 한편 일본의 제3섹터는 미국의 개념에서 유래하였으나, 실제로는 그 의미가 전혀 다르다. 즉 일본에서 제3섹터는 일반적으로 정부와 민간이 공동출자 하여 설립하는 사업체로서 협의로 상법상의 법인을, 광의로는 상법상의 법인 외의 민법상의 법인까지 포괄하는 개념이다. 따라서 일본에서는 제3섹터가 공공이 아닌 민간부문에 가까운 것으로 주로 민관공동출자 사업체를 의미하는 데 비하여 미국에서는 공공부문에 가까운 것으로 주로 공익적 활동을 하는 제 단체를 의미한다는 점에서 차이가 있다(오희환, 1993).

우리나라에서는 1980년대 후반부터 일본의 지방공사제도를 도입, 활용하는 과정에서 제3섹터라는 용어가 나타나기 시작하였고, 본격적인 지방자치제 실시와 함께 다양해지는 지방행정수요에 대처하기 위한 방안의 하나로 「지방공기업법」(제49조에서 제75조의 6)에 제3섹터 방식의 지방공사에 관한 규정을 마련하였으며, 1992년 12월에 「지방공기업법」(제53조제2항)을 개정하여 민법과 상법에 의하여 법인을 설립할 수 있도록 하여 민간부문에 적극 참여할 수 있도록 유도하고 있다(이원일, 1998).

우리나라에서는 제3섹터의 개념이 연구자에 따라서 약간의 차이가 있으며, 지방자치단체와 민간이 공동으로 출자하고 경영하는 형태의 지방기업을 공사혼합기업 또는 제3섹터라 한다.

이러한 제3섹터는 ① 재정수요의 증대, ② 작은 정부 지향, ③ 공공부문과 민간부문의 역할분담, ④ 지역경제 활성화 등의 이유로 등장하게 되었다.

먼저 재정수요의 증대요인으로 제3섹터의 등장배경에 대한 논의는 먼저 정부실패(Government Failure)와 시장실패(Market Failure)에서 시작된다. 그러나 시장 메커니즘의 약점을 정부가 보완해주기를 기대했으나 정부 역시 그 기대에 미치지 못하였다.

이러한 시장실패의 유형들 중 제3섹터의 논의와 관련하여 가장 큰 의미를 갖는 것은 공공재의 존재와 자연독점의 문제이다. 한편 정부는 시장에 의한 공급이 어려운 재화, 즉 비경제적, 비배제적 성격을 갖는 공공재와 자연독점이 이루어지는 사업에 개입하여 서비스를 제공함으로써 자원의 효율적 분배를 실현시키고 분배적 불평등을 시정하려 하나 정부개입 역시 비효율적인 정부실패로 이어지기도 한다.

결국 공공과 민간의 역할분담론은 궁극적으로 수익과 부담의 관계로 귀착된다. 즉 지방정부와 주민과의 책임구분경제는 주민이 행정서비스에 필요한 경비부담을 어느 정도 하느냐에 따라 달라진다. 주민이 세금을 많이 부담해서라도 행정에서 해주기를 바라면 행정이 직접 수행하는 영역은 확대되고, 그렇지 않은 경우는 사적 영역이 확대될 수밖에 없는 것이다. 특히 글로컬 시대를 맞아 지방정부는 '정부실패', '시장실패' 등의 다양한 문제로 인해 지역주민의 참여를 통한 경제 및 사회기반 재창조가 필요하게 되었다. 즉 지역주민이나 기업이 참여하는 지방자치를 통해 지역의 개성과 창의가 발현되고 지역자원의 효율적 이용과 지역경제의 활성화를 도모할 수 있기 때문이다. 이러한 관점은 지방정부와 지역주민들이 지역사회를 위해 기여해야 한다는 이념을 공유하게 되면서 지역사회의 문제해결과 발전에 있어서 시너지 효과(Synergy Effect)를 높일 수 있다.

일본에서는 제3섹터를 세분화하여 지방자치단체와 주민 간의 혼합부문을 제4섹터라 하며, 지역주민과 기업 간의 혼합을 제5섹터, 지방자치단체와 기업, 주민 간의 혼합부문을 제6섹터라 분류하기도 한다(이원일, 1998). 특히 제3섹터 관광사업에는 ① 공사형, ② 주식회사형이 있다. 한 연구에 의하면, 공사형 제3섹터 관광사업의 경우 '작은 정부 지향'에 대한 실천을 거의 하지 않는 것으로 나타났으며, 주식회사형 제3섹터 관광사업의 경우는 오히려 '작은 정부 지향'을 상당한 수준으로 실천하는 것으로 나타났다.

한편 일본, 우리나라 등을 중심으로 발전해오던 제3섹터 관광사업이 시들해진 근본 이유는 제3섹터 방식이 가지고 있는 본래의 목적이나 효과를 극대화하지 못했다는 점이다. 다시 말해 정부나 공공기관은 통제에 초점을 두었던 반면 민간기업은 빠른 성과와 이윤 극대화에 초점을 두었기 때문이다. 또한 제3섹터 관광사업이 활성화되지 못하고 있는 이유는 참여자들이 특정 관광사업의 공익성과 지역경제 활성화, 그리고 명확한 역할 분담을 간과했기 때문이기도 하다.

제4절 지역문화의 관광상품화 전략

우리나라 한류의 핵심요소인 K-culture의 문화콘텐츠는 방한 동기형성에 영향을 미치는 주요 요인 중 하나이다. 2017년에는 사드배치 등 동북아 지역의 정치외교적인 요인에 의해 주요 문화콘텐츠 수출국인 중국 내에서의 한류 확산에 어려움이 있었던 해였다. 다만, 이를 계기로 동남아, 중남미 등 콘텐츠 수출시장의 다변화를 확대하고 쌍방향 문화교류 강화 및 기업들의 CRS 연계 사회공헌활동 등을 통해 지속가능한 한류창출을 위해 노력하였다. 특히, 타 산업과의 융복합 한류 프로젝트를 추진하여, 외국인 관광객을 대상으로 하는 위치기반 한류 콘텐츠 앱 서비스나 K-Housing Fair 등 새로운 사업모델을 지원하였다. 또한, 문화콘텐츠의 해외진출 인프라 및 네트워크 확대를 위해 콘텐츠진흥원의 해외사무소를 비즈니스센터화 하여 역할을 강화하고, 수출마케팅 플랫폼인 'WelCon'을 구축하여 해외수출에 관련된 맞춤형 정보를 제공하고 있다.

우리나라 문화체육관광부가 실시한 「콘텐츠산업 통계조사」에 의하면, 2018년 기준 국내 콘텐츠산업 수출액은 전년 대비 16.2%p 증가한 96억 1,504만 달러를 기록하였다. 한류의 지속적인 영향으로 콘텐츠산업 수출액은 2014년 이후 5년 동안 꾸준히 증가하여 성장세를 유지하였다. 수출액은 게임산업이 64억 1,149만 달러로 가장 규모가 크며, 다음으로 캐릭터(7억 4,514만 달러), 지식정보(6억 3,387만 달러), 음악(5억 6,423만 달러), 방송(4억 7,844만 달러) 등의 순으로 조사되었다. 또한 지역별로는 한국의 TV 드라마, 예능, 영화, K-pop에 대해 중화권, 일본, 북미, 동남아, 유럽 순으로 지출

금액이 큰 것으로 나타났다. 한편, 한류콘텐츠로 인한 2019(예상치)년의 소비재 및 관광 수출의 경제적 효과는 59.4억 달러로 분석되었다(한국국제문화교류진흥원, 2020).

한편 문화체육관광부가 추진하는 문화관광상품 개발의 일환으로 다양한 프로그램을 운영 · 지원하고 있다.

문화관광축제 지원 이 사업은 외국인 관광객 유치확대를 통한 세계적인 축제 육성 및 지역 관광 활성화를 기본방향으로 두고, 전국의 전통문화와 독특한 주제를 배경으로 한 지역축제 중 관광상품성이 큰 축제를 대상으로 1995년부터 해마다 지속적으로 확대 지원 · 육성하고 있는 사업이다. 선정방법은 각 특별시 · 광역시에서 3개 이내, 각 시 · 도에서 7개 이내의 축제를 추천하면 관광 · 축제 분야의 전문가들로 구성된 선정위원회에서 축제 프로그램 등 콘텐츠, 축제의 부가가치창출 효과, 국내외 관광객 유치실적 등을 기준으로 선정하게 된다.

템플스테이 이 프로그램은 2002년 한 · 일 월드컵 당시 외래 관광객 숙박문제를 해결하기 위하여 시작되었으며 한국의 전통문화와 불교문화가 결합된 숙박시설로, 정부의 재정지원과 민간(한국불교문화사업단, 개별 사찰 등)의 노력이 상호 결합하여 양적 · 질적으로 좋은 평가를 받고 있다. 2003년 시작된 템플스테이는 2019년 137개 사찰로 확대되었으며, 사찰의 시설개선과 프로그램 개발, 홍보 및 마케팅에 힘입어 2019년 기준 294,796명이 템플스테이를 체험한 것으로 나타났다.

문화유산의 관광상품화 이 프로그램의 핵심인 문화재는 우리 민족의 유구한 자주적 문화정신과 지혜가 담겨 있는 역사적 소산이며 우리의 문화를 소개할 수 있는 문화 · 관광 자원으로 「문화재보호법」에 의해 지정되며, 그 종류는 유형문화재, 무형문화재, 기념물, 민속자료로 구분된다. 이러한 문화재 중 가치가 큰 것을 지정하여 관리하는데 이를 지정문화재라 하며, 이 지정문화재는 국가지정문화재, 시 · 도지정문화재, 문화재자료로 구분된다.

최근에는 지방화 시대를 맞아 문화요소의 하나로 앞서 논의되었던 개념인 스토리텔링(Storytelling)이 각광을 받고 있다. 다시 말해 기존의 스토리를 가공하여 새로운 문화콘텐츠 개발 및 관광자원 개발과 관광상품화를 추구하고 있다. 여기서 스토리(Story)는 트라이스(H. M. Trice, 1968) 모델의 문화요소이론에 의하면, 실제적인 사건에 약간의 허구를 강조한 이야기를 말한다.

오늘날 관광은 단순히 관광지의 외형적인 매력만으로 관광객을 끌어들이는 시대는 지났다. 관광 상품에 대한 모방의 용이성과 관광객이 가지는 선택기회의 확대로 인해 관광지 간의 차별성은 더욱 어려워지는 실정이다. 특히 기술보다는 내용을 중시하는 디지털 콘텐츠시대로 변함에 따라 그 지역이 가진 다양하고 고유한 문화를 찾아가는 문화관광으로 빠른 변화를 보이고 있다. 특히 문화유산관광은 문화 및 역사의 가치를 재인식하게 되면서 고부가가치 관광 사업으로 평가되고 있다(Confe & Kerstetter, 2000). 문화유산을 찾는 관광객들은 그들이 방문한 목적지의 역사에 관하여 무엇이든 배우고자 문화유산에 얽힌 스토리를 중심으로 질 높은 관광서비스를 제공받고자 하는 욕구가 강해지고 있다(전약표 · 임선희, 2011).

이러한 스타일은 관광객 행동에 영향을 미치게 되므로 관광지가 경쟁적 우위를 확보하기 위해서는 관광객의 만족을 이끌 수 있는 매력지각 요인이나 감성을 자극할 수 있는 스토리텔링의 경험적 가치를 통해 관광객의 높은 애호도를 구축할 수 있어야 한다는 것이다(김희정, 2012). 결국 관광에서의 스토리텔링은 관광지와 관광객이 정보와 체험을 공유하면서 하나의 공동스토리를 만들어가는 과정으로서 새로운 마케팅전략이 되어야 한다.

스토리텔링의 개발은 첫째 단계에서는 스토리 조사, 연구, 정리가 실행된다. 둘째 단계에서는 대표스토리 선정 및 스토리텔링 콘텐츠 개발이 이루어진다. 셋째 단계에서는 스토리의 커뮤니케이션 수단으로서 스토리텔링 북 및 지도 등 제작이 이루어진다. 넷째 단계에서는 스토리텔링의 결과물의 부가가치 창출을 위해 영화, 드라마, 웹툰 소재 제공은 물론 관광자원화 및 관광상품화가 이루어진다.

결과적으로 이러한 스토리텔링 단계를 거쳐 기존의 스토리는 문화관광콘텐츠가 되고, 나아가 관광자원 및 관광상품화가 된다.

TOURISM & SWARM CULTURE

관광소셜미디어와 스웜문화

족되지 않았더라도 일시적으로는 지각 욕구보다는 지적 욕구(Intellectual Needs)가 중요해지기도 한다. [illegible] 어떤 때는 미지의 세계를 여행하며 탐험하고자 하는 욕구가 생기나 안전, 사랑 그리고 존경의 욕구만큼 기본적이고 강력한 경우도 있다. 특히 우리는 '알고자 하는 욕구(Needs to Know)'와 '이해하고자 하는 욕구(Needs to Understand)'라는 두 가지의 기본적인 지적 욕구가 있다. 5가지 욕구와 더불어 [illegible] 감각욕구의 충족은 매우 중요한 경험가치라 할 수 있다.

이러한 측면에서 관광행동의 감각욕구들(Sensory Needs)은 인간에게 미충족된 여정욕구나 존경욕구, 그리고 자아실현욕구 등 다양한 욕구를 충족시킬 수 있는 존재가 된다. 우리는 특정 목적지로 관광을 함으로써 명성, 인정, 자존감, 성취감뿐만 아니라 독립심, 지배, 자신감, 그리고 무엇이든 할 수 있다는 느낌을 얻을 수 있다는 것이다. 또한 관광은 주요한 준거집단 내에서의 위치, 신분, 즉 카스트(Caste) 계급을 확보해 해주는 수단이 되기도 한다. 즉 해외여행에 대한 경험과 여행정보 등을 자랑함으로써 이러한 카스트는 강화된다. 또한 관광은 미성취된 지적 욕구를 만족시킬 수 있는 데 기여한다. [illegible] 책이나 잡지가 할 수 없는 [illegible] 알고자 하는 욕구를 [illegible]

[illegible]

관광행동에서 이 욕구의 수준에 기초하여 주유형 관광객(Cognizers)과 휴가 관광객(Vacationers) 간에 중요한 차이가 존재하는 것은 선행연구들을 통해 알 수 있다. 즉 주유형 관광객은 관광에 참가하는 동안 여러 곳을 방문하고 탐방하는 경향이 있다. 반면 휴가 관광객은 어느 한 곳에 머물면서 [illegible] 중심으로 돌아오는 관광형태의 특성이 있[illegible]

CHAPTER

10

관광소셜미디어와 스웜문화

제1절 소셜미디어와 관광 스웜문화

소셜미디어(Social Media)는 Web2.0 기술에 기반하여 개인의 생각이나 의견, 경험, 정보 등을 서로 공유하고 타인과의 관계를 생성 또는 확장시킬 수 있는 개방화된 온라인 플랫폼이다. 이러한 소셜미디어는 참여와 공유가 강조되는 UCC(User Created Contents), 개방형 블로그, 그리고 소통을 강조하는 SNS (Social Network Service)가 통합하여 발전하였다(한국인터넷진흥원, 2010). 특히 관광산업에서의 관광 관련 UCC는 관광객이 직접 만든 콘텐츠를 의미하는 것으로 관광에 대한 소감이나 정보를 텍스트, 그림, 사진, 동영상 등 각종정보를 만들어 인터넷 등을 통해 공유하는 것을 말한다. 이러한 사용자 제작 콘텐츠들은 공급자 혹은 정보 제공자에 의해 만들어지는 것보다 더욱 효과적이며, 특정 관광지나 레스토랑 메뉴 등 관광서비스에 대한 개인 UCC의 효과로서 구전(Word of Mouth)효과를 공간적으로나 시간적으로 극복하고 함께 공유하는 효과가 있다. 또한 SNS 관광정보는 온라인상에서 SNS를 통하여 관광과 관련된 각종 정보를 제공하고 또 얻을 수 있다는 점에서 공유가치가 크다고 할 수 있다. 한편 소셜화는 기존 인터넷 · 정보 서비스에 사회적 관계, 평판, 추천 등의 소셜 기능을 활용 · 재구조화하여 정보의 신뢰성과 투명성을 제고하는 과정으로 정의할 수 있는데, 이는 사회적 가치와 기술 · 산업적 가치의 진화정도에 따라 점진적로 확대될 전망이다(한국인터넷진흥원, 2012). 실제로 마이스페이스(MySpace), 페이스북(Facebook), 트위터(Twitter), 유튜브(Youtube), 세컨드라이프(Secondlife), 네이버 블로그, 인스타그램(Instagram) 등 여러 소셜미디어 서비스들이 지속적으로 성장하고 있다.

이러한 소셜미디어 유형은 표에서와 같이 블로그, 소셜 네트워크, 콘텐츠 커뮤니티, 위키피디아 그리고 팟캐스트로 구분된다.

표 10-1 소셜미디어 유형

구 분	개념
블로그 (Blogs)	웹(Web) + 로그(Log)의 합성어로 네티즌이 웹에 기록하는 일기나 일지를 의미하며 매일 15,000개 이상이 생성되고 있고, 전 세계적으로 그 수가 1,700만 개에 달함
소셜 네트워크 (Social Networks)	자신만의 온라인 사이트를 구축하여 콘텐츠를 만들고 친구들과의 연결을 통해 콘텐츠나 커뮤니케이션을 공유하는 것으로 가장 잘 알려진 소셜 네트워크의 예로는 1억 700만 명의 회원을 보유한 마이스페이스(MySpace)와 최근 전 세계적으로 확산되고 있는 트위터(Twitter) 등이 있음
콘텐츠 커뮤니티	특정한 종류의 콘텐츠를 만들고 공유하는 커뮤니티로 가장 인기 있는 콘텐츠 커뮤니티로는 Flicker(사진), Del.icio.us(북마킹), YouTube(비디오) 등이 있음

위키피디아 (Wikis)	편집 가능한 웹 페이지로 웹사이트상에서 콘텐츠를 추가하고 정보를 편집하여 공동의 문서나 데이터베이스처럼 운영되고 있으며 대표적인 서비스로 약 130만 개 이상의 영어문서를 가지고 있는 온라인 백과사전인 위키스를 들 수 있음
팟캐스트 (Podcasts)	방송(Broadcast)과 아이팟(iPod)의 합성어로 인터넷을 통하여 사용자들이 새로운 오디오 파일(주로 MP3)을 구독할 수 있도록 하는 인터넷 라디오 방송

자료: 한국인터넷진흥원(2009).

나아가 소셜커머스는 일반적으로 '온라인상에서 재화와 서비스를 사고파는 행위에 있어서 소셜미디어 및 온라인 미디어를 연계하여 소비자의 인맥을 마케팅에 활용하는 형태의 e-커머스'라고 정의하고 있다. 따라서 여행사의 소셜커머스는 소셜네트워크 등 소셜미디어를 활용하는 e-커머스라 할 수 있다. 한국정보화진흥원(2010)에 의하면, 소셜커머스 유형은 크게 세 가지로 나누고 있다. 첫째, 마케팅의 부가적 수단으로서 소셜 링크형 소셜커머스가 있다. 둘째, 기존의 비즈니스 모델에 SNS 도입하는 형태로서 소셜 공동구매 플랫폼 형태와 소셜커머스 플랫폼 형태가 있다. 셋째, 커머스 플랫폼으로 활용하는 형태로서 F-커머스 플랫폼 형태와 위치기반 소셜커머스 플랫폼이 있다.

소셜미디어로 인한 유행쏠림 관광현상과 스웜문화

우리나라 국민들의 SNS 등을 통한 유행쏠림은 과연 냄비인가 정보공유인가? 너도 갔다 왔니? 나는 갔다 왔다!…… 우리나라의 경우 관광현상에서의 유행 쏠림, 즉 인증샷으로 인정받는 시대가 도래했다. 특히 '관계중독(Relationship Addiction)'에 걸린 우리나라 국민들은 남에게 관심이 지나치게 많아 '비교'라는 부작용을 겪을 뿐만 아니라 특히 '너는 안 가봤니?'란 질문으로 가끔 관계를 해치기도 한다.

조선일보 보도에 의하면, '따라민국'은 순기능도 있다. 비슷비슷한 제품을 뛰어넘는 '대박' 제품이 나오는 원동력이 되고 1,000만 영화 · 완판 물건 등 침체된 시장에 활기를 안겨주기도 한다는 것이다(조선일보, 2017.12.8.).

우리나라에서 유행은 곧 광풍이 된다. 그 이유는 우리나라의 지리적 특성과 유교문화, 체면문화 등에 기인한다고 할 수 있다. 입는 것, 먹는 것, 노는 곳 어떤 분야든 각자의 유행은 있을 수 있지만 요즘엔 '유행'이라는 꼬리표가 달리기도 전에 너도나도 따라 하는 모습이다. 특히 페이스북, 인스타그램 같은 '소셜 미디어 인증'이 곁들여지면서 '5G 광속 급'으로 떴다 지곤 한다(조선일보, 2017.12.8.). 특정 브랜드도, 음식점도, 관광지도 일단은 휩쓸고 지나가야 한다. 이러다 보니 최근 등장한 자조적인 표현이 바로 앞에서 언급된 '따라민국'이다.

이러한 라이프스타일 내지 생활문화는 여기서 멈추지 않는다. 유행이란 광풍은 가끔 '참견병'이라는 후폭풍을 낳기도 한다. 소셜 미디어나 댓글 등을 통해 쉽게 내는 목소리가 오지랖이나 참견으로 변질되는 걸 꼬집는 것이다. 화제가 되면 될수록 옆 사람과 비교하는 일이 잦아지면서 지나친 관심을 경계하는 목소리도 높아졌다. 최근의 대한민국의 현주소이다.

최근 우리나라에 새로운 증후군이 떠오르고 있다. 최근에는 일종의 '나만 없어! 신드롬이다. '어머, 이건 사야 해'라며 '지름신' 내지 '플렉스(Flex)'를 자극하는 문구도 유행처럼 번졌다. 과거에 명품업계에서 통용되던 '줄 세우기'와 '좌절감' 코드가 최근 '가성비(가격 대비 성능)' 제품군으로 옮아간 모양새라고 한다. '제품이 없어서 못 구한다', '대기표 받고 기다려야 한다'는 등 소비자를 안달 나게 했던 방식은 여전히 유효한 셈이다(조선일보, 2017.12.8.).

최근의 이러한 현상으로 인터넷으로 '광클'(미친 듯이 클릭하는 것)을 하는 건 기본이고, 새벽부터 줄을 서거나 전국 팔도 각지를 돌아다니는 방법 등이 구전(Word of Mouth)으로 전해지고 있다. 친구의 친구, 사돈에 팔촌 등 각종 인맥을 동원해 '득템'을 하고 '인증'하게 되면 남들로부터 인정받게 되는 것이다.

이러한 현상은 단지 입을 것, 먹을 것을 벗어나 각종 사회 이슈에도 적용된다. 어느 사안이 화제가 됐을 때 목소리를 내지 못할 경우 스트레스를 받는다는 이들이 많다. 이러한 현상은 집단지성(Collective Intelligence)의 반대 개념으로서 많은 사람이 인정하고 좋다고 하면 그게 설사 거짓(제I종 오류)이라도 사실로 받아들이는 동조현상으로 우리나라 사람들은 제4장에서 언급된 집단에 속해 '집단 정체성', 즉 동성사회성(Homosociality) 판타지를 느끼면서 편안하다는 생각을 하게 되는 것이다. 이러한 '쏠림 현상'은 부정적인 것만은 아니다. 한 마케팅 업계 관계자는 "잘 따라 하는 것도 능력"이라고 말했다. 옆 사람이 무얼 하는지 궁금해하고, 앞사람이 해본 것은 해봐야 하는 심리는 '대박'을 일구는 열쇠가 되기도 할 뿐만 아니라 4차 산업혁명시대의 융합 내지 통섭의 마스터 키(Master Key)가 될 수도 있다.

그러나 개개인의 판단보다는 집단 의사가 강하기 때문에 타인에 대한 관심 역시 '쏠림 현상'에 강한 불을 지핀다. 과열된 관심으로 타인을 파헤치다가 지나치면 '신상 털기'까지 서슴지 않게 된다(조선일보, 2017.12.8.)는 것이다.

해외 패키지관광에서 테마관광시대로 전환

2018년 해외로 나간 관광객은 사상 최대인 2,800만 명에 달했다고 한다. 그렇다면 여행업계가 호황을 누렸을 것 같은데 어찌된 일인지 여행업체들의 실적은 악화일로라고 한다. 실제로 2017년에 2,650만 명이었던 해외여행객은 2018년 2,800만 명으로 기록을 경신했음에도 불구하고, 지난해 대형 여행사들의 영업이익이 1년 새 40% 이상 가까이 줄었다는 것이다. 관광객은 느는데 왜 여행사들은 위기일까? 그 이유는 요즘 개성들이 뚜렷할 뿐만 아니라 인스타그램이나 페이스북 같은 SNS에서 올라오는 관광지나 맛집, 숙박앱, 블로그 등이 잘 되어 있기 때문이다. 또한 친구들이랑 다니는 게 좀 더 편하기도 하고 마음에 드는 가고 싶은 곳 위주로 다닌다는 것이다. 뿐만 아니라 저급한 쇼핑을 강요하는 패키지 투어 대신, 쏟아지는 온라인 관광정보를 이용하는 자유관광이 급증했기 때문(연합뉴스, 2019.3.30.)이다.

실제로 지난해 해외관광객 중 외국의 브랜드가 있는 글로벌 여행사를 통하거나 직접 나서 숙박을 해결한 비중은 84%에 달한다고 한다. 전문가에 의하면, 과거에는 유명 관광지에 가서 사진 찍고 오는 게 주요 목적이라면 이제는 체험으로 바뀌고 있는 상황이기 때문에 새로운 트렌드에 적합한 시장 개척을 위한 새로운 패러다임의 프로그램이 필요하다. 결국 제8장에서 논의된 바와 같이 최근에는 관광객 욕구의 다양화 및 관광서비스 수요의 변화로 인한 테마관광(Special Interest Tourism)의 수요가 급속히 증가하고 있는 실정이다. 이러한 테마관광은 대표적으로 의료관광, 스포츠관광, 축제이벤트관광, 문화유산관광, 커피 · 와인관광, 문학관광, 섬 · 낚시 · 스쿠버관광, 슬로시티관광, 다크투어리즘, 템플스테이(Temple Stay),

한옥체험관광, 골프투어, 트레킹(Trekking), 농촌체험관광, 영화제 · 공연관광 등이 있다. 테마관광은 관광객의 복합적인 욕구를 충족시켜야 하고 지역사회의 문화가치를 창출하며, 나아가 지역경제를 살려야 한다.

향후 21세기 관광시장추세는 Well-Being의 문화에서 LOHAS 문화로 점차 변화할 것이다. 특히 건강한 삶(Healthy Lifestyle) 시장이 확대될 것으로 보이며, 관광산업 관점에서 보면, 의료관광, K-beauty의 에스테틱(Aesthetic) 관광, 스파 관광이 주목받을 것이다.

제2절 아웃바운드 관광객의 SNS와 스윔문화

우리나라 해외관광객은 항공권을 예약할 때 3개 이상의 사이트를 비교하고, 저렴한 관광상품을 찾기 위해 수시로 검색하는 등 신중하면서도 가성비를 중시하는 것으로 나타났다. 여행검색엔진 카약(KAYAK.co.kr)은 2017년 10월 2일부터 11일까지 아시아 · 태평양 지역 21~45세 성인 남녀 2,100명을 대상으로 '2017 여행중독 지수'를 주제로 설문조사를 실시했다.

카약에 따르면, 우리나라 사람들의 관광 결정과 예약에는 관광 관련 방송과 영상이 직접적인 영향을 미치는 것으로 나타났다. '주로 어떤 상황에서 관광을 예약하는가'라는 질문에 무려 47%의 응답자가 '관광 관련 방송 혹은 영상 시청 중'이라고 답변했으며, 31%의 응답자가 '관광 광고를 본 직후' 관광을 예약한다고 밝혔다. 우리나라 사용자 중에서도 43%

의 응답자가 '잠들기 전 스마트폰을 보다가' 관광 예약을 한다고 응답했다(동아닷컴, 2017.11.2.).

'관광 예약 전, 몇 군데의 사이트를 검색해 항공권을 예약하는가'라는 질문에는 74%가 넘는 응답자가 3개 이상의 사이트를 거쳐 항공권을 예약한다고 답변해 예약에 신중한 모습을 보이는 것으로 확인됐다.

55%의 우리나라 관광객들은 저렴한 관광상품을 예약하기 위해, 매일 항공권과 호텔 가격을 검색하는 것으로 나타났다. 또한 응답자의 40%는 8~12개월 전 얼리버드로 예약을 하며, 더욱 저렴한 관광상품을 찾기 위해 39%는 수시로 PC와 앱을 통해 검색한다고 답했다는 것이다.

소셜미디어에 수시로 일상을 공유하는 습관은 관광지에서도 계속되는 것으로 나타났다. '관광 중 몇 개의 게시물을 공유하는가'라는 질문에 28%의 응답자가 '1~3개'의 게시물, 23%의 응답자는 '3~4개', 11%의 응답자는 '5~6개'를 공유하는 순으로 답했다.

특히 카약의 조사에 의하면, 우리나라 응답자의 세부적인 관광행동 경향과 관련해서는 53%의 응답자가 '관광 체크리스트를 만들어 떠나기 전에 모든 계획을 완료한 적'이 있다고 답했으며 47%의 응답자가 '최대한 많은 날 동안 관광을 하러 밤 비행기에 탑승한 적'이 있다고 답해 관광에서 다양한 경험을 중요하게 여기는 경향을 나타냈다(동아닷컴, 2017.1.12.).

우리나라 해외관광객의 경우 관광 중 소셜미디어에 수시로 일상을 공유하는 것으로 나타났다. 또한 관광과 SNS의 상관성으로서 관광객당 소셜미디어 포스팅(Posting) 횟수 역시 인도 10회, 호주 7회, 싱가포르 6회, 한국 5회로 나타났다.

소셜미디어와 맛집블로그

우리의 생활문화 속에 '친구 따라 강남 간다'는 속담부터 '레밍 효과'(무분별하게 동조하는 쏠림 현상) 등 '따라 하는' 현상은 어제오늘의 일이 아니다. 즉 '쏠림 현상'이 부정적인 것만은 아니지만 주변 사람들이 무얼 하는지 궁금해하고, 또 이웃들이 해 본 것은 나도 해봐야 하는 심리로서 우리나라의 지리적·문화적 특성으로 인해 오랜 역사 속에 형성된 독특한 생활문화라고밖에 설명할 수 없는 관광현상이다. 특히 우리는 왜 레스토랑에서 메인 메뉴만 나오면, 음식을 사 주는 사람에게 고맙다는 인사도 하기 전에 인증샷을 찍는 걸까?

그리고 관광현상에서 우리나라 사람들은 베블런 효과 내지 사회적 증거를 찾으려는 이유는 무엇일까? 스마트 스웜 관점에서 보면, 이러한 현상은 대표성 휴리스틱(Representative Heuristic)이나 인지 휴리스틱(Recognition Heuristic)과 같은 것으로 사회적 증거(Social Evidence)를 확인함으로써 손실회피를 할 수 있다는 우리들 일상의 경험법칙의 작동이라 할 수 있다. 반면 그레이 스웜 관점에서 보면, 결국 이러한 현상은 기본적으로 자기과시행동과 연결되어 있다고 볼 수 있다. 즉 이러한 관광문화 현상은 우리나라 사람들의 지리적 특성인 고밀도 사회의 문화적인 특성인 자랑강박증에서 찾을 수 있지 않을까?

경험가치 소비시대의 셀카와 자기과시행동

관광객 셀카는 과연 스노브(Snob) 효과를 주는 걸까? 이를 이해하기 위해서는 MZ세대에 대한 이해가 선행되어야 한다. MZ세대란 1980년대 초에서 2000년대 초 출생한 밀레니얼(Millennials) 세대와 1990년대 중반에서

2000년대 초반에 출생한 Z세대를 통칭하는 말이다. 가치소비를 지향하는 이 세대는 디지털 환경에 익숙하여 모바일을 우선적으로 사용하고, 최신 트렌드와 남과 다른 이색적인 경험을 추구하는 특징을 보인다. MZ세대는 집단보다는 개인의 행복을, 소유보다는 공유를, 상품보다는 경험을 중시하는 소비 특징을 보인다. 또 이들 세대는 '플렉스(Flex)' 문화를 즐기며 고가 명품에 주저 없이 지갑을 여는 경향도 있다. 특히 이 세대는 자신이 가치를 부여하거나 본인의 만족도가 높은 소비재는 과감히 소비하고, 지향하는 가치의 수준은 낮추지 않는 대신 가격 · 만족도 등을 꼼꼼히 따져 합리적으로 소비하는 성향을 가지고 있다. 이러한 맥락에서 관광은 경험가치를 확실히 제공하는 소비활동의 하나이다.

그렇다면 관광은 어떠한 경험가치를 제공할까? 관광의 경험가치와 소유가치를 요약하면 다음 표와 같다.

표 10-2 관광가치와 소비행태

관광가치	세부내용
경험가치	- 취미: 독서(여행지에서), 음악 감상 - 문화생활: 전시회(관광참여), 콘서트 관람 - 여행 - 음식(셀카)
소유가치	- 패션: 의류(힙스터패션), 잡화(관광기념품) - 뷰티: 화장품(면세점 쇼핑), 네일, 헤어 제품 - 기계: 핸드폰, 테블릿 PC, 노트북, 자동차(렌터카) - 기타: 인형(관광기념품), 인테리어 소품(관광기념품)
관계가치	- 가족(셀카), 친구(셀카), 연인(셀카)
과시적 자기표현 행동	- 사진 속 과시 대상 등장 유무(셀카)
	- 과시 대상과 관련된 자랑질

자료: 우혜진 · 박지윤 · 탁현아 · 이규연 · 이지혜 · 성용준(2017)의 연구를 응용함.

이러한 관광가치는 결국 내현적 자기애(Covert Narcissistic Tendency)로서 프로테우스 효과(Proteus Effect)로 연결된다. 프로테우스 효과는 Yee & Bailenson (2007)이 아바타 실험을 통해 제시한 개념으로 온라인에서 보여지는 자신의 외모(아바타)가 오프라인에서 행동의 차이로 연결됨을 뜻한다. 즉, 온라인상의 외모 자신감이 오프라인까지 영향을 미치는 현상이다. 특히 우리 일상에서 주로 사용하고 있는 Facebook, 카카오톡, 트위터, 인스타그램 등의 SNS는 프로필 사진을 설정하는 기능을 제공하고 있으며 현실 속 정체성에 기반한다는 특징에서 자신의 실제 모습을 프로필로 지정해 놓는다. 이러한 온라인 공간 특성의 변화로 인해 사람들은 자신의 사진과 같은 실제 자신의 삶의 모습을 가상공간에 적극적으로 노출하게 되었고(김종길, 2004), 이 과정에서 SNS 이용자들은 셀카와 같은 다양한 콘텐츠를 사용하여 자기노출을 적극적으로 하며 사회적 관계를 유지하고 있다. 뿐만 아니라 자기표현의 방법으로서 사진을 사용하는 것은 글자만 사용했을 때의 자기표현이 보여주지 못하는 것을 보완해주는 역할을 하고 있기도(김재희·서경현, 2018) 한다. 이때 프로테우스 효과에서 원래 모습보다 멋진 외모의 아바타로 인해 자신감을 더 가질 수 있던 것처럼, 더 개선된 외모의 셀카 역시 자신감에 긍정적 영향을 미치는 것으로 연구결과 드러났다.

대표적인 경험가치 소비 사례로서 우리나라 사람들은 관광 중 소셜네트워크서비스(SNS)에 음식 사진을 가장 많이 올린다는 조사 결과가 나왔다. 온라인 호텔 예약 사이트 호텔스닷컴이 발표한 '여행자 모바일 이용 현황 조사'에 따르면 한국 관광객들은 음식이나 식당 사진을 가장 많이 찍는 것으로 나타났다.

'가장 최근 휴가 기간 SNS에 올린 사진은 주로 어떤 것인가?'라는 질문에 한국 관광객의 64%가 ① '음식이나 식당 사진'이라고 답했다. 그 다음으로는 ② 친구, 가족, 연인과 함께 찍은 사진(61%), ③ 주요 관광지나 자연경관 사진(59%) 등의 순이었다.

그림 10-1 먹스타그램 이미지

반면 외국인 관광객들은 ① 주요 관광지나 자연경관 사진(49%), ② 친구, 가족, 연인과 함께 찍은 사진(45%), ③ 셀카(44%) 순으로 나타나 한국인 응답 결과와는 다소 차이를 보였다.

또 한국인 응답자의 경우 '관광 기간 중 SNS에 관광지 사진보다는 음식 사진을 올리겠다'고 응답한 이들도 24%에 달해 음식 사진을 자랑삼아 SNS에 올리는 일명 '먹스타그램' 추세가 두드러졌다.

표 10-3 관광 중 SNS 업로드 사진 내용

순위	한국인 응답 결과	글로벌 응답 결과
1	음식이나 식당 사진	주요 관광지나 자연 경관 사진
2	친구, 가족, 연인과 함께 찍은 사진	친구, 가족, 연인과 함께 찍은 사진
3	주요 관광지나 자연 경관 사진	셀카
4	셀카	음식이나 식당 사진
5	해변이나 바다 사진	해변이나 바다 사진

자료: http://www.naver.com.

'관광 시 스마트폰으로 어떤 정보를 검색하는가?'라는 질문엔 한국인 응답자의 75%가 '레스토랑과 시장이나 마트'라고 응답한 결과 역시 이러한 트렌드를 뒷받침한다. 그 다음으로 현지에서 가볼 만한 인기 여행 관광지(65%), 현지 대중교통 정보(53%) 순으로 나타났다. 실제로 많은 우리나라

그림 10-2 기아나 루피콜라 이미지

관광객들의 경우 어디서, 어떤 음식을 먹을 것인지를 매우 중요하게 여긴다는 사실을 짐작할 수 있다. 또한 스마트폰이 발달하면서 SNS 셀카 업로드가 관광의 또 다른 재미가 되어가고 있다는 것이다.

그럼 셀카를 어떻게 찍는 것이 좋을까? 결국 기아나(Guiana)의 루피콜라(Rupicola)처럼 사진을 찍으라는 것이다. 이 새는 주로 남미에 서식하는 일명 바위새(Cock of Rock)로 여러 마리 수컷들이 구애 춤을 추기 위해 특정 장소(댄스 무대)에 모이는데, 거기서 우두머리 수컷이 가장 가운데 자리 잡고 구애 춤을 춘다고 알려져 있다. 이들 루피콜라는 [그림 10-2]에서와 같이 가장 잘 눈에 띄는 가운데서 구애 춤을 추기 위해 서로 자리경쟁은 물론 바람잡이 새 역할도 하는 것으로 밝혀졌다. 그럼에도 불구하고 조류학자들의 연구에 의하면, 대략 20% 정도의 수컷만이 짝짓기에 성공한다. 우리도 관광을 통해 자기 자신을 드러내기 위한 자기과시(Narcissistic Self Presentation)로서 사진찍기에서 루피콜라의 전략을 응용할 필요가 있다.

한편 이러한 셀카의 일반적인 유형은 ① 인증샷형, ② 우정샷형, ③ 인생샷형이 있다. 첫째, 인증샷형은 레스토랑에서 메인 메뉴가 나오면, 스마트폰부터 꺼내 셀카부터 찍는 타입이다. 이들은 시장세분화 관점에서 보면, 대체적으로 SNS를 많이 하는 사람들이라고 할 수 있다. 둘째, 우정샷형은 친구들과 단체 셀카를 더 많이 찍는 타입이라고 할 수 있다. 이들은 시장세분화 관점에서 보면, 다소 젊은 층일 가능성이 크다. 셋째, 인생샷형은 특정 명소를 중심으로 독립적인 셀카를 찍는 타입이라고 할 수 있다. 이들은 시장세분화 관점에서 보면, 성격 특성상 독립성이 강하다고 할 수 있다.

인증샷형

우정샷형

인생샷형

그림 10-3 셀카의 유형

이러한 관광에서의 셀카는 결국 자기과시행동과 연결된다고 할 수 있다. 최근의 조사결과에 의하면, 다음 표와 같다.

표 10-4 해외여행 관련 자기과시행동

	전체 (n=115)	성별	
		남(n=44)	여(n=71)
자기과시행동 (7점 척도)	3.51	3.49	3.53

2020년 최근의 조사결과, 우리나라 사람들은 생각보다 해외여행에 대한 자기과시행동이 크지 않은 것(7점 척도, 평균 3.51점)으로 나타났다. 그럼에도 불구하고 남성들 평균 3.49점에 비해 여성들 평균이 3.53점으로 좀 더 해외여행에 대해 자기과시행동을 하는 것으로 나타났다. 특히 '해외여행을 다녀온 후, 주변에 기념품을 선물한다'는 행동은 여성이 4.28점으로 남성(4.07점)보다 좀 더 자기과시행동을 하는 것으로 나타났다. 한편 '해외여행 경험과 정보를 말하는 편이다'는 행동은 남성이 4.36점으로 여성(4.32점)보다 좀 더 자기과시행동을 하는 것으로 나타났다. 더욱더 재미나는 사실은 남성들의 경우 여성들보다 해외여행 경험 이야기를 더 많

이 하는 것으로 나타났을 뿐만 아니라 역시 이러한 주제로 이야기할 때 소외감 역시 더 많이 느끼는 것으로 나타났다.

결론적으로 우리나라 사람들은 해외여행 경험 이야기를 자랑삼아 많이 하는 편이며, 또 해외여행에서의 전리품인 관광기념품(Souvenir) 선물 역시 많이 하는 것으로 나타나고 있다.

셀카로 인한 여행사고 최근의 CNN 보도에 의하면, 전 세계에서 셀카를 찍다가 사망한 사람이 2011년 11월부터 6년 동안 259명에 달한 것으로 나타났으며 가족·1차 의료저널(JFMPC)에 따르면 인도 뉴델리 공립의대 소속 연구원들이 관련 보도를 집계한 결과 셀카를 찍다가 사망한 사람이 259명인 것으로 나타났다.

셀카 사망 사고가 가장 많이 발생한 나라는 인도였으며, 러시아와 미국, 파키스탄 등이 그 뒤를 이었다. 사망자 중 대부분은 대략 72%가 남성이었으며, 연령은 30세 미만인 것으로 알려졌다. 대개의 경우 여성들이 셀카를 더 많이 찍는 것으로 알려져 있지만, 남성들의 경우 절벽의 가장자리에 서는 등 위험을 감수하고 '극적인 장면'(인생샷)을 포착하려는 시도를 하는 경우가 더 많아 사고 건수가 많다는 것이다.

이번 조사를 수행한 연구원들은 인도에서 셀카 사망사고가 다수 발생한 이유로 30대 미만 남성의 비율이 세계에서 가장 높은 국가가 인도이기 때문이라고 설명했다.

사망원인 중 대부분은 익사였던 것으로 나타났다. 사람들은 주로 해변에서 파도에 휩쓸리거나 보트에서 떨어져서 목숨을 잃었다. 두 번째로 많은 사망 원인은 교통수단에 의한 사고였다. 사람들은 움직이는 열차 앞에서 사진을 찍는 등 위험한 행동을 하다가 변을 당했다.

불, 고지대 관련 셀카도 사망 사고와 연관이 깊었다. 위험한 동물들과 사진을 찍으려다가 목숨을 잃은 사람도 8명에 달했다. 미국에서는 총을 들고 사진을 찍으려다가 사망하기도 했다.

연구원들은 셀카 사망사고는 259건보다 더 많을 것이라고 봤다. 누군가 운전 중 셀카를 찍기 위해 포즈를 취하다가 자동차 사고로 사망한 경우, 사망 원인은 '셀카'가 아닌 '자동차 사고'로 기록되기 때문이라는 것이다. 또한 일부 국가에서는 셀카를 찍다가 사망한 이들에 대한 뉴스 보도가 전혀 없어 집계에 어려움이 있다고 덧붙였다.

2011년 셀카 사망 사고는 단 3건이었지만 2016년에는 98건으로 크게 늘었다고 연구원들은 지적했다. 위험을 감수한 전 세계 '셀카족'이 늘어나면서 인도 뭄바이 경찰들은 사망 사고를 막기 위해 위험한 장소들을 체크해뒀다. 러시아 경찰들은 '안전 셀카'를 촉구하는 안내서를 내놓기도 했다(뉴시스, 2018.10.4.). 최근 인도 뭄바이에서는 셀카 금지구역을 추진 중인 것으로 알려졌다.

관광행동에서의 셀카는 과시소비 내지 과시행동 스웜문화라 할 수 있다. 즉 이러한 관광행동은 셀카를 통해 남들에게 자신의 라이프 스타일을 과시하기 위한 행태로서 베블런효과(Veblen Effect) 내지 스노브 효과(Snob Effect)라 할 수 있다. 앞에서 언급된 바와 같이 일반적으로 여성들이 셀카를 더 많이 찍는 것으로 알려졌으며, 또한 남성들은 절벽의 가장자리에 서는 등 위험을 감수하고 '극적인 장면'을 포착하려는 시도를 더 많이 한다는 점이다. 따라서 여성관광객의 경우 제8장에서 언급된 베블런족 관광객이라 할 수 있다. 그리고 남성 관광객의 경우 스노브족 내지 얼리 어답터(Early Adopter) 관광객에 가깝다고 할 수 있다.

제3절 파워블로그를 이용한 소셜미디어 마케팅과 스웜문화

과거의 관광 정보탐색은 주로 공급자가 제공하는 목적지, 숙박, 교통 등의 정보를 통해 의사결정을 하는 데 활용되었다. 하지만 최근에 온라인을 기반으로 상호 정보 교환적 서비스인 Web2.0의 발전은 관광객들이 자신이 경험한 여행정보를 온라인을 통해 다른 사람들과 공유하게 만들었다. 이러한 경험을 통한 정보의 재생산은 과거 미디어 정보에 수동적이던 관광객이 온라인을 통한 네트워크를 형성하여 자신들만의 여행기를 토대로 소비자 주도의 새로운 스토리 정보를 형성하게 되었다.

Web2.0의 정보가 사람들의 관심을 끄는 이유는 그것이 정보를 제공하는 사람이 직접 경험한 '이야기'가 담겨 있기 때문이다. 특히 관광분야에서의 스토리텔링 효과는 관광객의 관광지에 대한 관심을 높이고 여행에 대한 욕구를 촉진시키는 역할을 하고 있다. 과거 관광분야에서 스토리텔링 형식이 기존 공급자의 생산적 이야기 전달 방식에 그쳤다면 디지털 환경에서의 스토리텔링은 관광객이 직접 정보와 체험을 공유하면서 관광지에 대한 새로운 스토리를 소셜네트워크 안에서 공동으로 생산해 내고 있다는 것이다. 온라인 커뮤니티를 통하여 관광객의 경험을 기반으로 하는 스토리 구조는 강력한 구전 효과를 가져오게 되고 이는 온라인 미디어를 통해서 확산된다. 여기서 인터넷 커뮤니케이션 도구로 활용되고 있는 대표적인 미디어인 블로그(Blog)는 사용자가 직접 정보를 생산하는 1인 미디어로서의 역할을 하는 소셜네트워크 서비스인 것이다. 소셜네트워크의 확산 속에서 페이스북, 트위터 등 소셜 기능이 강화된 서비스가 성장하고 있지만 이러한 마이크로 블로그(Micro Blog)의 특성을 가진 서비스는 단편적인 정보의 전달효과만을 가지고 다양한 정보를 제공하지 못한다는 것이다. 이러한 블로그는 텍스트, 이미지, 동영상 등의 다양한 정보를 담고 있어 국내 유저(User)에게 아직까지도 사랑 받는 온라인 미디어로 자리하고 있다. 국내의 SNS 사용자 중 대략 80% 이상이 블로그를 사용할 정도로 블로그의 이용률은 높아 미디어로서의 블로그의 영향력은 높다고 할 수 있다. 하루에도 수많은 블로그가 탄생하고 있지만 그중에서 큰 영향력을 미치는 블로그를 지칭하여 파워블로그(Power Blog)라 한다. 이들의 사회적 영향력은 이미 매스미디어의 영향력만큼 커지고 있어 사회적인 주요 이슈로 자리 잡고 있다. 여기서 파워블로그(Power Blogger)나 인플루언서(Influencer)의 경험적 이야기는 스토리텔링 구조를 형성하여 일반 미디어의 정형화된 정보와 달리 사용자의 감성을 자극하고 이를 통해 공감대를 형성하여 정보의 전달력을 높여준다. 이러한 집중과 관심은 잠재적 관광객을 자극하여 새로운 관광욕구와 관광동기를 유발하는 촉진제의 역할을 하고 있다.

관광분야에서 영향력 있는 미디어로서 파워블로그의 정보 영향력의 증대는 파워블로그 Web2.0의 발달 등으로 인한 것으로 소셜네트워크를 기반으로 하는 상호교환적인 인터넷 미디어의 발전을 가져왔고 블로그는 영향력 있는 1인 미디어의 선두주자로 발전하였다. 마이크로소프트사 온라인서비스 사업부가 아시아 7개국의 블로그 사용행태를 조사한 바에 따르면 우리나라 응답자의 85.0%가 블로그 정보를 신뢰한다고 나왔다. 또한, 국내 인터넷 이용자의 45.6%가 인터넷 이용 목적으로 블로그 및 미니홈피 운영에 두었을 정도로 블로그의 활용도가 증가하고 있다. 즉, 사람들은 블로그를 정보 제공처로서 중요하게 인식하는 것이다. 관광상품의 경우 일반 재화처럼 단순 비교가 어려운 서비스상품이기 때문에 블로그는 관광객에게 인기 있는 정보원천으로서 지속적으로 활용되고 있다. 특히 관광과 관련된 경험을 소개하는 관광지 정보 활용 측면이 가장 부각되고 있다. 자신의 관광 경험가치를 토대로 자신의 이야기나 추천으로 관광 다이어리나 관광지나 향토음식 등의 리뷰 형태로 구성한 것을 관광블로그라 할 수 있다. 관광블로그는 잠재 관광객이 관광정보를 교환할 수 있는 중요한 도구이며, 구전 커뮤니케이션 수단으로서 그 영향력이 커지고 있다. 보상지트 등(2009)의 연구에 의하면, 여행블로그는 관광객에게 여행지에 대한 상당한 정보를 제공할 수 있고, 여행지를 비교할 수 있어서 유용하다고 하였다. 여행 후 이야기 형식으로 올리는 사진과 글은 의사결정과 동기부여에 상당한 영향력을 주는 것으로 나타났다. 오늘날 관광행태와 문화가 과거의 수동적인 패키지 위주의 관광에서 FIT(Foreign Independent Tourist)를 중심으로 테마관광화로 전환하면서 점차 체험과 교육적 의미를 중요시하는 관광이 주목받고 있다는 점에서 관광지의 이야기를 마케팅하는 스토리텔링은 관광산업에서도 중요한 기법으로 여겨지고 있다. 예를 들어, 문화유적지에는 그 지역의 특색 있는 설화나 민담을 통해 관광지에 재미를 부여하고 관광객을 이끄는 요소를 만들어 준다. 그동안 관광분야에서의 스토리텔링의 연구는 대부분 관광지 현장의 이야기를 통해 관광객의 이해와 흥미를 높여주는 연구가 진행되었다. 하지만 정보기술의 발달과 미디어의 발전은 스토리텔링을 전달하는 형태의 변화를 가져왔다. 대중미디어 발달로 인해 스토리텔링은 영화, 드라마, TV CF 등을 통해서도 전달된다. 아시아에 불고 있는 한류를 통해 많은 일본인 관광객이 드라마 「겨울연가」가 촬영된 남이섬을 찾는 것은 드라마의 스토리가 관광객의 감성을 자극하여 목적지를 방문하게 되는 대표적인 예로 볼 수 있다. 특히 허경석 · 변정우(2012)의 연구에 의하면, 온라인 스토리텔링 특성분석 결과, 첫째, 스토리텔링이 이야기를 통한 정보전달의 특성을 가지고 있기 때문에 파워블로그가 경험한 여행의 정보에서 오는 재미, 흥미, 감성이 정보 탐색자를 자극하고 이에 따른 정보이해도가 높은 것으로 파악된다. 그렇기 때문에 관광정보를 전달하는 미디어에서는 관광객의 감성적 공감대를 형성할 수 있는 경험적 정보의 중요성을 잘 인식하고 활용하여야 할 것이다. 둘째, 온라인 스토리텔링에서 흥미성, 이해용이성이 관광동기에 긍정적 영향을 미치는 것으로 나타났으며, 가치성은 영향을 미치지 않는 것으로 조사되었다. 이는 스토리텔링이 이야기를 통한 묘사와 설명력을 지니며 이야기 속에서 재미와 감동을 주는 특성이 있어 관광목적지를 홍보하는 데 관광객의 감성을 자극하는 스토리텔링 활용이 중요하다는 것을 보여주는 결과이다. 한편 가치성은 동기에 영향을 미치지 못하는 것으로 나타났는데 이는 경험적 정보인 여행후기가 블로그 사용자로 하여금 관광지에 대한 흥미를 주고 이해를 도와주지만 블로그의 개인경험 자체로서의 가치는 정보탐색자의 관광동기에 긍정적 영향을 주지 못한다는 의미이다. 파워블로그가 정보제공자로서는 높은 영향력과 인지도를 갖고 있지만 영화나 드라마를 통한 스타 마케팅만큼의 가치 부여는 보여주지 못한다. 때문에 정보 탐색자들에게 파워블로그의 영향력은 정보제공자의 역할로서 그 의미가 있다고 볼 수 있다. 셋째, 파워블로그를 통해 형성된 관광 동기는 행동의도에 긍정적 영향을 미치는 것으로 나타났다는 점(허경석 · 변정우, 2012)과 최근의 보도자료에 의하면, 2018년 우리나라 아웃바운드 관광객 수가 2017년 2,650만 명에서 2018년 2,800만 명으로 급속히 늘어났음에도 불구하고 대형여행사들의 영업이익이 40%p 이상 줄어들었다는 측면에서 파워블로그 마케팅 전략 개발이 시급함을 시사하고 있다.

제4절 관광소셜커머스와 스웜문화

2017년에 방한한 인바운드 관광객 수는 전년 대비 22.7%p 감소한 1,334만 명(2016년 1,724만 명)을 기록하였다. 그럼에도 불구하고 우리나라 문화체육관광부에서는 우리나라 관광의 이미지 제고를 위하여 TV, 인쇄 매체 등 전통적인 매체 외에 온라인 및 최근 급속히 확산되고 있는 SNS, 모바일 앱 등 소셜 미디어(Social Media)를 적극적으로 활용하여 한국관광 홍보와 마케팅을 전개하고 있다는 점이 우리를 위로한다.

인바운드 관광시장을 중심으로 문화체육관광부의 「연차보고서」 내용을 간추려 보면, 첫째, 일본시장에서는 한국 재방문객 등 FIT, 관광객 유치 마케팅 확대, 세계박람회 등 메가 이벤트 및 지역 축제를 활용한 지방관광상품 개발과 활성화, 스포츠 이벤트 상품개발 노력을 기울이고 있다. 관광홍보의 초점은 지방관광, 한식, 의료관광, 한류 등 테마를 중심으로 한국관광의 매력을 집중홍보를 하였다. 둘째, 목표시장으로서 중국시장을 중심으로 여수 세계박람회 등 메가 이벤트를 활용한 특별방한 상품을 개발, 판촉하였으며, 중국의 고소득층 타깃 프리미엄 상품개발과 쇼핑 활성화를 위하여 중국의 은련카드와 공동으로 쇼핑 확대 캠페인을 전개하였다. 또한 내륙시장 전세기 상품, 청소년 대상 상품 등을 통하여 신규시장 개척활동도 강화하고 있다. 특히 중국지역 언론홍보의 초점은 FIT와 쇼핑관광을 집중하고 있으며, 20~30대 젊은 여성층이 주도하였던 방한 FIT의 구성도 점차 성별, 세대에 경계 구분 없이 확대되어감에 따라 관광객 각각의 특색에 따른 언론홍보를 실시하고 있다. 향후 한국 학생과의 교류 기회 다변화, 청소년 단체 숙박시설 확보, 교육체험 프로그램 개발, 한국문화체험 기회 부여 등 수학여행 목적지로서의 경쟁력을 강화하여 중화권 청소년의 방한 유치를 확대해 나갈 계획이다. 셋째, 목표시장으로서 동남아시아와 중동시장을 중심으로는 스키 등 동계관광상품 개발, 판촉 활동을 강화하였고, 17억 명의 무슬림 시장 개척을 위하여 무슬림 관광 편의 증진을 위한 사업(Halal Food 등)을 추진하였으며 특히 말레이시아와 베트남, 인도네시아, 필리핀 등 성장잠재력이 큰 국가들을 중심으로 한류, 사계절, 쇼핑, 놀이공원 등을 테마로 한 마케팅을 강화하고 있다. 나아가 아시아 중동 지역에서는 시장 특성에 따른 언론매체 및 여행업자 초청을 통하여 효율적인 한국관광 홍보활동 전개와 방한상품 확대 및 판촉에 주력하고 있다. 넷째, 원거리시장인 구미주시장에서는 한류, 의료, 스포츠, 교육관광 등 시장별로 특화된 고부가 테마상품을 개발하여 마케팅하고 있으며, SNS와 온라인을 활용한 한국관광 홍보 및 상품 판촉 노력을 기울이고 있다. 특히 구미주에서는 관광시장 특성과 관심콘텐츠, 매체 성격을 고려한 맞춤형 미디어 지원전략으로 홍보효과를 극대화하고 있다. 특히 세계적 관심을 방한관광으로 유도하기 위하여 러시아, 호주, 프랑스 등의 여행업자 팸투어(Fam. Tour)를 실시하고 있다.

나아가 우리나라 정부 차원에서는 스마트폰 기반의 관광정보 서비스 제공과 관련하여 한국관광공사에서 스마트폰 이용자의 급속한 증가에 신속하게 대응하기 위해 2010년부터 스마트폰 기반의 관광정보 서비스 로드맵을 수립하고, 국문 스마트폰 관광 어플리케이션 '대한민국 구석구석 앱'을 출시하였다. 또한 개별 관광객 중심으로의 관광 트렌드 변화에 발맞춰 추진한 스마트 투어가이드 서비스를 확대하고 있다.

과거 관광 정보탐색과 달리 온라인을 기반으로 상호 정보 교환적 서비스인 Web2.0의 발전과 확산은 사람들로 하여금 웹서핑보다 소셜 웹을 통한 정보의 검색을 선호하게 만들고 있다. 또한 최근에는 여행정보를 찾는 데 있어 사람들이 가장 선호하는 온라인미디어는 개인 블로그(40.7%)로 나타났다. 이는 정보원천으로서 블로그의 높은 활용도를 보여주는 결과로 Web2.0 미디어 중 블로그가 가장 활발히 사용되는 온라인 미디어라는 것을 나타낸다. 또한 온라인커뮤니티(24.3%)가 다음으로 높은 수치를 나타내어 개인 블로그와 온라인커뮤니티를 합하면 전체의 65%에 달해 공급자가 제공하는 정보보다 소비자가 직접 경험한 경험적 정보를 선호하는 것을 알 수 있다. 이는 온라인 커뮤니티를 통한 소셜네트워크 정보가 중요한 정보원천으로서 자리하고 있다는 것을 나타낸다. 사람들은 기업에서 제공하는 마케팅적 정보보다 온라인을 통한 커뮤니티 정보에 더 귀를 기울이고 신뢰하는 것을 알 수 있다.

포스트 코로나19 시대 뉴노멀 관광과 e-커머스

최근 몇 년 새 관광시장은 자유관광객을 중심으로 빠르게 성장했다. 2013년 1,485만 명이던 해외 출국자 수는 2018년 2,870만 명, 2019년 2,871만 명으로 급격히 증가했다. 주요 관광목적지로는 중국을 비롯하여 일본, 대만, 홍콩, 태국, 필리핀, 베트남 등이다.

이러한 상황에서 최근 급성장한 기업이 바로 '마이리얼트립'이다. 마이리얼트립은 해외관광을 가는 한국인 관광객과 해외에 체류 중인 가이드를 연결해주는 온라인 개인 간 거래(C2C) 중개 플랫폼이다. 자유관광과 패키지관광의 장점이 결합된 서비스로 개인이 관광을 기획하면서도 일정 시간 현지 가이드도 이용할 수 있다는 게 특징이다(donga.com, 2019.3.20.). 마이리얼트립은 현지 가이드 서비스 제공을 위해 해외 교민 커뮤니티를 적극 활용했다. 주 타깃은 해외에 살고 있지만 가이드가 본업이 아닌 사람들이었다. 동시에 마이리얼트립은 각국 주요 도시에서 설명회를 열고 전문 가이드들을 섭외했다.

이렇게 모인 가이드들은 직접 관광 코스를 짜서 마이리얼트립 인터넷 홈페이지나 애플리케이션에 올렸다. 관광객들은 플랫폼에 게시된 관광 상품을 구매한 후 별점과 후기를 올렸고, 이를 참고해 다른 관광객들이 상품을 구매하는 패턴이 이어졌다.

이처럼 가이드들이 관광객 만족을 고민할 수밖에 없게 되는 시스템이 만들어지면서 특색 있는 관광 상품들이 나오기 시작했다. 현직 요리사의 '로마 쿠킹 클래스', 아티스트가 추천하는 '뉴욕 박물관 투어' 등 기존 패키지 상품에선 만나볼 수 없었던 관광상품이 생겨났다. 덕분에 마이리얼트립은 다양한 상품을 갖출 수 있게 됐고, 이 상품들이 일종의 '트레이드마크'가 되면서 성장의 발판이 마련됐다.

티켓, 숙박, 항공권 판매로 서비스를 확대한 것도 성장에 영향을 미쳤다. 마이리얼트립은 2016년부터 교통권, 박물관 · 미술관 입장권 등 티켓 판매를 시작했다. 마이리얼트립보다 낮은 가격에 상품을 판매하면 환불해주는 '최저가 보장제'도 시행했다. 2017년부터는 숙박 서비스를, 지난해에는 항공권 판매를 시작했다. 그 결과 2016년 10억 원대에 머물던 월 거래액은 2017년 61억 원으로 급증했고, 지난해에는 170억 원까지 늘었다. 현재 마이리얼트립은 국내 여행사 중 가장 많은 1만 8,200개(투어·액티비티, 티켓·패스, 항공권, 숙소 등) 상품을 보유하고 있다. 여행후기 개수도 41만 6,740개에 달한다. 마이리얼트립은 이 데이터들을 빅데이터 분석에 활용하여 관광객의 개별 니즈를 예측하고 이에 맞는 서비스를 제공하고자 한다. 마이리얼트립 기본 콘셉트는 '개인화 서비스'이다.

한편 연합뉴스 TV 보도에 의하면, 2018년에 우리나라 아웃바운드 관광객 수 2,800여 만 명으로 관광객이 대폭 증가하였음에도 불구하고, 영업이익이 하나투어의 경우 40%p 감소, 모두투어 역시 48%p 감소한 것으로 보도되었다는 측면에서 기존의 고정관념에서 벗어나 새로운 패러다임의 관광상품 개발과 관광마케팅전략 개발이 시급함을 시사하였다. 특히 코로나19로 인한 뉴노멀 시대의 관광상품 개발 전략이 필요하다.

2020년 6월 기준 한국 출발 관광객에게 입국금지 조치를 내리거나 입국 절차를 강화한 나라는 총 182개국이다. 이 중 한국 출발 관광객에 대한 입국금지 조치 139개국, 격리 조치 9개국, 검역 강화 및 권고 사항 등은 34개국이다. 유럽의 몬테네그로, 세르비아, 터키, 키프로스와 아프리카의 탄자니아는 5월 이후 입국제한을 해제했다.

꽉 막혔던 하늘길도 조금씩 열리고 있다. 대한항공은 코로나19로 중단했던 미국 댈러스와 오스트리아 빈 노선의 운항을 재개하는 방안을 검토하고 있다. 또 미국, 프랑스, 영국 등 미국 유럽 노선 운항 횟수도 늘릴 예정이다. 아시아나항공은 일본의 입국 규제 강화 이후 중단했던 인천~오사카 노선 운항을 2021년 5월부터 매일 운항, 7월 1일부터 주 3회씩 재개할 예정이다. 에미레이트항공은 2021년 6월 11일부터 인천을 비롯해 추가 17개 도시, 총 29개 노선을 운항하고 있다(donga.com, 2020.6.24.). 동아일보 보도에 의하면, 2020년 5월 7일부터 17일까지 대략 20,000명 대상으로 한 한국관광공사 온라인 설문조사 결과, 포스트 코로나19 시대에는 관광행태가 뉴노멀하게 바뀔 것으로 조사되었다.

코로나19 이후 여행패턴 변화 (단위: %, 다중 응답)	
사람 많이 몰리지 않는 여행지 선호	34
여행 횟수 자체를 줄이기	13
과거보다 개인 위생에 더 신경	10
실내보다는 야외 방문 선호	8
해외보다는 국내여행 선호	7

생활 속 거리 두기 기간 여행에 대한 인식 (단위: %)

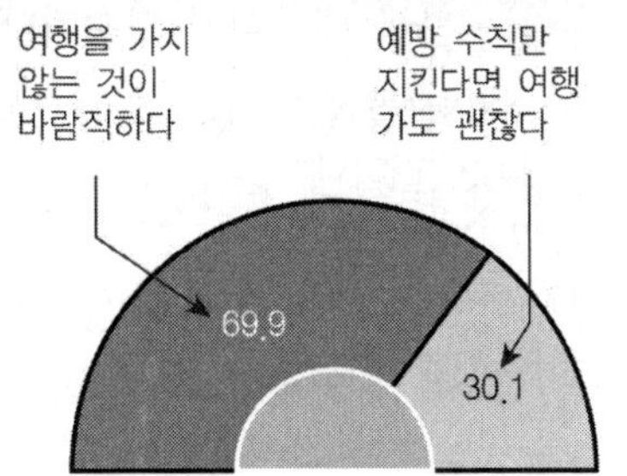

그림 10-4 포스트 코로나19 시대 뉴노멀 관광행태

2020년 중반부터 해외관광의 빗장이 조금씩 풀리고는 있지만 예전 수준으로 회복하기는 어려울 것이라는 관측이 지배적이다. 세계관광기구(UNWTO)도 "국제 관광 교류는 2021년 또는 2022년부터 서서히 정상으로 회복될 것"이라고 전망했다. 해외관광의 모습도 코로나19 이전과는 달리 대규모 단체관광은 당분간 주춤해질 것이라는 분석이 많다. 특히 뉴노멀 시대에는 10명 이하의 소규모 단체의 맞춤형 테마관광으로 변모할 것으로 전망된다. 이때 관광기업의 IMC(Integrated Marketing Communication) 전략 역시 e-커머스로의 패러다임의 전환이 필요한 시점이다. 특히 21세기 관광 스웜문화 역시 각 관광객이나 관광산업 간, 예컨대 B2C, B2B, C2C 간의 상호작용을 통해 스스로 새로운 패턴을 만들어 내는 '자기 조직화(Self Organization)'가 필요한 시점이다.

소셜커머스 시대 무리지능 법칙과 스웜문화

우리는 가끔 해질녘에 저수지나 들판에서 수백만 마리의 새 떼가 만드는 군무의 장관을 보곤 한다. 이러한 수백만 마리의 겨울 철새들의 모습은 일사불란하게 움직이는 하나의 유기체 같다는 느낌이 든다. 이렇게 무리를 지어 움직이는 모습은 우리 인간에게서도 공통적으로 발견할 수 있다. 즉, 우리 인간 역시 단체관광의 경우 돌발적 군무로서 일시적인 관광객 역할은 물론 무리지능을 발휘해야 하는 상황과 맞닥뜨릴 때가 있다. 앞의 제1장에서 언급된 바와 같이 특히 각 개체는 상호 협력을 통해 복잡하지만 잘 조직화된 집단행동을 보여준다(김승환, 2011). 21세기 관광 스웜문화 역시 각 관광객이 상호작용을 통해 스스로 새로운 패턴을 만들어 내는 현상인 자기 조직화가 필요하다.

여기서 관광주체(관광객)는 찌르레기의 군무(Murmuration of Starlings)같이 무리지능, 즉 스마트 스웜을 응용하는 것이다. 우리는 화폐적 비용과 심리적 비용 등을 지불해서 관광행위에 참여하게 되는데, 이러한 관광행동은 시간대별로 나누면, 출발 전 시점(t_1 시점), 관광 중 시점(t_2 시점), 관광 후 시점(t_3)이 있다. 이러한 관광행동의 세 단계 시점에서 가장 중요한 것은 무엇보다 관광 참여자들 간의 앞서 논의된 일종의 '무리짓기에 대한 착각으로서' 충돌 방지라고 할 수 있다. 또한 관광에 참여하기 전 관광목적지나 여행사, 항공사, 현지 옵션 등 다양한 의사결정 문제에 부딪히게 되는데, 이때 필요한 것은 앞서 논의된 브레인 스토밍(Brain Storming)을 통한 집단지성(Collective Intelligence)의 개발이다. 특히 출발 전 시점(t_1 시점)에 즐길 수 있는 소확행은 단톡방(단체 카톡방)을 통해 잔뜩 부푼 기대감을 높이는 것이다. 즉 레이놀즈의 제2법칙인 '응집성의 원칙'을 응용하는 것이다. 이렇게 함으로써 팀워크가 다져질 뿐만 아니라 향후의 옵션투어 결정 등 다양한 의사결정 상황이 도래했을 때 신속하고 가성비 좋은 의사결정을 할 수가 있다. 또한 관광상품 구매에 대한 개인의 춤추는 감정의 구매 후 의심(Post Purchase Doubt) 등의 바이어스를 감소시킬 수 있다. 덧붙여 관광행동에서 관광 중 시점(t_2 시점)에서 역시 옵션투어나 여정(Itinerary)에 없던 새로운 일정이 추가될 경우에도 신속하고 가성비 좋은 의사결정을 할 수 있다. 또한 앞서 제4장에서 논의된 동성사회성(Homosociality) 판타지를 높임으로써 색다른 이색 관광경험을 할 수 있는 기회가 늘어날 수 있다. 또한 더욱 더 중요한 것은 찌르레기 군무를 통해 포식자들로부터 보호를 받을 수 있듯이 우리 관광객들의 안전도 보장받을 수가 있다. 그리고 관광 후 시점(t_3)에서는 레이놀즈의 제2법칙인 '응집성의 원칙'과 제3법칙인 '정렬성의 원칙'을 응용함으로써 여행에 대한 추억과 스토리텔링(Storytelling)이 지속적으로 만들어짐으로써 새로운 해외관광 기회뿐만 아니라 新카스트(Caste) 계급(예, SNS상에 관광셀카 사진을 공유함)을 형성할 수 있다.

결국 여행 검색 엔진 카약(KAYAK.co.kr)의 2017년 조사결과에서도 보여주듯이 '여행에 있어 가장 중요하다고 생각하는 요소'에 대한 질문에 ① 비용 67%, ② 안전한 환경 47%, ③ 관광 동반자 35%로서 이들 요소들이 중요함을 고려하여 찌르레기의 군무(Murmuration of Starlings)와 같이 무리지능을 응용해야 한다. 다시 말해 우리는 단체관광을 통해 "뭉치면 살고 흩어지면 죽는다"라는 스웜문화가 만들어짐으로써 '래포(Rapport)'가 형성되고, 결국에는 행복을 보상받게 된다. 관광은 우리 인생에서 늘 즐겨야 하는 산소 같은 존재이기 때문이다.

향후 세계관광기구(UNWTO)의 희망적인 전망에도 불구하고 해외관광의 모습도 코로나19 이전과는 완전히 달라질 것으로 전문가들은 보고 있다.

무엇보다 대규모 단체관광보다는 10명 이하의 소규모 단위의 고급화된 형태의 관광으로 변모할 것으로 전망된다. 관광목적지도 기존 유명 관광지보다는 안전한 곳으로 검증받은 지역이나 숙소를 선호할 것으로 전망했으며, 미국 외교전문매체 포린폴리시는 "현명한 관광객들은 방역 등 시스템이 훌륭하게 갖춰진 장소를 선호하며, 관광 횟수를 줄이는 대신 한 곳에 오래 머무는 형태로 관광이 변화할 것"이라는 전망을 내놨다(donga.com., 2020.6.24.). 그래도 코로나19로 인해 한 번도 경험해 보지 못한 뉴노멀 관광시대를 맞아 '트래블 버블(Travel Bubble)'이니 '백신 여권'이라는 말이 필요 없는 그야말로 해외관광이 일상인 소소한 행복 시간이 빨리 오기를 염원해 본다.

올 가을에는 독일 뮌헨 옥토버페스트(Octoberfest)에 가고 싶다!

참고문헌

강형기(1999), "지역축제 어떻게 성공시킬 것인가," **지방행정**, 10월호.

권안용(2009), "호텔종사원의 공정성 지각이 조직유효성에 있어 신뢰의 매개효과 연구," **관광경영연구**, 13(2), 1-25.

김경환(2014), **글로벌 호텔경영**, 서울: 백산출판사.

김경희(2010), "**축제 서비스품질이 축제 이미지와 지각된 가치, 행동의도에 미치는 영향 연구**," 경기대학교 대학원 박사학위논문.

김광근 · 김형섭 · 장경수 · 여창원 · 김용철(2011), **관광학의 이해**, 서울: 백산출판사.

김도영 · 서정운(2012), "와인의 스토리텔링이 브랜드인지와 구매행동에 미치는 영향," **관광레저연구**, 24(1), 513-532.

김동규(2006), "**카피라이팅 과정과 유형 연구: 근거이론을 통한 질적 접근**," 한양대학교 대학원 박사학위논문.

김동기(2010), "**스토리텔링을 통한 장소성 인식과 관광경험구성요인과의 관계에 관한 연구**," 세종대학교 대학원 박사학위논문.

김동수(2011), "관광스토리텔링 선택속성이 관광객 만족 및 충성도에 미치는 영향," **한국콘텐츠학회지**, 11(2), 432- 445.

김민경 · 문주현(2011), "호텔레스토랑 스토리텔링이 고객만족과 재방문의도 및 구전의도에 미치는 영향," **호텔관광연구**, 13(2), 137-150.

김민주(1998), "호텔 종사원의 감정노동이 직무관련 태도에 미치는 영향," **관광학연구**, 21(2), 129-141.

김범준(2015), **세상 물정의 물리학**, 서울: 도서출판 동아시아.

김병국 · 박석희(2001), "관광지 이미지의 형성에 관한 연구: 인지적 · 정서적 이미지를 중심으로," **관광학연구**, 25(1), 271-290.

김병재 · 양석준(2009), "저비용 항공사의 기대된 서비스품질이 고객만족과 이용의도에 미치는 영향에 관한 연구," **한국항공경영학회지**, 7(1), 87-99.

김사헌(2008), “관광학의 새로운 정체성을 찾아서: 회고와 과제,” **관광학연구**, 32(4), 11-33.

김성혁 · 전창석(2001), “여행사선택속성이 구전커뮤니케이션에 미치는 영향,” **관광학연구**, 25(1): 56-82.

______ · 조인환(1999), “항공사의 전략적 제휴에 의한 영업성과 차이분석,” **관광연구**, 3(12): 269-271.

______ · 전기환(1996), “여행자의 여행사 선택속성에 관한 연구,” **관광학연구**, 19(2), 165-179.

김소영(2011), “한국형 블록버스터에서의 동성사회적 판타지: 〈텔미썸딩〉과 〈JSA〉,” **문화/텍스트분석**, 151-178.

김승환(2011), “새들이 군무를 추는 이유,” **동아사이언스**, 2월호.

김연선 · 김철원(2005), “Zaltman의 은유추출기법을 활용한 호텔 브랜드 자산가치 평가 척도 개발,” **관광연구**, 85-102.

______(2004), “**ZMET을 이용한 호텔 브랜드 자산가치 평가 척도개발**,” 계명대학교 대학원 박사학위논문.

김연화(2007), “관광웹사이트에서의 스토리텔링 의의에 관한 연구,” **안양대학교 사회과학연구소**, 13, 157-181.

김영우(2008), “**메디컬 에스테틱 관광 서비스품질이 고객신뢰, 만족, 몰입 및 재이용의도와의 영향관계**,” 경주대학교 대학원 박사학위논문.

김용욱(2012), “국립공원 탐방객의 자연보호의식과 생태관광태도에 관한 연구,” **관광연구**, 26(6), 77-97.

김용욱 · 김진 · 신정영 역, I. Patterson 저(2012), **시니어 & 베이비부머 세대의 관광과 레저**, 서울: 한올출판사.

김원수(1989), **마케팅관리론**, 서울: 경문사.

______(1986), **소매기업경영론**, 서울: 경문사.

______(1985), **경영학원론**, 서울: 경문사.

김은정(2001), “**준거가격광고가 소비자의 내적 준거가격에 미치는 영향에 관한 연구**,” 성균관대학교 대학원 박사학위논문.

김의근(2011), **프랜차이즈 경영론**, 서울: 법문사.

김재환(2008), “인터넷 쇼핑몰의 서비스품질요인이 서비스가치, 고객만족과 고객행도에 미치는 영향,” **서비스경영학회지**, 9(4), 229-256.

김재희 · 서경현(2018), "성인 여성의 내현적 자기애와 셀카 중독 경향성 간의 관계: 자기대상화 및 자기제시동기의 매개 효과를 중심으로," **한국콘텐츠학회논문지**, 18(7), 207- 220.

김정록(2015), "서비스 공정성과 기업이미지 간 영향관계 연구: 고객동일시 및 서비스가치의 매개효과," **관광연구저널**, 29(5), 157-171.

김정희(2012), "공동지방정부 로컬 거버넌스의 새로운 시도와 한계," **한국지방자치학회보**, 24(2), 37-65.

김종길(2004), "아바타와 청소년의 사이버 정체성 발달," **청소년학연구**, 11(2), 185-215.

김창남(1998), **대중문화의 이해**, 서울: 한울 아카데미.

김천서(2003), "**패밀리레스토랑 고객의 서비스회복 공정성 지각과 신뢰 및 행동의도간의 인과관계 연구**," 동아대학교 대학원 박사학위논문.

김천중(2012), **해양관광과 크루즈산업**, 서울: 백산출판사.

김철원 · 윤혜진(2009), "관광현상 규명을 위한 질적 연구방법의 고찰과 적용," **관광학연구**, 33(1), 11-30.

______ · 김연선(2007), "호텔 브랜드 자산 가치 공유개념도," **관광학연구**, 31(5), 157-179.

김태경 · 박중환(2014), "호텔종사원의 감정노동과 직무스트레스가 감정부조화에 미치는 영향," **관광레저연구**, 26(4), 65-79.

김태영(1996), **현대관광학개론**, 서울: 백산출판사.

김현룡(2008), "호텔 레스토랑의 서비스품질에 의한 고객만족 및 브랜드 인지가 전환비용과 고객충성도에 미치는 영향에 관한 연구," **관광연구**, 23(2): 259-281.

김현욱(2006), "**지역축제의 관리주체와 서비스 질과 만족도에 관한 연구**," 동국대학교 대학원 박사학위논문.

김형곤(2002), "스포츠 팬덤의 특성에 관한 연구," **언론학연구**, 6, 66-80.

김혜진(2009), "**관광스토리텔링의 구성요소가 관광목적지 매력지각, 브랜드자산, 브랜드가치에 미치는 영향**," 동아대학교 대학원 박사학위논문.

김홍길(2012), "**축제 서비스품질과 이미지, 지각된 가치, 만족 및 충성도와의 관계: 부산불꽃축제를 대상으로**," 동명대학교 대학원 박사학위논문.

김희정(2012), "**관광지 스토리텔링과 경험적 가치, 매력지각 및 행동반응 관계연구**," 우송대학교 대학원 박사학위논문.

______ · 김시중(2012), "관광지 스토리텔링 선택속성이 관광객 행동반응에 미치

는 영향연구," **국토지리학회지**, 45(1), 53-65.
다치바라 아키라(2017), **말해서는 안되는 너무 잔혹한 진실**, 박선영 역, 서울: 레드스톤.
도모노 노리오(2007), **행동경제학**, 이명희 역, 서울: 지형.
동남레저산업연구소(편)(2008), **관광학의 이해**, 서울: 기문사.
동아사이언스(편)(2018.10.29.), "수많은 군집로봇은 어떻게 조정할까?"
문보영(2007), "의료관광상품 개발방안에 관한 연구," **호텔관광연구**, 9(3), 30-45.
문화체육관광부(2020), 2019년기준 관광동향에 관한 연차보고서.
____________(2020), 2019 외래관광객조사.
____________(2019), 2018년기준 관광동향에 관한 연차보고서.
____________(2018), 2017년기준 관광동향에 관한 연차보고서.
____________(2017), 2016년기준 관광동향에 관한 연차보고서.
____________(2016), 2015년기준 관광동향에 관한 연차보고서.
____________(2015), 2014년기준 관광동향에 관한 연차보고서.
민양기(2005), "**문화관광축제 참여 영향요인이 행위의도에 미치는 연구**," 경기대학교 대학원 박사학위논문.
밀러, 피터(2010), **스마트 스웜**, 이한음 역, 서울: 김영사.
박명희(2000), "**관광자원의 해설이 관광자 만족에 미치는 영향: 여행상품의 기초 속성 분석**," 대구대학교 대학원 박사학위논문.
박봉규 · 박중환 · 임채관(2004), **관광조사통계분석론**, 대구: 도서출판 대명.
박석희 · 고동우(2002), "관광지의 정서적 이미지 척도 개발: 순정서적 이미지와 준정서적 이미지," **관광학연구**, 25(4), 13-32.
박의서(2010), "섹스관광과 매춘에 관한 관광학적 이슈," **관광연구저널**, 24(1), 175-190.
박재기(2001), **인터넷 마케팅**, 서울: 형설출판사.
박종오 · 황용철(2007), "서비스상황요인이 서비스품질, 서비스가치, 고객만족과 재구매의도에 미치는 영향," **서비스경영학회지**, 8(1), 95-99.
박주희(1995), "**의료서비스의 구매평가에 관한 연구**," 동아대학교 대학원 박사학위논문.
박중환(2016), **관광과 경영가치모델**, 서울: 기문사.
______(2019), "관광산업 종사원의 감정노동 비교 연구," **관광레저연구**, 31(8), 99-113.
______ · 최재준(2018), "케이블카 서비스품질이 관광지 이미지 및 지각된 가치에

미치는 영향 연구," **관광레저연구**, 30(11), 501-516.
______·김현주(2018), "항공사 서비스 지각품질이 고객만족 및 항공사 애호도에 미치는 영향 연구," **관광레저연구**, 30(2), 271-289.
______(2017), "저가항공사 서비스에 대한 지각위험(perceived risk) 연구," **관광레저연구**, 29(8), 175-189.
______ 등(2017), "관광구매단계에서의 관광옴니채널 선택요인, 만족도, 구매의도 등에 관한 영향관계 분석," **디지털융복합연구**, 5(10), 173-182.
______(2016), "여행사 애호도, 해외여행상품 지각위험, 준거가격, 구매 후 의심, 그리고 재이용의도간의 관계," **관광레저연구**, 22(1), 343-360.
______ 등(2016), "관광옴니채널상의 관광정보탐색 동기가 만족도에 미치는 영향관계 분석: 관광경험과 위험지각의 조절효과를 고려하여," *Journal of Digital Convergence*, 147-160.
______ 등(2015), "항공기업의 경영자지원이 긍정적 감정, 자긍심, 직장애착에 미치는 영향," **동북아관광학연구**, 11(2), 85-104.
______ 등(2014), "관광 소셜네트워크서비스(SNS)에서 관광객-관광정보 상호작용이 관광정보공유에 미치는 영향 연구: 관광정보품질을 고려하여," **관광레저연구**, 26(2), 259-277.
______(2014), "항공사 여 승무원들의 직업존중감과 감정노동의 비교 연구," **관광레저연구**, 26(3), 103-119.
______ 등(2013), "관광 소셜네트워크 서비스의 지속적 이용에 관한 연구: 개인특성, 가치, 만족을 기반으로 하여," **관광레저연구**, 25(5), 309-322.
______ 등(2013), "관광 소셜네트워크서비스의 성공요인이 만족도와 사용의도에 미치는 영향," **관광레저연구**, 25(1), 83-102.
______ 등(2012), "관광객의 지각된 품질, 경험가치, 만족, 재방문의사간의 관계 분석: 전시회를 중심으로," **관광레저연구**, 24(5), 7-25.
______ 등(2012), "ICT 융합관광의 비즈니스모델별 고부가 서비스 창출 모형 개발에 관한 연구," **관광레저연구**, 24(3), 105-120.
______·박현지·임채관(2011), **스마트 관광서비스론**, 서울: 형설출판사.
______(2011), "호텔 브랜드 가치가 호텔 이용행동에 미치는 영향 연구: 호텔 속성의 조절효과를 중심으로," **관광레저연구**, 23(8), 101-115.
______ 등(2011), "방문동기에 따른 유비쿼터스 관광서비스의 특성과 경험가치

의 차이 분석: G-Star 참가자를 중심으로," **관광레저연구**, 23(4), 427-445.
______ 등(2011), "여수박람회 방문 동기와 유비쿼터스 관광서비스의 선호도간 의 관계분석," **관광레저연구**, 23(2), 223-243.
______ 등(2011), "신뢰와 만족을 매개로 한 모바일 관광정보 서비스의 특성, 경험가치, 사용의도에 관한 관계분석," **호텔경영학연구**, 20(1), 245-265.
______ 등(2011), "산업연관분석을 통한 카지노산업의 경제적 파급효과분석," **관광레저연구**, 23(1), 355-373.
______(2010), "여행사 애호도, 해외여행상품 지각위험, 준거가격, 구매 후 의심, 그리고 재이용의도간의 관계," **관광레저연구**, 22(1), 343-360.
______ 등(2010), "크루즈 관광객의 동기와 ICT 기반 유비쿼터스 서비스 이용의도에 관한 연구," **한국산학기술학회논문지**, 11(11), 4251-4259.
______ 등(2010), "ICT 기반 시티투어 버스 동기에 대한 중요도-성취도분석: 부산지역의 유비쿼터스관광서비스를 중심으로," **관광레저연구**, 22(4), 415-432.
______ 등(2010), "여행사 브랜드 가치 및 선택 속성이 여행사 애호도에 미치는 영향 연구: 서비스 보증의 조절효과," **관광레저연구**, 22(5), 149-164.
______(2009), "해외여행상품 구매 시 여행사 브랜드 가치와 지각위험이 구매 후 의심에 미치는 영향 연구," **관광레저연구**, 21(3), 371-388.
______(2007), "우리나라 주요 영화 · 드라마 촬영지의 한류(韓流) 시장별 관광자원 이미지 분석 및 관광자원화 전략 연구," **관광학연구**, 31(2), 145-164.
______(2003), "부산지역 주요 영화 촬영지에 대한 관광자원학적 이미지 분석과 PPL(product placement) 전략," **관광레저연구**, 14(3), 157-173.
______(1999), "호텔서비스에 대한 고객의 지각된 위험(perceived risk)에 관한 실증적 연구," **관광레저연구**, 11(1), 27-41.
______(1999), "호텔서비스에 대한 고객태도 변수들간의 관계연구," **관광학연구**, 22(3), 54-72.
______(1998), **현대호텔마케팅론**, 서울: 형설출판사.
박진영(2008), "고객충성도의 요인 구조 및 상대적 중요도에 관한 연구: 패스트푸드, 피자, 패밀리 레스토랑을 중심으로," **관광연구**, 23(1), 381-398.
박호창(2006), "**우리나라 지역축제의 성과 및 만족도 평가에 관한 연구**," 강원대학교 대학원 박사학위논문.
백정숙(2006), "**고객관점의 항공 브랜드 자산가치 구성척도 개발**," 계명대학교 대학원 박사학위논문.

변우희 · 조광익 · 김기태 · 한상현(2008), "관광학 연구동향 및 교육과정 분석과 『관광학총론』의 구성체계," **관광학연구**, 32(4), 35-53.

베레비, 데이비드(2007), **우리와 그들, 무리짓기에 대한 착각**, 정준형 역, 서울: 에코리브르.

부산영상위원회(2000), 2000 **부산필름커미션 디렉토리**.

부산영상위원회(http://www.bfc.or.kr).

부산일보(2006. 12.20일자)

빈센트, 로렌스(2004), **스토리로 승부하는 브랜드 전략**, 박주민 역, 서울: 다리미디어.

삼성경제연구소(2010), "소셜미디어와 기업의 신소통 전략," *CEO Information*, 제764호.

서비스경영연구회(편)(2000), James L. Heskett 저, **서비스 수익모델**, 서울: 삼성경제연구소.

서승윤(2009), "**호텔레스토랑의 분위기가 고객정서, 레스토랑이미지, 고객행동에 미치는 영향관계**," 경주대학교 대학원 박사학위논문.

서원석 · 임재희 · 백주아(2004), "서비스 회복의 효율적인 공정성 이론 적용: 호텔연회서비스를 중심으로," **관광연구저널**, 18(2), 115-137.

서은국(2019), **행복의 기원**, 경기도: 21세기북스.

서정운 · 한종헌(2017), "특급 호텔 식음료 부문의 서비스 회복 공정성이 관계의 질과 장기지향성에 미치는 영향," **관광레저연구**, 29(9), 133-150.

설상철(1995), "The Perceived Risk of Smoking," **동남마케팅연구**, 1(2): 123-148.

성현선 · 임재국(2008), "지역축제 서비스품질이 방문객의 감정, 만족 및 행동의도에 미치는 영향," **호텔경영학연구**, 17(4), 247-263.

송래헌(2011), "관광지스토리텔링에 따른 관광경험 만족도 및 충성도," **호텔관광연구**, 13(2), 55-65.

슈워츠, 배리(2004), **선택의 패러독스**, 형선호 역, 서울: 웅진닷컴.

신동식(2008), "여행사의 서비스 보증이 서비스품질과 서비스 가치 및 고객충성도에 미치는 영향에 관한 연구," **관광연구**, 22(4), 243-264.

신동주 · 손재영(2007), "**해양관광산업발전을 위한 여건분석과 정책과제**," 한국해양수산개발원.

신상준(2004), "**관광객의 여행상품 인지부조화와 반응에 관한 연구**," 경기대학교 대학원 박사학위논문.

신현식 · 김창수(2011), "지역축제 스토리텔링이 축제매력성과 방문자 만족에 미치는 영향," **관광연구**, 26(3), 225-244.

신홍철(역)(2009), **여가 · 관광 연구방법론**, 서울: 한올출판사.

______(2008), "관광동기가 의사결과 행동의도에 미치는 영향관계," **관광연구**, 22(4), 339-356.

아아커, 데이비드(2006), **브랜드 자산의 전략적 경영**, 이상민 역, 서울: 브랜드앤컴퍼니.

앨트만, D.(2003), 이수영 역, *Global Sex*, 서울: 이소출판.

양정윤(2010), "**호텔마케팅 커뮤니케이션과 브랜드 자산, 전환비용, 충성도간의 관계연구**," 동명대학교 대학원 박사학위논문.

______ · 박중환(2010), "호텔 브랜드자산이 전환비용과 충성도에 미치는 영향에 관한 연구," **관광연구**, 24(6), 291-312.

양정임(2011), "**관광객의 스토리텔링 경험이 관광목적지 브랜드가치인식과 러브마크에 미치는 영향관계연구: *Mindfulness*의 조절효과를 중심으로**," 경희대학교 대학원 박사학위논문.

엄서호(1994), "주제공원 서비스질의 측정척도 개발에 관한 연구," **한국조경학회**, 22, 25-38.

엄태석(2005), "지역발전과 로컬 거버넌스: 정책 사례를 중심으로," 21세기정치학회보, 15(3), 105.

오두범(1984), **광고 커뮤니케이션 원론**, 서울: 박영사.

오상훈 · 이유라(2014), "관광지 스토리텔링이 관광 태도와 만족도에 미치는 영향," **관광레저연구**, 26(1), 131-149.

오정학(2001), "주제공원 이용자의 감정반응에 관한 연구," **관광학연구**, 24(3), 285-305.

오훈성 · 이덕순(2016), "축제 방문객의 혼잡지각이 만족에 미치는 영향과 사회적 증거의 매개효과," **관광레저연구**, 28(6), 235-254.

오희환(1993), "제3섹터의 활성화방안," 서울: 한국지방행정연구원: 6.

우혜진 · 박지윤 · 탁현아 · 이규연 · 이지혜 · 성용준(2017), "자존감 불일치와 SNS에서의 과시적 자기표현 간의 관계," **한국심리회지: 소비자 · 광고**, 18(3), 365-389.

원융희(1999), **관광과 문화**, 서울: 학문사.

원호연(1992), "**준거가격의 형성과 소비자선택에 있어서의 역할에 관한 연구**," 홍익대학교 대학원 박사학위논문.

유명희(2011), **Medical Tourism Marketing**, 서울: 한올출판사.
유종식 · 이애주 · 한희섭(2016), "외식기업의 서비스 실패와 불만족, 신뢰, 부정적 구전, 전환의도 간의 영향관계 연구," **호텔경영학연구**, 25(7), 51-69.
유창 · 한진수(2012), "Hofstede의 5가지 문화 차원에 따른 서비스회복 공정성 지각이 고객만족에 미치는 영향," **관광연구저널**, 26(2), 115-133.
윤장렬 · 조효연 · 최종률(2009), "브랜드 이미지에 따른 여행사 선택 시 고객의 선택속성에 관한 연구," **관광레저연구**, 21(3), 25-43.
윤정헌(2003), "여행업의 CRM도입을 통한 조직혁신," **관광레저연구**, 14(4), 169-183.
윤태환 · 전재균(2009), "관광목적지의 이미지와 브랜드개성의 관계에 관한 연구," **관광레저연구**, 21(1), 65-85.
이경은(2009), "스토리텔링을 활용한 지역활성화 방안 연구," **사회과학연구**, 33(2), 309-336.
이경환(2000), "**여행상품 소비행동단계별 위험지각과 만족도**," 경기대학교 대학원 박사학위논문.
이광원(1998), **관광자원론**, 서울: 기문사.
이명식(1999), **서비스마케팅**, 서울: 형설출판사.
이상호 · 박중환(2013), "호텔기업에서의 브랜드자산가치가 고객충성도에 미치는 영향," **관광레저연구**, 25(4), 21-40.
이선익(2007), "**외식 프랜차이즈의 본부 지원이 가맹점의 신뢰, 관계결속, 몰입, 성과에 미치는 영향**," 동아대학교 대학원 박사학위논문.
이선향(2016), "지속가능한 국가발전 모델과 로컬거버넌스: '굿거버넌스'의 제도적 설계에 대한 재검토," **사회과학연구**, 55(1), 240.
이선희 · 양정영 · 박철호 · 손병모 · 송경숙(2002), **항공여객 예약실무**, 서울: 대왕사.
이애리 · 박정하 · 송래헌(2010), "지역문화 축제의 선택속성의 중요도에 대한 지각차이 및 만족도가 행동의도에 미치는 영향: 부여 서동연꽃 축제 방문객을 대상으로," **호텔관광연구**, 12(4), 291-307.
이연택(2003), **관광정책론**, 서울: 일신사.
이용재(2006), "**TV 드라마 PPL에 대한 수용자의 태도유형 및 활용에 관한 연구: Q 방법론과 심층인터뷰를 중심으로**," 연세대학교 영상대학원 박사학위논문.
이원일(1998), "**민관공동출자법인의 형태별 특성에 관한 연구**," 부산대학교 대학원 박사학위논문.

이유재 · 라선아(2002), “브랜드 퍼스낼리티-브랜드 동일시 브랜드 자산 모형,” **마케팅연구**, 17(3), 1-33.

이은아(2004), “**여행상품광고에서 사용된 외적 준거가격이 가치지각, 구매의도, 탐색의도에 미치는 영향**,” 계명대학교 대학원 박사학위논문.

이재곤(2003), “국내 크루즈 관광상품 개발방향에 관한 연구,” **관광경영학연구**, 18, 113-133.

이정실(2002), **외식기업경영론**, 서울: 기문사.

______(2000), “**호텔 식음료 서비스 품질이 서비스 애호도에 미치는 영향**,” 동아대학교 대학원 박사학위논문.

______ · 최순희(2002), “외식업의 선택요인에 대한 부정적 구전커뮤니케이션과 구매행동과의 관계,” **관광레저연구**, 13(2), 9-24.

이정자 · 윤태환(2007), “지각된 위험이 총만족 및 충성도에 미치는 영향,” **관광학연구**, 31(2), 205-222.

이준재 · 안성근(2010), “호텔레스토랑 서비스 회복 공정성 지각이 고객감정과 행동의도에 미치는 영향,” **외식경영연구**, 13(1), 129-150.

이태희(2000), **관광상품기획론**, 서울: 백산출판사.

_____(1997), “한국관광지 이미지 측정척도의 개발,” **관광학연구**, 20(2), 80-95.

이화인(1993), “구매환경이 소비자 제품탐색행동에 미치는 영향: 구매장소 혼잡성의 영향과 인지적 통제력의 중재효과연구,” **경영학연구**, 23(1), 173-199.

이후석 · 이승곤 · 오민재(2006), “드라마 촬영지 관광객의 관광동기와 이미지간 관련성 연구: 대장금, 해신, 불멸의 이순신 촬영지 관광객을 사례로,” **관광학연구**, 30(1), 271-293.

______(2005), **관광지조사방법**, 서울: 백산출판사.

이희원(2007), “*Storytelling* **요소가 문화관광축제의 기획과 축제효과에 미치는 영향**,” 안양대학교 대학원 박사학위논문.

장희정(1992), “레저활동에 있어서의 「행렬」에 관한 행동론적 고찰,” **관광레저연구**, 4, 155-162.

전경수 편역(1994), **관광과 문화**, 서울: 일신사.

전국경제인연합회(2006), “**아시아 의료관광산업의 성공사례 및 시사점: 인도, 태국, 싱가포르 사례를 중심으로**,”

전용수(2010), “**호텔컨벤션 서비스 보증, 지각된 적합성, 지각된 가치, 관계만족**

과 애호도간의 관계 연구," 동아대학교 대학원 박사학위논문.
전약표 · 임선희(2011), "스토리텔링을 통한 문화유산관광 활성화방안," **관광연구**, 26(5), 455-471.
전태유 · 박노현 · 윤남수(2007), "패밀리 레스토랑의 인터넷 광고가 웹사이트 태도, 브랜드 태도, 구매의도에 미치는 영향," **호텔관광연구**, 9(1), 35.
정강환(1996), **이벤트관광전략-축제와 지역활성화**, 서울: 일신사.
정병웅(2003), "지역축제 활성화 방안: 온양문화제 참가자의 행동 분석을 중심으로," **호텔경영학연구**, 12(1), 215-230.
정용길(2017), "서비스 회복과정에서 공정성과 만족, 그리고 재구매 의도와 부정적 구전," **한국콘텐츠학회논문지**, 17(6), 424-435.
정준영(1994), "매니아: 민주주의의 확산인가, 새로운 귀족주의인가?" **리뷰**, 창간호, 222-233.
정지연 · 이형룡 · 우상철(2005), "항공사 직원이 지각한 공익마케팅 및 기업이미지가 조직몰입에 미치는 영향," **관광연구저널**, 19(3), 81-93.
정현영(2000), "**서비스회복이 고객만족과 행동의도에 미치는 영향에 관한 연구**," 청주대학교 대학원 박사학위논문.
정혜란(2007), "**공정성지각이 서비스회복 성과에 미치는 영향에 관한 연구: 상황변수의 조절효과를 중심으로**," 경기대학교 대학원 박사학위논문.
정희용(2014), "항공사의 서비스공정성이 고객만족과 고객불량행동에 미치는 영향에 관한 연구," **한국항공경영학회지**, 12(4), 23-40.
제일기획(1999), **2000 소비자 의식조사**.
조선배(1994), "**호텔서비스 구매의도에 대한 영향요인**," 광운대학교 대학원 박사학위논문.
조성극(1995), "**일본여행업의 해외여행상품론에 관한 연구**," 경기대학교 대학원 박사학위논문.
조영미(2010), "태국의 매매춘에 관한 연구," *Asian Center for Women's Studies*, 55-75.
조영신(2007), "**공정성 지각을 통한 항공사 서비스 실패의 회복후 만족과 전환의도에 관한 연구**," 동국대학교 대학원 박사학위논문.
조윤식(1994), "관광경영학에서 과학철학에 대한 논쟁의 의미," **관광레저연구**, 6, 113-129.
주현식(2008), "**호텔레스토랑의 LOHAS이미지, 지각된 서비스품질 및 가치, 고**

객만족, 충성도와의 영향관계," 경희대학교 대학원 박사학위논문.
진양호(1997), "**호텔 · 레스토랑의 메뉴엔지니어링에 관한 연구,**" 경기대학교 대학원 박사학위논문.
최나리(2005), "**부산지역 해수욕장의 가상적 방문가치 추정에 관한 연구,**" 동아대학교 대학원 박사학위논문.
최성환 · 김지흔(2014), "서비스 공정성이 고객 감정, 고객 만족도및 고객 시민행동과 고객 불량행동에 미치는 영향 연구," **관광연구**, 28(6), 83-111.
_____ · 이현종(2013), "서비스 공정성이 고객 감정, 고객 만족도및 고객 시민행동(충성행동, 협력행동, 참여행동)에 미치는 영향에 관한 연구," **호텔리조트연구**, 12(3), 447-470.
최수아(2011), "**브랜드스토리텔링의 구조적 관계성이 자아동인성과 브랜드 태도에 미치는 영향,**" 조선대학교 대학원 박사학위논문.
최승국 · 오수경(2004), "여행상품 개발에 관한 연구," **관광정책학연구**, 10(1), 373-374.
최영민 · 최현식(2011), "관광스토리텔링 속성이 관광태도에 미치는 영향 연구: 제주도 한라산영실탐방로를 중심으로," **한국콘텐츠학회논문지**, 11(12), 442-454.
최영준 · 박대환(2008), "지역문화관광축제의 로컬거버넌스를 위한 주체역할과 협력체계에 관한 연구," **관광레저연구**, 20(3), 125-144.
최영희 · 이원철 · 이훈(2005), "동굴관광자원에 대한 지역주민의 태도 및 영향요인: 지역애착과 태도이론을 중심으로," **호텔경영학연구**, 14(1), 200.
최인철(2016), **프레임**, 경기도: 21세기북스.
최인호(2008), "대중문화 콘텐츠를 활용한 관광지 스토리텔링," **한국콘텐츠학회논문**, 8(12), 396-403.
최정순(2003), "**호텔기업의 내부마케팅이 종사원의 감정노동과 서비스 제공수준에 미치는 영향,**" 동아대학교 대학원 박사학위논문.
추성우(2009), "**호텔기업의 서비스 커뮤니케이션이 고객 애호도 형성에 미치는 영향,**" 동아대학교 대학원 박사학위논문.
프롬, 에리히(2019), **소유냐 존재냐**, 차경아 역, 서울: 까치.
하정용(2012), "**지역축제의 품질요인이 지각된 가치와 성과에 미치는 영향,**" 경상대학교 대학원 박사학위논문.
하진희(2001), "**호텔의 PPL활동에 관한 연구,**" 경기대학교 대학원 석사학위논문.
하태훈(2002), "청소년 성매매의 현실과 대책: 검찰의 인사, 조직상 독립성 확보

과제," **한국형사정책학회**, 14(1), 7-26.
한경희 · 최우성(2007), "자아이미지와 브랜드개성의 일치성이 호텔브랜드 동일시와 고객브랜드 충성도에 미치는 영향," **관광레저연구**, 19(4), 207-226.
한국관광공사(2011), **부울경 Blue Belt 공정관광상품 개발**.
한국관광학회(편)(2009), **관광학총론**, 서울: 백산출판사.
한국관광공사(2005), **외국의 의료관광 추진 현황 및 시사점**.
한국관광공사(2003), **신한류 관광마케팅**.
한국관광공사(2002), **중국관광객 유치 전략**.
한국인터넷진흥원(2012.2.), "소셜미디어의 발전 전망 및 사회적 영향," **인터넷 & 시큐리티 이슈**, 2-27.
한국정보화진흥원(2012), **2012인터넷백서**.
한국정보화진흥원(2011), **소셜미디어 부작용 보고서**.
한국정보화진흥원(2010), "소셜커머스의 부상과 향후 · 전망," *IT & Future Strategy*, 15.
한병선(2002), "매춘관광에 관한 일 고찰," **사진지리**, 12, 89-96.
한숙영 · 김민주(2006), "관광산업의 서비스품질 측정 연구에 대한 비판적 소고: 국내 호텔서비스품질에 관한 연구를 중심으로," **관광연구**, 21(2), 216-218.
한혜숙 · 김영택(2009), "항공사의 기내 인적서비스품질이 고객인지가치 및 고객만족과 고객행동에 미치는 영향 연구," **서비스경영학회지**, 10(1), 1-18.
한희영(1987), **상품학총론**, 서울: 다산출판사.
해외문화정보원(2020), 2020년 국가이미지 조사보고서.
허경석 · 변정우(2012), "여행 파워블로그의 스토리텔링 요인이 관광동기와 행동의도에 미치는 영향에 관한 연구," **한국정보기술학회논문지**, 10(6), 93-106.
헤스켓, 제임스 외(2000), **서비스수익모델**, 서비스경영연구회 역, 서울: 삼성경제연구소.
현대경제연구원(2010), "소셜커머스의 진화와 기업에 대한 시사점," *VIP report*.
황설화 · 이영미 · 이병량(2014), "지역축제 참여자들 간 협력 거버넌스: 하이서울페스티벌(Hi Seoul Festival) 사례를 중심으로," **한국정책과학학회보**, 18(2), 57-84.
황의록 · 김창호(1995), "구전(口傳)커뮤니케이션에 관한 문헌연구," **광고연구**, (26), 55-84.
황현철 · 김규헌 · 윤정헌(2003), **21세기 여행업경영론**, 서울: 기문사.

홍지연 · 조용현(2014), "혼잡지각이 방문의사에 미치는 영향: 외식공간의 대기행렬을 중심으로," **관광경영연구**, 18, 361-382.

Hew-Jong, Choi(2011), "The Comparative Analysis of Perceived Risks in South Korean Low Cost Carriers and Full Service Carriers," **한국항공운항학회**, 19(1), 53.

UNWTO(1997), **2020년 관광전망**, 11월.

Aaker, D. A. & J. G. Myers(2002), *Advertising Management*, 5th(ed), New Jersey: Prentice-Hall, 235.

Anderson, Eugene W. and Claes Fornell(1994), "A Customer Satisfaction Research Prospectus," in *Service Quality: New Directions in Theory and Practice*, Roland T. Rust andRichard L. Oliver (ed.), London: Sage, 241-268.

Arora, R., & J. Singer(2006), "Customer Satisfaction and Value as Drivers of Business Success for Fine Dining Restaurants," *Service Marketing Quarterly*, 28(1), 89-102.

Ashforth, B. E. &F. Mael(1989), "Social identity Theory and the Organization," Academy of Management Review, 14(1), 20-39.

Assael, Henry(1987), *Consumer Behavior and Marketing Action*, 3rd ed., Massachusetts: PWS-KENT Publishing Company.

Balasubramanian, S. K.(1994), "Beyond Advertising and Publicity: Hybrid Messages and Public Policy Issues," *Journal of Advertising*, 23(December), 29-46.

Bammel, Gene & Lei Lane Burrus-Bammel(1996), *Leisure & Human Behavior*, 3rd ed., New York: McGraw-Hill Companies, Inc.

Barry, K.(1985), *Female Sexual Slavery & of sexuality The prostitution*, New York University Press.

Bauer, C.,(1997), *Handbook for storyteller*, Chicago: American Literary Association.

Bauer, R. A.(1960), "Consumer Behavior as Risk Taking," in R. S. Hancock(ed.), *Dynamic Marketing for a Changing World*, Chicago: American Marketing Association, 389-398.

Bearden, William O. and Jesse E. Teel(1983), "Selected Determinants of Consumer Satisfaction and Complaint Reports," *Journal of Marketing*

Research, 20(February), 21-28.

Bennett, R.(1998), "Queues, Customer Characteristics & Policies for Managing Waiting-Lines in Supermarkets," *International Journal of Retail & Management*, 26(2), 78-87.

Berry, L. D.(2000), "Cultivating Service Brand Equity," *Journal of the Academy Marketing Science*, 28(1), 128-137.

Berry, L., G. Shostack & G. Upah(1983), in Emerging Perspective on Service Marketing, ed., Chicago: American Marketing Association, *Distribution*.

Biswas, A. & E. A. Blair(1991), "Contextual Effects of Reference Prices in Retail Advertisement," *Journal of Marketing*, 55(July), 1-12.

Bitner, Mary Jo(1990), "Evaluating Service Encounters: The Effects of Physical Surrounding on Employee Responses," *Journal of Marketing*, 54(2), 69-81.

______(1992), "Servicescape: The Impact of Physical Surroundings on Customers and Employee," *Journal of Marketing*, 56(April).

Blattberg, R. C. & K. N. Wisniewski(1989), "Price-induced Patterns of Competition," *Marketing Science*, 8(Fall), 291-309.

Bolton, Ruth and James H. Drew(1991a), "A Multistage Model of Customers' Assessments of Service Quality and Value," *Journal of Consumer Research*, 17(March), 375-384.

____________(1991b), "A Longitudinal Analysis of the Impact of Service Changes on Customer Attitudes," *Journal of Marketing*, 55(January), 1-9.

Boorstin, D. J.(1964), The Image: *A Guide to Pseudo-Events in America*, New York: Harper & Row.

Bosangit, Carmela, Scott McCabe, and Sally Hibbert(2009), "What is Told in Travel Blogs? Exploring Travel Blogs for Consumer Narrative Analysis," *Information and comunication Technologies in Tourism*, 2, 61-71, 2009.

Bowen, David A., Robert Johnston(1999), "Internal service recovery: developing a new construct," *International Journal of Service Industry Management*, 10(2), 118-127.

Bowen, D. E., S. W. Gilliand, & R. Folger(1999), "HRM and Service Fairness: How Being Fair with Employees Spillover to Customers," *Organizational Dynamics*, 27(3), 7-23.

Brady, M. K., & J. J. Cronin (2001), "Some New Thoughts on Conceptualizing Perceived Service Quality: A Hierarchial Approach," *Journal of Marketing*, 65, 34-49.

Brashear, T. G., C. M. Brooks, & J. S. Boles(2004), "Distributive and procedural justice in a sales force context Scale development and validation," *Journal of Business Research*, 57(1), 86-93.

Brown, George H.(1952-1953), "Brand loyalty-Fact or Fiction?," *Advertising Age*, June-January.

Burch, William R. Jr.(1965), "The Play World of Camping: Research into the Social Meaning of Outdoor Recreation," *American Journal of Sociology*, 70.

Burkart, A. J. & S. Medlik(1976), *Tourism*, London: Heineman.

Callois, R.(1961), Man, *Play, and Games*, New York: Free Press.

Carman, J. M.(1990), "Consumer Perceptions of Service Quality: An Assessment of the SERVQUAL Dimensions," *Journal of Retailing*, 66, 37.

Carmela, Bosangit, Scott McCabe, and Sally Hibbert(2009), "What is Told in Travel Blogs? Exploring Travel Blogs for Consumer Narrative Analysis," *Information and Communication Technologies in Tourism*, 2, 61-71.

Chatman, S. Benjamin(1978), *Story and discourse*, Ithaca: Cornell University Press.

Chen, Shim-Fen, B. Monroe, Lou, Yung Chien(1998), "The effects of framing price promotion messages on consumers' perception and choice decision," *Journal of Retailing*, 74, 342-369.

Christensen, G. L. & J. C. Olson(2002), "Mapping Consumers' Mental Models with ZMET," *Psychology & Marketing*, 19(6), 447-502.

Chung, L. A.(2005), "New Greeting of Hybrid Fans: Aloha LOHAS," *Mercury News*, April, 29.

Cialdini, Robert(2001), *Influence: Science and Practice*, MA: Pearson Education Company.

Cleaver, M., T. E. Muller, H. Ruys, and S. Wei(1999), "Tourism product development for the senior market, based on travel motive research," *Tourism Recreation Research*, 24, 5-11.

Clemmer, F. & D. Schneider(1996), "Fair Service, Advances in Services," *Marketing and Management*, 5, 109-126.

Cliff, S. & S. Carter(2000), "Tourism and Sex, Culture, Commerce and Coercion," Pinter, London: ECPAT International.

Cohen, E. E.(2000), *Love and Social Status in Classical Athens*(Oxford), 130-131.

Cohen, Erik(1979), "A Phenomenology of Tourist Experiences, Sociology," *Tourism Research*, 6(1), 179-201.

____________(1979), "Rethinking the Sociology of Tourism," Annals of Tourism Research, 6(1), 18-35.

Colquitt, J. A.(2001), "On the dimensionality of organizational justice: A construct validation of a measure," *Journal of Applied Psychology*, 86(3), 386-400.

Confe, J. C. & D. L. Kerstetter(2000), "Past perfect: Explorations of heritage tourism," *Park and Recreation*, 35(2), 28-35.

Connell, J(2006), "Medical Tourism: Sea, Sun, Sand, and Surgery," *Tourism Management*, 27(6), 1093-1100.

Cooke, A. D. J., T. Meyvis, & A. Schwartz(2001), "Avoiding Future Regret in Purchase-Timing Decisions," *Journal of Consumer Research*, 27(4), 447-459.

Cox, Donald F.(1967), *Risk Taking and Information Handling in Consumer Behavior*, Boston: Harvard University Press, 36.

Creswell J.(1994), *Research Design: Qualitative & Quantitative Approaches*, Thousand Oaks: Sage.

Cronin, J. Joseph Jr. and Steven A. Taylor(1992), "Measuring Service Quality: A Reexamination and Extension," *Journal of Marketing*, 56(July), 55-68.

Cuperfain, R., & K. Clarke(1985), "A new perspective of subliminal perception," *Journal of Advertising*, 14(1), 36-41.

Dann, H.(1996), *The Language of Tourism*, CAB International, Wallingford.

Darke, P. R. & J. L. Freedman(1993), "Deciding whether to seek a bargain: Effects of both amount and percentage off," *Journal of Applied Psychology*, 78(6), 960-965.

Dommermuth, William P.(1984), *Promotion: Analysis, Creativity, and Strategy*, Boston, Massachusetts: Kent Publishing Company.

Dowling, Grahame R.(1986), "Perceived Risk: The Concept andIts Measurement,"

Psychology and Marketing, 3(Fall), 193-210.

Elkin, Tobi(2003), "Gen Y Quizzed about On-Demand," *Advertising Age*, February, 14.

Engel, James F. and Roger D. Blackwell(1982), *Consumer Behavior*, 4th ed., Chicago: The Dryden Press.

Enis, Ben M. and Kenneth J. Roering(1981), "Service Marketing: Different Products, Similar Strategy," In James H. Donnelly, and William R. George, ed., *The Marketing of Services*, Chicago: AMA.

Escoffier, Marcel R.(1997), "Yield Management: Where We've Been, Where Are, Where We're Going," *FIU Hospitality Review*, Spring.

Etizioni, A.(1973), "The Third Sector and Domestic Missions," *Public Administration Review*, July/Aug., 314-321.

Ettinger, W. H.(1998), "Consumer-Perceived Value: The Key to a Successful Business Strategy in the Healthcare Marketplace," *Journal of America Geriatrics Society*, 46(1), 111-113.

Evan, M. R., J. D. Clark, and B. J. Kuntson(1996), "The 100-percent, unconditional, money back guarantee," *Cornell Hotel & Restaurant Administration Quarterly*, 37(6), 56-61.

Fakeye, P. C., & J. L. Crompton(1991), "Image Differences between Prospective First time, and Repeat Visitors to the Rio Grande Valley," *Journal of Travel Research*, 10-16.

Fitzsimmons, J. A. & R. C. Sullivan(1982), *Service Operation Management*, New York: McGraw-Hill Book Company.

Folger, R. & M. A. Konovsky(1989), "Effects of procedural and distributive justice on reactions to pay raise decisions," *Academy of Management Journal*, 32(1), 115-130.

Fornell, C., M. D. Johnson & E. W. Anderson, B. E. Bryant(1996), "The American customer satisfaction index: nature, purpose, and findings," *Journal of Marketing*, 60(4), 7-18.

Francken, D. I. C. & W. Fred Van Raaij(1991), "Satisfaction with Leisure Time Activities," *Journal of Leisure Research*, 13(4), 311-323.

Frederick F. Reichheld and W. Earl Sasser, Jr.(1990), "Zero Defections: Quality

Comes to Service," *Harvard Business Review*, 9-10, 108.

Frydman, C., C. Camerer(2016), "The psychology and neuroscience of financial decision making," *Trends Cogn. Sci.*, 20, 661-675.

Garvin, David(1987), "Competing on the Eight Dimensions of Quality," *Harvard Business Review*, 101-109.

Getz, D.(1991), *Festivals, Special Events, & Tourism*, New York: VNR.

Gigerranzer, G, P. M. Todd and the ABC Reserach Group(1999), *Simple Heuristics that Makes Us Smart*, Oxford University Press.

Grewal, D. & H. Marmorstein(1994), "Market price variation, perceived price variation, and consumers' price search decision for durable goods," *Journal of Consumer Research*, 21(December), 453-460.

Goeldner, Charles. R., J. R. Ritchie, and R. W. McIntosh(2000), *Tourism: Principles, Practices, Philosophies*, New York: John Wiley & Sons, Inc.

__________________, and J. R. Brent Ritchie(2009), *Tourism: Principles, Practices, Philosophies*, 11th, New York: John Wiley & Sons Inc.

Goffman, E.(1967), *Interaction Ritual*, New York: Doubleday.

Grönroos, A.(1984), "A Service Quality Model and its Marketing Implications," *European Journal of Marketing*, 18(4), 30-44.

______________(1990), *Service Management and Marketing: Managing the Moments of Truth in Service Competition*. Lexington Books.

______________(1998), "Service quality: The six criteria of good perceived service quality," *Review of Business*, 9, 10-13.

Graburn, N. H.(1983), "Tourism and Prostitution," *Annals of Tourism Research*, 10, 122-136.

Greenberg, J.(1990), "Organizational justice: Yesterday, today, and tomorrow," *Journal of Management*, 16(2), 399-432.

Greenberg, Paul(2006), "Move Over, Baby Boomer: Gen Xers Want Far More Collaboration with Companies, Both As Consumers and Employees," *CIO*, (March), 1.

Greene, Mark R. and Oscar N. Serbein(1983), *Risk Management*, 2nd ed., Western Virginia: Prentice-Hall.

Gremler, D. D., & W. S. Brown(1998), "Service Loyalty: Antecedents, Components, and Outcomes," *AMA Winter Educations Conference*, 9, 165-166.

Griffin, J.(1995), *Customer Loyalty: How to Earn it and How to Keep it*, New York: Lexington Books.

Gupta, P. B., & K. R. Lord(1998), "Product Placement in Movies: The Effect of Prominence and Mode on Audience Recall," *Journal of Current Issues and Research in Advertising*, 20(1), 47-59.

Hall, M.(2001), "Trends in ocean and coastal tourism: The end of the last frontier?" *Ocean and Coastal Management*, 44(9-10), 601-648.

Hamermesh, Daniel S.(2011), BEAUTY PAYS: Why attractive people are more successful, Princeton University Press.

Hart, W. L., L. A. Schlesinger, and D. Maher(1992), "Guarantees come to professional service firms," *Sloan Management Review*, 33(3), 19-29.

Hays, J. M and A. V. Hill(2001), "A longitudinal empirical study of the effect of a service guarantee on employee motivation/vision, service learning, and perceived service quality," *Production and Operations Management*, 10(4), 405-424.

Heath, T. B., S. Chatterjee, & K. R. France(1995), "Mental accounting and changes in price: The frame dependence of reference dependence," *Journal of Consumer Research*, 22(June), 72-85.

Hochschild, A. R.(1983), *The Managed Heart*, Berkeley University of California Press.

__________________(1979), "Emotion work, feeling rules, and social structure," *American Journal of Sociology*, 85, 551-575.

Hook, Kristina(1991), "An approach to a route guidance interface, Licentiate thesis," Department of computer and systems sciences, Stockholm University.

Horney, Karen(1945), *Our Inner Conflicts*, New York: W. W. Norton & Company, Inc.

Iwasaki, Yoshi and Mark E. Havitz(1998), "A Path Analytic Model of the Relationships between Involvement, Psychological Commitment, and Loyalty," *Journal of Leisure Research*, 30(2), 260-270.

Jain, A. K., & M. Etger(1976), "Measuring Store Image Through Multi Dimensional

Scaling of Free Response Data," *Journal of Retailing*, 52(4), 61-70.
Jeffreys S.(2003), "Sex tourism: Do women do it too?," Leisure studies 22, 223-238.
Jenkins, H.(1992), "*Get a Life*" *in Textual Poachers: Television Fans and Participatory Culture*, New York: Routledge.
Johnston, R.(1995), "Service Failure and Recovery: Impact Attributes and Process, Advances in Services Marketing and Management," *Research and Practice*, 4.
Kahneman, D., J. Knestch, and R. Thaler(1990), "Experimental Tests of the Endowment Effect and The Coase Theorem," *Journal of Political Economy*, 98(6), 1325-1348.
____________ and A. Tversky(1972), "Subjective Probability: A Judgement of Representativeness," *Cognitive Psychology*, 3, 430-454.
Kale, S. H., R. P. Mcintyre, & K. M. Weir(1987), "Marketing Overseas Tour Package to the Youth Segment: An Empirical Analysis," *Journal of Tourism Research*, (Spring), 25(3), 20-33.
Kasavana, Michael L.(1984), *Computer System for Foodservice Operations*, New York: Van Nostrand Reinhold, 158-160.
Keller, K. L.(2003), *Strategic Brand Management: Building, Measuring, and Managing Branding Equity*, 2nd ed., New Jersey: Prentice-Hall, Inc., 468-469.
Kendall, K. W., G. Booms, & H. Bernad(1989), "Consumer Perception of Travel Agencies: Communications, Images, Needs, and Expectation," *Journal of Travel Research*, 18(Spring), 29-37.
King, Carol A. (1992), "*Organizational Characteristics, Service Encountersand Guest Satisfaction in Hotels*," Ph. D. Dissertation, New York University.
Kotler, P. & Gary Armstrong(2008), *Principles of Marketing*, 12th ed., New Jersey: Prentice Hall.
__________ & S. J. Levy, Gary Armstrong(2008), *Principles of Marketing*, New Jersey: Prentice Hall.
__________(1997), *Marketing Management: Analysis, Planning, Implementation and Control*, 21th ed., New Jersey: Prentice-hall.
__________ & D. H. Haider & I. Rein(1993), *Marketing Places*, New York: The Tree Press.
__________(1988), *Marketing Management: Analysis, Planning, Implementation*

and Control, 6th ed., New Jersey: Prentice-Hall.

__________(1973-1974), "Atmospherics as a Marketing Tool," *Journal of Retail*, 49.

__________ & S. J. Levy(1969), "Broadening the Concept of Marketing," *Journal of Marketing*, 33(January).

Krishna, A., I. S. Currim & R. W. Shoemaker(1991), "Consumer Perception of Promotion Activity," *Journal of Marketing*, 55(April), 4-16.

LaBarbera, Priscilla A. and David Mazursky(1983), "A Longitudinal Assessment of Consumer Satisfaction/Dissatisfaction: The Dynamic Aspect of the Cognitive Process," *Journal of Marketing Research*, 20(November), 393-404.

LaLonde, C. & P. Zinszer(1976), *Customer service meaning and measurement*, National Council of Physical Distribution.

LeBlanc, G.(1992), "Factors Affecting Customer Evaluation of Service Quality in Travel Agencies: An Investigation of Customer Perceptions," *Journal ofTravel Research*, 21(Winter), 10-16.

Lee, C. K., Lee, Y. K., B. J. Bernhard & S. Y. Yoon(2006), "Segmenting casino gamblers by motivation: A cluster analysis of Korean gamblers," *Tourism Management*, 27(5), 856-866.

Lehtinen, U., & J. R. Lehtinen(1991), "The Approaches to Service Quality Dimensions," *The Service Industry Journal*, 11(3), 288-294.

Leiper, Neil(1990), *Tourism System: An Interdisciplinary Perspective*, New Zealand: Massey University.

_____(1979), "The Framework of Tourism: Towards a Definition of Tourism," Tourist, and the Tourist Industry, *Annals of Tourism Research*, 6(4), (October/December), 390-405.

Lemon, K. N., R. T. Rust, & V. A. Zeithaml(2001), "What DrivesCustomer Equity," *Marketing Management*, 10, 20-25.

Levitt, Theodore(1973), *The Third Sector: New Tactics for a Responsive Society*, New York: Amacom Press: 49.

Liden, S. B and P. Skalen(2003), "The effect of service guarantee on service recovery," *International Journal of Service Industry Management*, 14(1), 36-58.

Longman(1993), *Dictionary of English Language and Culture*, UK: Longman

Group Ltd.

MacCannell, D.(1976), "Staged Authenticity," *The Tourist*, 91-107.

______________(1973), "Staged Authenticity: Arrangements of Social Space in Tourist Settings," *American Journal of Sociology*, 79, 589-603.

Mael, F. & B. F. Ashforth(1992), "Alumni and their alma mater: A partial test oft he reformulated model of organizational identification," *Journal of organizational Behavior*, 13(2), 103-123.

Marks, R. B.(1976), "Operationalizing the Concept of store Image," *Journal of Retailing*, 52(3), 38-39.

Martin, G. & T. Brawn(1991), "In search of brand equity: The conceptualization and measurement of the brand impression construct," *Marketing Theory and Application*, 2, 431-438.

Marvin, B.(1992), "Exemplary service guarantee," *Restaurant & Institutions*, 102(21), 108-121.

Mattila, A. S. & D. Grouagel(2005), "The Impact of Choice on Fairness In The Context of Service Recovery," *Journal of Services Marketing*, 19(5), 271-279.

_____________(2001), "The effectiveness of service recovery in a multi-industry setting," *Journal of Services Marketing*, 15(7), 583-592.

Mayhew, C. E. & R. S. Winer(1992), "An Empirical Analysis of Internal and External Reference Prices Using Scanner Data," *Journal of Consumer Research*, 19(June), 62-77.

Mayo, Edward J. and Lance P. Jarvis(1981), *The Psychology of Leisure Travel: Effective Marketing and Selling of Travel Services*, Boston: CBI Publishing Company, Inc.

Mazumdar, T. & K. B. Monroe(1990), "The Effects of Buyers'Intentions to Learn Price Information on Price Encoding," *Journal of Retailimg*, 66(Spring), 15-32.

McIntosh, R. W. and C. R. Goeldner(1984), *Tourism: Principles, Philosopies*, 4th ed., New York: John Wiley & Sons Inc.

McLuhan, M.(1964), "*Game*" *in Understanding Media*, New York: McGraw-Hill Companies, Inc.

Meeth. L. Richard(1978), "Interdisciplinary Studies: A Matter of Definition," *Change*,

10(August).

Meidan, A.(1979), "Travel Agency Selection Criteria," *Journal of Travel Research*, 8(Summer), 26-32.

Mengue, B.(1994), "Major Travel Agency and Trip Attributes Effective When Purchasing a Domestic Tour from a Travel Agency: Some Insights from Istanbul, Turkey," *Journal of Travel and Toursim Marketing*, 3(2), 1-14.

Mitchell, V.(1999), "Consumer perceived risk: conceptualizations and model," *European Journal of Marketing*, 33(1), 1-22.

Mittal, B. & W. M. Lassar(1998), "Way do customer switch? The dynamic of satisfaction versus loyalty," *The Journal of Service Marketing*, 12(3), 181-184.

Morrow, M. & L. Smith(1995), "Constructions of Survival and Copying by Woman Who Have Survived Childhood Sexual Abuse," *Journal of Counselling Psychology*, 42, 24-33.

Morse, J.(1994), *Critical Issues in Qualitative Research Methods*, Thousand Oaks: Sage.

Moscardo, G.(1996), "*Mindful visitors: Heritage and Tourism*," *Annals of Tourism Research*, 23(2), 376-397.

Murray, Keith B. and John L. Schlacter(1990), "The Impact of Services versus Goods on Consumers' Assessment of Perceived Risk and Variability," *Journal of the Academy of Marketing Science*, 18(1)(Winter), 51-65.

Narayama, C. L. and R. J. Markin(1975), "Consumer Behavior and Product Performance: An Alternative Conceptualization," *Journal of Marketing*, 25(October).

Nebenzahl, I. D., & E. Secunda(1993), "Consumers' Attitudes Toward Product Placement in Movies," *International Journal of Advertising*, 12(1), 1-11.

Oliver, Richard L. and John E. Swan(1989), "Consumer Perceptions of Inter-personal Equity and Satisfaction in Transactions: A Field Survey Approach," *Journal of Marketing*, 53(April), 21-35.

____________________(1981), "Measurement and evaluation of satisfaction process in retail settings," *Journal of Retailing*, 57(Fall), 25-48.

____________________(1980), "A Cognitive Model of the Antecedents and

Consequences of Satisfaction Decisions," *Journal of Marketing Research*, 17(November), 246-250.

Parasuraman, A., Valarie A. Zeithaml, and Leonard L. Berry(1988), "SERVQUAL: A Multiple ItemScale for Measuring Consumer Perceptions of Service Quality," *Journal of Retailing*, 64(1)(Spring), 12-40.

________________, ____________________, & __________(1985), "A Conceptual Model of Service Quality and Its Implication for Future Research," *Journal of Marketing*, 49, 42-51.

Park, C. W., Bernard J. Jaworsky & Deborch J. Maclinnis(1986), "Strategic Brand Concept-Image Management," *Journal of Marketing*, 50(October), 135-145.

Patterson, Ian(2012), *Growing Older Tourism and Leisure Behavior of Older Adults*, University of Queensland.

Petrick, J. F.(2004), "Are loyal visitors desired visitors?" *Tourism Management*, 25(4), 463-470.

Pike, S. D.(2005), "Tourism destination branding complexity," *Journal of Product & Brand Management*, 14(4), 258-259.

Pizam, A. & R. Calantone(1987), "Beyond psychographics: Valueas determinants of tourist behavior," *International Journal of Hospital Management*, 6(3), 177-181.

Rajendran, K. N. & Gerard J. Tellis(1994), "Contextual and Temporal Components of Reference Price," *Journal of Marketing*, 58(January), 22-34.

Reibstein, David, J.(1978), "The Prediction of Individual Probabilities of Brand Choice," *Journal of Consumer Research*, December, 164.

Richards, Bill(1992), *How to Market: Tourist Attractions, Festivals & Special Events*, UK: Longman.

Rosenbloom, B.(1976), "The Trade Area Mix and Retailing Mix: A Retail Strategy Mix," *Journal of Marketing*, October, 58.

Rousseau, D. M.(1995), *Psychological Contracts in Organizations: Understanding Written and Unwritten Agreements*, Thousand Oacks, CA: Sage.

Rushton, Angela M. and David J. Carson(1989), "The Marketing of Service: Managing the Intangibles," *European Journal of Marketing*, 23(8), 23-44.

Russell, A. C.(1998), "Toward a Framework of Product Placement: Theoretical

Proposition," *Advances in Consumer Research*, 25, 357-362.

Saarinen, J.(2004), "Destinations in change: The transformation process of tourist destinations," *Tourist Studies*, 4(2), 161-179.

Sanchez, J., Callarisa, L., R. M. Rodriguez, & M. A. Moliner(2006), "Perceived value of the purchase of a tourism product," *Tourism Management*, 27(3), 394-409.

Schweikhart, S. B., S. Strasser, M. R. Kennedy(1993), "Service recovery in health service organization," *Hospital Service Administration*, 38(1), 3-21.

Shafir, E., I. Simonson, and A. Tversky(1993), "Reason-Based Choice," *Cognition*, 49, 11-36.

Shoemaker, S.(2000),"Segmenting the mature market: 10 years later," *Journal of Travel Research*, 39, 11-26.

Silvia, S.(1988), "Effects of Sampling Error and Model Misspecification on Goodness-of-fit Indices for Structural Equation Models," *Ph. D. Dissertation*, Ohio State University.

Simon, Herbert A.(1957), *Model of Man*, New York: John Wiley & Sons, Inc.

Smith, A. K., R. N. Bolton, & J. Wagner(1999), "A Model of Customer Satisfaction With Service Encounters Involving Failure And Recovery," *Journal of Marketing Research*, 36(3), 356-373.

Stanton, William J.(1984), *Fundamentals of Marketing*, New York: McGraw-Hill Book Company.

Stern, N.(1980), "Grounded Theory Methodology: Its Uses and Process," *Image*, 12(1), 20-23.

Stone, Robert N. and Kjell Gronhaug(1993), "Perceived Risk: Further Considerations for the Marketing Discipline," *European Journal of Marketing*, 27(3), 39-50.

Stovall, M. L.(1992), "What Escorted Tour Clients Really Want?" *ASTA Agency Management, January*, 16-17.

Strauss, A. & J. Corbin(1994), "Grounded theory methodology: an overview," In N. Denzin & Y. Lincoln(ed.), *Handbook of qualitative research*, Thousand Oaks, CA: age publications.

Surprenant, Carol and M. R. Solomon(1987), "Predictability and Personalization in the Service Encounter," *Journal of Marketing*, 51, 86-96.

Tax, S. S., S. W. Brown, & M. Chandrashekaran(1998), "Customer evaluations of service complaint experiences: implications for relationship marketing," *Journal of Marketing*, 62(2), 60-76.

Taylor, Steven A. and Thomas L. Baker(1994), "An Assessment of the Relationship Between Service Quality and Customer Satisfaction in the Formation of Consumers' Purchase Intentions," *Journal of Retailing*, 70(2), 163-176.

Thaler, R.(1985), "Mental Accounting and Consumer Choice," *Marketing Science*, 4(Summer), 199-214.

Thomson, C. M., & D. G. Pearce(1980), "Marketing Segment of New Zealand Package Tour," *Journal of Toursm Research*, 18(3), Spring, 3-6.

Tilden, F.(1997), *Interpreting Our Heritage*, The University of North Carolina Press.

Trice, H. M.(1968), *Rites and Ceremonials in Organizational Culture*, in S. B. Bacharach and S. M. Mitchell, eds.

Tse, David K. & Peter C. Wilton(1988), "Model of consumer satisfaction formation: An extension," *Journal of Marketing Research*, 25(May), 204-212.

Tucker, W. T.(1957), *Foundations for a Theory of Consumer Behavior*, New York: Holt, Rinehart and Winston.

Tversky, A. and D. Kahneman(1995), "Weighing Risk and Uncertainty," *Psychological Review*, 102(2), 269-283.

__________ and ___________(1992), "Advances in Prospect Theory: Cumulative Representation of Uncertainty," *Journal of Risk and Uncertainty*, 5(4), 297-323.

__________ and C. R. Fox and ___________(1991), "Loss Aversion in Riskless Choice: A Reference-Dependent Model," *Quarterly Journal of Economics*, 106(4), 1039-1061.

UNWTO Final Report(2006), *Seminar on Tourism Sustainability and Local Agenda 21 in Tourism Destinations and Workshop on Sustainability Indicators for Tourism Destinations*, 89-90.

Urbany, J. E., W. O. Bearden, & D. C. Weibaker(1988), "The Effects of Plausible and Exaggerated Reference Prices on Consumer Perceptions and Price Search," *Journal of Consumer Research*, 15(June), 95-110.

U.S Office of Consumer Affairs(1986), *Consumer Complain Handing in America:*

An Update Study, Part II, Washington. D.C.: Technical Assistance Research Programs Institute, 41, 50.

Veal, A. J.(2006), *Research Methods for Leisure and Tourism*, London: Pearson Education Limited.

Wagner, G.(1994), "Satisfaction guaranteed," *Lodging Hospitality*, 50(6), 46-47.

Wells, William D.(1974), *Life-Styles and Psychographics, Chicago*: American Marketing Association.

Williams, T. A.(1979), "Impact of tourism on host populations: the evolution of a model," *Tourism Recreation Research*, December, 15-21.

Winer, R. S.(1986), "A reference price model of brand choice for frequently purchase products," *Journal of Consumer Research*, 13, 62-77.

Woodside, Arch G., Lisa L. Frey and Robert Timothy Daly(1989), "Linking Service Quality, Customer Satisfaction, and Behavioral Intentions," *Journal of Health Care Marketing*, 9, 5-17.

World POPClock, U.S. Census Bureau(2006), accessed online at www.census.gov, (July).

Wright, A.(1995), *Storytelling with children*, London: Oxford University Press.

Yee, N., & J. Bailenson(2007), "The Proteus effect: The effect of transformed self representation on behavior," Human communication research, 33(3), 271-290.

Zaltman, G. & R. H. Coulter(1993), *Seeing the voice of customer: The Zaltman metaphor elicitation technique*, Cambridge, MA: Marketing Science Institute.

Zeithaml, V. A., A. Parasuraman, & L. Berry(1985), "Problems and Strategies in Service Marketing," *Journal of Marketing*, 49(2), Spring, 33-46.

Zeppel, H. & C. M. Hall(1992), "Arts and Heritage Tourism," Weiler, B. & C. M. Hall, eds., *Special Interest Tourism*, London: Bellhaven Press.

http://joongang.joins.com
http://www.busan.com
http://www.busan.go.kr

http://www.chosun.com
http://www.donga.com
http://www.golftimes.co.kr
http://www.gyotongn.com
http://www.imbc.com
http://www.kbs.co.kr
http://www.kookje.co.kr
http://www.law.go.kr
http://www.naver.com
https://www.nocutnews.co.kr
https://news.sbs.co.kr
www. yankelovich.com/products/list.aspx(August 2006)
https://www.ytn.co.kr
www.ranky.com

찾아보기

저자소개

박중환

동명대학교 경영대학 관광경영학과 교수
동명대학교 경영대학장, 교무처장 등 역임
한국관광레저학회 회장 및 편집위원장 역임
호텔업 등급결정 평가요원, 관세청 보세판매장(면세점)
특허심사위원 역임 등

관광과 스웜문화

2021년 4월 15일 초판 1쇄 인쇄
2021년 4월 20일 초판 1쇄 발행

지은이 박중환
펴낸이 진욱상
펴낸곳 (주)백산출판사
교 정 박시내
본문디자인 오행복
표지디자인 오정은

저자와의 합의하에 인지첩부 생략

등 록 2017년 5월 29일 제406-2017-000058호
주 소 경기도 파주시 회동길 370(백산빌딩 3층)
전 화 02-914-1621(代)
팩 스 031-955-9911
이메일 edit@ibaeksan.kr
홈페이지 www.ibaeksan.kr

ISBN 979-11-6567-275-1 03980
값 20,000원